SCHE

Doe jij verder nog iets?

Amy Scheibe

Doe jij verder nog iets?

Vertaald door
Hanka de Haas-de Roos

Pimento

Oorspronkelijke titel: *What do you do all day?*
© Oorspronkelijke uitgave: Amy Scheibe, 2005
© Nederlandse vertaling: Hanka de Haas-de Roos en Pimento BV,
Amsterdam 2005
Omslagontwerp: Roald Triebels
Foto voorzijde omslag: Zefa / D. Attica
Foto auteur: Nancy Keiter
Typografie en zetwerk: CeevanWee, Amsterdam
ISBN 90 499 9995 6
NUR 302

Pimento BV is onderdeel van Foreign Media Group

Hoofdstuk Een

De telefoon gaat en ik weet al bij voorbaat dat het slecht nieuws is.

'Jennifer? Met Hillary, je spreekt toch Spaans?' vraagt Hillary Jacobs met schrille stem, niet eens eerst even een vriendelijk hallo. 'Sorry voor al die herrie, ze zijn beneden een zwembad aan het installeren – vraag me niet waarvan we het ooit moeten betalen – en een rotzooi, niet te geloven.'

'*Geloof je graag...*'

'Mooi, vier uur dus? Hortensia neemt een *almuerzo* mee. Wat is er, Chloë? Nee, mama heeft een speelafspraakje met de advocaten. Oké Jen, tot straks. En dat etentje spreken we binnenkort af, oké? Ciao ciao.'

Terwijl ik de telefoon neerleg, zakt me de moed nog verder in de schoenen. Het liefst zou ik Thom bellen en sputteren over deze gang van zaken. Maar die zit in het vliegtuig naar Parijs, verdomme. Ik vrees dat ik niet anders kan dan een heel uur uitzitten met Hortensia en Chloë, zonder haar moeder erbij. Georgia heeft niet makkelijk vrienden gemaakt en Chloë is het enige kind dat in deze eerste weken op school een beetje met haar heeft opgetrokken. Hillary Jacobs had dit speelafspraakje voorgesteld en nu zadelt ze me op met haar nanny met wie ik niet kan communiceren. Ik heb vier jaar Frans gestudeerd aan de universiteit van Columbia, met ook nog een semester in Tunesië, maar ik had beter een wat nuttiger taal kunnen leren, want hoe vaak spreek ik nou eigenlijk Frans? *Frère Jacques*, en dan houdt het wel op.

Om vier uur gaat de bel, en ondanks een uur lang plannen voor dit afspraakje ben ik niet klaar. Georgia heeft om kwart voor vier bedacht dat ze de pest heeft aan Chloë, en hoe ik ook bid of smeek, ze is niet van plan haar standpunt te wijzigen. Dat ze zo dwarsligt komt ongetwijfeld door dat zwembad. Kennelijk vindt ze dat wij er ook een moeten hebben. En waar dan? vroeg ik haar. In een mooier appartement, met een tuin en bomen, dat is haar oplossing. Het ziet er meer en meer naar uit dat het een grote vergissing is geweest om mijn dierbare bloedje naar die peperdure kleuterschool aan Park Street te sturen. Zoals ik Thom al had voorspeld.

Ik loop naar de deur, mijn haar vol zelfgemaakt deeg dat Max er met zijn plakhandjes in heeft gesmeerd. Twee in vier jaar leek een goed idee op Jamaica, op het strand van Club Med, 'wij vermaken je kind, jullie hebben seks.' Maar ik weet het zo net nog niet. Begrijp me goed, Max is geweldig, maar het is een megababy en hij heeft me heel wat rugklachten bezorgd in het trage proces van leren lopen. Hij weigert ook om te kruipen als ik in de buurt ben. Hij ligt daar maar, of zit, ogen half dichtgeknepen, en schreeuwt wanneer hij 'op, óp, OP' wil. Praten, ho maar, alleen dat 'op', en natuurlijk 'nee'. En als ik zou zeggen dat hij tanden had, zou ik liegen.

Hortensia is een verbluffend mooie vrouw, wat ik niet kan zeggen van het kind dat ze onder haar hoede heeft. Chloë komt aanzeulen met een lading tassen van dure winkels – lijkt wel een zwerfster met haar hele hebben en houden – bruingestreept van Bendel's, zilver van SFA, langwerpig roze van PINK, en natuurlijk de favoriet van alle kleine meisjes, de chique zwart-witte vierkante tas van Barneys. Chloë zelf is een studie in zwart: maillot, lakschoentjes – ongetwijfeld speciaal laten maken bij Bergdorf – ribfluwelen rokje, coltruitje, en ja, te gek, een baretje, en alles zwart. Ze zou vast met haar vingers knippen als die niet verstrikt zaten in al die zijden tassenkoorden. Onder al deze opschik gaat een ongemeen lelijk kind schuil. Ze kijkt naar me alsof ik een stuk vuil ben.

'Waar 'sz Georgia? Sze moet helpen met de szakken,' klinkt het slissend uit haar te kleine mondje. 'Mira, Hortenszia, buthca la cocina y hacerme almuerzo.'

Ik ken genoeg restaurant-Spaans om te begrijpen dat ik Hortensia in de keuken moet installeren, dus ik leid het tweetal ons 'bescheiden' drieslaapkamerappartement binnen. Door de ogen van Chloë zie ik hoe arm we zijn, met ons budgetmeubilair en onze betonnen vloeren. En ik denk: vermoord Chloë. Doe alsof het een ongeluk was. Natuurlijk, in de ogen van Hortensia zijn we stinkend rijk, met onze enorme woonkamer en Sub Zero-koelkast die, zoals mijn politiek correcte schuldgevoel me inwrijft, meer stroom verbruikt dan het gemiddelde Mexicaanse dorp.

Tegen de tijd dat ik in gebroken Frangels (Hortensia: ik heb een pan nodig. Ik: wat voor brood?) heb begrepen dat al Chloë's eten met stoom bereid moet worden volgens het South Fork-dieet – en echt, de botvisfilet en de struikjes broccoli zien eruit als iets wat je een vent van vijftig met een hartkwaal voorzet – hebben Chloë en Georgia de tassen omgekeerd op het kleed in de kamer en praten over de details van je haar helemaal steil laten maken of je krullen wat losser.

'Maar dan 'sz het net Malibu Barbie, szo rond 1971, en niet Szkipper met de mooie haren,' is Chloë's commentaar, waarbij ze dus die poppen van vroeger als voorbeeld noemt. Ik kan wel janken – ik had die poppen, dertig jaar geleden. Ik zak in een stoel en kijk naar de les. 'Maar szo'n bruine teint moet je niet willen, andersz heb je tegen de tijd dat je twintig bent al Botox nodig. Alsz je al bruin wilt worden, moet je dat szprayszpul kopen, dat 'sz veel beter voor je huid,' doceert Chloë.

Mijn dochter zit daar, haar ogen vol verbazing, haar kin rustend op haar knuistjes, en haar prachtige pijpenkrullen afhangend tot aan haar ellebogen. Ze heeft, althans voor het moment, haar vijandige houding laten varen. Tot op heden was haar kennis van haar- en huidproducten beperkt tot 'Weg traantjes' en 'Op het wangetje'. Ze heeft één barbie, want ze dacht altijd dat er maar één barbie bestond. Die van haar. Ik ben ook gebiologeerd, want ik heb nog nooit een kind van Chloë's leeftijd meegemaakt dat zo duidelijk kon formuleren, ondanks haar geslis, waardoor haar Spaans overigens vlekkeloos klinkt.

Dit is Georgia's eerste confrontatie met echt rijke mensen, en mijn maag draait om als ik denk aan de jaren die komen gaan. We hebben heus geprobeerd om haar wensen bescheiden te houden, maar ik zou mezelf voor de gek houden als ik niet dacht dat ze binnenkort zegt: 'Ik moet heusz een pony hebben.' En ik ben ook niet zo gecharmeerd van de manier waarop haar school de kindergroepen indeelt. Ze volgen daar niet het systeem van de openbare scholen, met leeftijd en klassen, maar ze hebben open klassen, en Georgia gaat om met jongere en oudere kinderen. Verbaal is ze haar leeftijd vooruit, los van de gebruikelijke fouten in werkwoordstijden en haar luie 'r', maar is ze er werkelijk aan toe om op te trekken met prepubers als Chloë?

'OP OP OP,' klinkt het uit de kamer van Max die net klaar is met zijn hazenslaapje. Zijn slaappatroon is net een rekenopgave: zes uur per nacht in twee shifts van drie uur, met overdag om de vier uur een dutje van een halfuur. En of mijn andere lieve schat 's nachts doorslaapt? Vergeet het maar. Wanneer Max eindelijk echt vast slaapt, is Georgia kennelijk klaar met haar nachtelijke rit door de Arabische woestijn en ook al staan er vier tuitbekers met drinken rond haar bed, zij vindt dat het water uit de kraan in mijn badkamer, waar ze niet bij kan, het enige water is dat koud genoeg is om haar vreselijke dorst te lessen.

Hortensia, met een soort babyradar ingebouwd in haar ziel, glijdt door de kamer en duwt me zachtjes terug in de stoel van waaruit ik gadesloeg hoe mijn commercieel onbedorven dochter werd verpest. Ze loopt door naar de kamer van mijn zoon, zonder zich iets aan te trekken van mijn 'nee, nee, ik ga hem halen'. Komt vast door mijn trillende stem, de halfgesmoorde snik.

Wanneer ze terugkomt, zegt ze 'siesta' en wijst naar mijn slaapkamer. Ik sputter niet tegen: dit woord ken ik.

Een halfuur later gaat de wekker, en ik heb het gevoel dat ik dagen heb geslapen. Ik zou het ding niet eens gezet hebben, maar ik kan niet riskeren dat Hillary merkt dat ik het hele speelbezoekje lang heb geslapen. Wanneer ik mijn kamer uitkom, kan ik mijn ogen niet geloven. Chloë en Georgia hebben een tafeltje gedekt, met de vis en de broccoli erop, en mijn dochter houdt haar botte mes en haar Poeh-vork keurig op zijn Europees vast. Om hen heen meer barbies, skippers, kens en francies dan ik in mijn leven ooit heb gezien. Max zit in zijn kinderstoel en lepelt wat eruitziet als geprakt hartpatiëntenvoer in zijn eigen mond, in plaats van in de mond van zijn grote vriend

Teddy de Beer. Al het speelgoed is opgeruimd, en Hortensia zit te schrijven in wat een dagboek blijkt te zijn, met onze gewoonlijk onvriendelijke kat, Peeve, spinnend op haar schoot. De tranen schieten me in de ogen. Ik ben een slechte moeder.

'Kom je morgen weer spelen?' vraag ik aan Chloë, wanneer ze alles hebben ingepakt en klaar zijn voor vertrek.

'Dat moet je aan Haar vragen,' zegt ze, waarmee ze kennelijk haar moeder bedoelt. 'We hebben erg veel afszpraken.'

'Denk je dat Hortensia misschien zonder jou kan komen?' zeg ik, meer tegen mezelf, nadat de deur achter hen is dichtgegaan.

Hoofdstuk Twee

Ik heb altijd kinderen gewild. Jaren geleden, toen ik nog mijn eigen geld verdiende en vond dat ik het me wel kon permitteren om mijn therapeut tweehonderd dollar per week te betalen om me niet 'duizelig' te voelen, suggereerde deze dat mijn kinderwens verband hield met de vroege dood van mijn eigen moeder.

Maar ik hield echt van kinderen. Dood? Lariekoek. Bovendien hertrouwde mijn vader voordat ik zelfs ook maar 'mama' kon zeggen, en dus is Cheryl voor mij nooit iets anders geweest dan mijn moeder. Op het gevaar af dat het volslagen belachelijk klinkt, moet ik er meteen bij zeggen dat Cheryl ook mijn tante is. Haar zuster Nancy was eerst met mijn vader getrouwd, maar toen mijn echte moeder een paar weken na mijn geboorte haar Cadillac tegen een boom parkeerde, verscheen Cheryl om mijn vader te helpen voor mij te zorgen, en van het een kwam het ander, zo gezeid. Zij is niet alleen mijn surrogaat- en stiefmoeder, maar vreemd genoeg ook mijn beste vriendin. Omdat we nooit hoefden na te denken over de moeder-dochterband, hebben we altijd een open en vrije relatie gehad. Er is niets wat ik haar niet kan vertellen en niets wat zij mij niet zal vertellen. Maar toch zou ik misschien, als ik heel eerlijk was, moeten toegeven dat mijn besluit om mijn met hard werken bevochten carrière op te geven, en te worden wat ik ooit smalend een 'thuisblijfmoeder' noemde, wellicht *iets* te maken heeft met de dood van Nancy. Ik heb dat vreemde, diepgewortelde instinct om me volledig in te zetten voor mijn kinderen, zodat zij zich mij, als ik jong en mooi doodga, altijd zullen blijven herinneren als de allerbelangrijkste persoon in hun jonge leven.

En dus is mijn leven een hel.

Niet omdat ik nooit met een volwassene spreek over grotemensenzaken, of in geen vier jaar naar de kapper ben geweest, of omdat het litteken van mijn keizersnede – zo onterecht 'bikinisnede' genoemd, alsof ik ooit nog een bikini zou dragen – als een spoorrail over mijn buik loopt, met daarboven een walgelijke kwab van vet en spieren die geen dieet ooit zal wegwerken. Dat niet, en ook is seks voor mij niet een maar zelden bezocht ver land, of zijn de tweeënveertig minuten die ik per dag alleen met mijn echtgenoot doorbreng – als hij in het land is – uitsluitend gewijd aan wat de kinderen hebben gegeten, niet gegeten, en wat er vanonder weer is uitgekomen.

Het probleem is eigenlijk dat ik – wat ik ook aan biologisch gekweekte groenten aansleep, hoeveel indianententen ik ook bouw, hoe vaak ik mijn kinderen ook twintig straten verderop meeneem om te spelen op arsenicumvrije houten klimtoestellen, hoe ik ook goochel met het huishoudgeld – wanneer ik mezelf afmeet aan de verwachtingen van de mensen om me heen, ontdek dat ik achter mijn eigen perfectionistische staart aan jaag. Ik ren de hele dag achter de kinderen aan, put me uit tot ik niet meer kan, plof daarna neer in bed om vervolgens te merken dat ik niet kan slapen door alle gedachten die door mijn hersens spoken.

Mijn hormonale klok heeft niet stilgestaan bij de verantwoordelijkheden die het ouderschap met zich meebrengt. Zoals zorgen dat ze in leven blijven. Veilig-voor-kinderen is moeilijker dan het lijkt en overal ligt gevaar op de loer. Daarom vond ik het uiteindelijk makkelijker om mijn kroost thuis te houden, bij mij, lekker veilig en warm, en er maar zelden op uit te gaan, en dan alleen in groepsverband. Ik heb me helemaal op moederen gestort, heb alles gedaan volgens het boekje 'hoe laat ik mijn kind floreren'. En ik heb nagelaten om na te denken over de dag dat zij het nest zouden verlaten met hun zorgvuldig gekortwiekte vleugels.

O ja, ik was volmaakt, zeker, een volmaakte mislukking.

Ik pak de boel op het ogenblik verkeerd aan. Volgens de recente diagnose van een specialist lijdt Georgia aan het 'te-dicht-bij-mammie'-syndroom. Volgens haar heeft Geege behoefte aan meer vrienden van haar eigen leeftijd. Blijkbaar heeft mijn wens om haar voor de boze wereld te behoeden onvoorziene gevolgen gehad. Kan best zijn dat ik na 9-11 wat overgereageerd heb, maar Thom was op reis – als altijd – en we waren allemaal, begrijpelijk, lichtelijk hysterisch. Misschien had ik af en toe met haar naar een gym- of knutselklasje moeten gaan, in plaats van wegkruipen in ons bunkerappartement, en boekjes lezen en fantasiewerelden creëren met papier en lijm. Ik heb in al haar behoeften voorzien en haar daarmee op de rand van paniekaanvallen gebracht. Ze werd panisch als ik er niet was, niet omdat ze niet zonder me kon, maar omdat ze bang was dat ik niet bestond wanneer zij me niet zag. Naar school gaan heeft geholpen, maar om te voorkomen dat zij een klassiek geval van pleinvrees wordt, moet ik mijn bloedje socialiseren, mijn eigen verlegenheid tegenover de buitenwereld overwinnen en af en toe deze plek, die we teder Elba noemen, verlaten.

Niet dat ik niet weet wat me daarbuiten wacht. Ik woon al bijna mijn hele volwassen leven in Manhattan, en heb met volle teugen genoten van alles wat er te beleven valt. Sommigen zullen misschien zelfs zeggen dat ik wel een heel exclusief leven heb geleid met mijn pseudo-glamourrelaties en ongebruikelijke carrièrepad. Maar een van de beste kanten van kinderen hebben was nee kunnen zeggen op uitnodigingen, en knus thuiszitten met de kleintjes in plaats van aan een bar hangen. Ik mis de nachtclubs of de filmpremières niet. Ik heb beroemdheden van nabij meegemaakt en dat is allemaal heus niet zo indrukwekkend. Maar helaas ben ik niet zo geïnteresseerd in andere ouders – eerlijk gezegd ben ik bang voor ze, en ik denk dat het niet erg goed voor me zou zijn om met ze op te trekken en hun kinderen te vergelijken met die van mij. Dat doe ik al genoeg in gedachten. Het ergste is de ontmoeting met de werkende moeder, en mijn gebrek aan prestaties afzetten tegen haar razendsnelle succes terwijl al mijn mantelpakken verfomfaaid in de kast hangen. Ik weiger spijt te hebben van mijn beslissing, zelfs als die verkeerd blijkt te zijn.

Hoofdstuk Drie

Thom is terug van een trip naar Spanje waar hij een relikwie van Sint-Petrus moest bemachtigen voor een van de cliënten van zijn kunst- en antiekhandel, en we hebben een heuse babysit laten komen, geen familie van een van ons, die tegen betaling op de kinderen past terwijl wij genieten van een avondje uit. Dit is de eerste keer sinds februari 2002, niet dat ik het op de kalender heb genoteerd of zo, en de volgende keer is misschien pas wanneer Mars weer dicht bij de aarde komt, dus ik heb mijn middag besteed aan scheren, epileren, nagels lakken, terwijl de kinderen zes keer naar Baby Shakespeare hebben gekeken, en mijn schuldgevoel bij ieder 'Hallo, ik ben Julie Clarke' groter werd. Ik zie er zo goed uit als ik kan en ik hoop dat kaarslicht de rest zal doen, of dat het uitzicht over de stad die zich daar aan de overkant van de rivier uitstrekt, Thom genoeg zal afleiden om niet te zien dat de fijne lijntjes rond mijn ogen zich niet meer zomaar laten wegpleisteren.

'Je ziet er echt helemaal geweldig uit,' zegt hij, me recht aankijkend. Ik probeer mijn jukbeenderen omhoog te zuigen via mijn sinussen.

'Nou ja, zo geweldig als ik kan, lijkt me.'

'Lieverd, aanvaard dat compliment. Je ziet er echt geweldig uit. Dat opgestoken haar vind ik leuk. Je straalt,' probeert hij nog eens. Ondertussen is hij het die er geweldig uitziet, met vroege kraaienpootjes die uitwaaieren rond de hoeken van zijn transparant bruine ogen, en hier en daar een enkel vleugje grijs in zijn dikke bruine golvende haar.

'O, dat. Dat komt door het kaarslicht.' Ik kijk naar de boog van de Brooklynbrug, die we kunnen zien vanwaar we zitten, neem peinzend het uitzicht over de punt van Manhattan in me op. 'Ik mis ze echt, weet je.'

'De kinderen? Ik dacht dat je een avondje uit wel gezellig zou vinden.' Hij lacht, maar het klinkt lief en zacht.

'Nee, de towers,' zeg ik, een beetje jankerig door de champagne. 'Het ziet er zo kaal uit, daar. Ik hoop dat ze er iets indrukwekkends zullen neerzetten.'

'Je piekert te veel. Het komt heus wel goed.' Hij schenkt nog meer bubbelwijn in. We hebben onze tonijntartaar en zeeduivelmedaillons op, en wachten nu de twintig minuten die nodig zijn om onze chocoladesoufflé te bereiden. Er zijn twee flessen doorheen gegaan vanavond, en ik voel me aangeschoten, moe en emotioneel. Ongeveer een fles geleden voelde ik me nog sexy, maar nu wil ik me alleen nog oprollen en wegzinken in een droomloze slaap.

'Hé, Jen,' zegt Thom, terwijl hij met zijn vinger mijn kin naar zich toedraait. Ik vang een vleugje van zijn aftershave op, dezelfde als altijd, een die ik nog nooit bij een andere man heb geroken. 'Ik wil je bedanken.' Hij legt een langwerpig smal blauw pakje op tafel. Je kent ze wel.

'Waar is dat voor?' Ik weet dat ik niet jarig ben. Ik ben nooit jarig.

'Maak maar open.'

Ik maak het witte lintje en het blauwe papier los. Er komt een met blauw suède beklede doos te voorschijn. Langzaam maak ik hem open. Ik heb nog nooit een armband gezien met zoveel diamanten.

'Wat? Waarom? Hm, hij is prachtig.' Ik vraag me af waar en wanneer ik die ooit zal dragen.

'Het is een tennisarmband; kom, dan doe ik hem om.' Hij pakt mijn pols en knipt er zo'n geval uit een Broadway-etalage omheen. Ik houd het ding zo ver mogelijk van me vandaan, doe alsof het om iemand anders' arm zit, en bekijk het op afstand. Nu straal ik echt, maar een beetje te veel als Tsjernobyl.

'Niet erg praktisch, en ik tennis ook niet echt,' kan ik alleen maar uitbrengen.

'Je verdient onpraktische dingen. Je werkt zo hard. De kinderen zijn zo fantastisch. Zonder jou zou ik dit allemaal niet kunnen, en ik wil dat je weet hoe dankbaar ik je ben. Elke dag weer.' Daar zegt hij wat. Hij zou dit alles niet kunnen zonder mij. Hij heft zijn glas. 'Op jou.'

'Op ons,' antwoord ik. Zelfvoldaan leun ik achterover in mijn stoel; kijk bewonderend naar het uitzicht over de stad, naar Thom, naar mijn tennisarmband. Alles glittert.

'Lieverd, ik moet iets met je bespreken.' Ik glimlach naar hem, knik dat hij moet doorgaan. 'Luister, Universal Imports opent een vestiging in Singapore en Bjorn heeft mij gevraagd om die te leiden.' Ik knipper als Bambi toen die net zijn moeder had verloren. 'Maak je geen zorgen, ik heb gezegd dat ik mijn gezin niet wil ontwortelen, niet wil verkassen naar een ander land.' Ik leun weer ontspannen achterover, trots op mijn jager-verzamelaar. 'Als tussenoplossing sturen ze me voor drie maanden daarheen om de zaak op poten te zetten.'

'Drie maanden?' Ik probeer niet te schreeuwen. 'Je hebt me dus dronken gevoerd om me te vertellen dat je mij en de kinderen verlaat? Ga verder.' Ik lieg niet, ik voel me echt nogal versuft. In feite voel ik mijn voeten niet eens, weet niet eens zeker of ik die heb. En mijn rechterhand is versteend vanaf de prijs die ik hiervoor moet betalen tot aan mijn vingertoppen. 'Nee, wacht even. Is het niet tot je doorgedrongen dat Georgia een nogal moeilijke periode doormaakt? En dat Max best een mannelijk voorbeeld zou kunnen gebruiken, en dan liefst een dat kan kruipen?'

'Lieverd, ik kruip. Ik heb nog geen ja gezegd. Ik wilde het eerst met jou bespreken.'

'Ik ben heus niet zo drokû als ik eruitzie, Thom.' Maar duidelijk wel zo dronken als ik klink. Nog een keer proberen. 'Dronken. Daarnet zei je dat je een tussenoplossing had gevonden en dus is het zonneklaar dat je je mentale koffers al hebt gepakt.' Ik sla mijn armen over elkaar, zorg dat zijn glitterende chantagemiddel goed in het oog springt.

'Nou ja, ik heb gezegd dat ik er serieus over zou nadenken en dat ik het maandag zou laten weten. Als jij niet wilt dat ik ga, dan zeg ik nee tegen Bjorn.' Hij kijkt even uit het raam, dan weer naar mij, leunt voorover. 'Alleen is dit wel iets waardoor we weer een stapje hoger op de ladder zouden komen. Iedereen weet dat je moet reizen om punten te verzamelen, en ik word op kantoor flink onder druk gezet om te zorgen dat dit van de grond komt. Het is de enige manier om ergens te komen.'

'Waar zijn we, in een film? Je klinkt als een filmster. Nicholas Cage of zo. En bovendien, je bent al voortdurend op reis. Doe niet zo lullig. Je doet neerbuigend, en je doet lullig. De Thom die ik ken is geen lul. Bjorn, dat is pas een lul.' Met elk 'lul' geef ik mijn glitterding een klein rukje. Het liefst deed ik het af en smeet het hem in zijn gezicht, maar het is echt mooi, en ik denk dat ik het bij mijn sweatshirts kan dragen. Mensen die tennissen, zweten, zo is dat.

'Oké, je hebt gelijk, ik doe lullig. Ik zal het op een andere manier proberen.' Hij kijkt weer naar buiten, nipt aan zijn glas, trekt zijn das recht. 'Het is maar voor drie maanden; ik ben terug voor je het weet. Ik wil dit echt graag, het is een unieke kans voor ons, en je zult zien dat het ook goed is voor jou. 't Geeft je de tijd om na te denken over "wat verder". En intussen kan ik deze ervaring gebruiken als hevel naar een betere positie...'

'Goed voor jou, bedoel je.'

'... misschien een hogere provisie – wat?'

'Goed voor jou. Zeg het, Thom. "Het is goed voor Thom."' Ik heb hem schaakmat en hij weet het. Hij blaast een zucht uit door zijn neus.

'Het is goed voor mij. Maar wat goed is voor mij, is goed voor ons, waar of niet? We zitten toch samen in dit schuitje?' Hij pakt mijn hand en ik laat hem begaan. Tijd om mijn kant van de zaak aan de orde te stellen.

'Natuurlijk zitten we dat. Maar wat is goed voor mij? Wat is goed voor Jennifer?' Mijn god, ik wou dat ik dit had zien aankomen. Ik haat het om niet voorbereid te zijn. Onvoorbereid en dronken. 'Ik bedoel, ik sta al vijf jaar langs de zijlijn, terwijl Universal Imports jou de hele wereld over stuurt, en Bjorn rijk wordt van jouw ambities en mijn opofferingen. Dacht je nu echt dat mijn carrière rustig lag te wachten tot ik klaar ben met moeder-zijn? Vijf jaar, Thom. Helpt een tripje naar Singapore mij ook een stapje hogerop?'

'Geef het nog wat tijd, Jen. Alsjeblieft? Bjorn denkt erover om me tot volledig partner te maken als dit succes heeft. Ik heb je steun nodig.'

'En ik heb jouw steun nodig.'

'Maar je hebt zelf gezegd dat je niet wist wat je wilde gaan doen als de kinderen eenmaal naar school zijn. Hoe kan ik nou iets steunen wat nog niet eens vorm heeft gekregen? Je weet dat ik volledig achter wat jij besluit zal staan.' Hij schenkt zijn glas nog eens vol en slaat het in een teug achterover. Ik heb hem klem. Of toch niet?

'Ik wil nu weer aan het werk. Niet volgend jaar, nu.' Dat is helemaal niet waar, maar de gedachte dat ik de komende drie maanden in mijn eentje voor de kinderen moet zorgen, is ondraaglijk – alles, behalve dat.

'Kom op, Jen, je weet dat dat niet reëel is. Max is nog niet eens uit de luiers. Een nanny alleen al zou jouw hele salaris kosten. Daar hebben we het nu al zo vaak over gehad.' Ik luister naar zijn stem, luister of ik er iets neerbuigends in hoor. Maar nee, dit keer niet.

'Ik weet het, ik weet het, mijn salaris zou maar een druppel op de gloeiende plaat zijn, en werken zou onze financiële lasten alleen maar groter maken,' dreun ik op. 'Maar misschien kan ik nu een hoger salaris bedingen.'

'Wees reëel, Jen, dat gebeurt gewoon niet in deze wereld, je bent niet meer bij in je vak en je zult moeten beginnen waar je bent geëindigd – en inflatiecorrectie is er tegenwoordig ook niet meer bij.'

'Nu doe je weer lullig.' Het is mijn enige verdediging, want ook al doet hij lullig, hij heeft volkomen gelijk. Ik zou weer aan de slag moeten tegen mijn oude salaris, en al zou dat niet echt een probleem zijn, als je de belasting er aftrok bleef er nauwelijks genoeg over om een oppas voor twee kinderen te betalen. Tel daarbij op kleding, kapper en schoenen, en de kosten van weer aan het werk gaan zijn hoger dan wat ik aan salaris inbreng. Daar kan ik niet omheen, cijfers zijn cijfers.

'Oké, je hebt gelijk, ik ben een lul. Een lul die er elke dag op uitgaat om voor zijn gezin te zorgen. Nou klink ik echt als een vent in een film. Luister, ik ga niet naar Singapore, het spijt me dat ik de kans niet heb gekregen om dit met je te bespreken, maar het kwam pas gistermiddag ter tafel, en het ging tussen mij en Frank O'Neill. Die heeft geen kinderen, hij had het zo gedaan. Maar Bjorn wil mij, lieverd, zie je niet wat dat betekent? Hij vertrouwt me zijn geheimste plannen toe, en het ziet ernaar uit dat hij echt iets groots met me voorheeft. Over vijf jaar zou ik de hele firma kunnen leiden, en dan zitten we op rozen. Ik wil echt niet weg, echt niet, maar het betekent zoveel voor ons als gezin. Houd het nog een poosje vol thuis en daarna doen we alles wat jou gelukkig kan maken.'

'Als dit maar niet weer een van Bjorns plannen is om zich te verrijken, en als hij jou maar niet gebruikt om onbeproefde wateren te testen.' Bjorn, ongepolijst, knap om te zien en een kop groter dan Thom, heeft een soort hypnotische macht over mijn echtgenoot waaraan ik, als het ons gezin niet ten goede kwam, allang een einde zou hebben gemaakt. Maar ja, soms moet je de kerels de kerels laten.

'Lieverd, heb een beetje vertrouwen in me, ik weet heus wanneer iets goed is.' Hij pakt mijn hand en knijpt erin. 'Azië is een enorme groeimarkt, met nieuwe rijken in China die links en rechts allerlei kunst opkopen.'

'Ga dan.'

'Niet als jij het niet wilt.'

'Je weet dat ik wil dat je gaat. Ik wil alleen niet dat jij wilt gaan zonder mij in de besluitvorming te betrekken. Ga. Discussie gesloten.' Ik kijk naar mijn armband. Is die het waard?

'Luister. Ik vertrek pas over een paar weken, dus we kunnen rustig bekijken hoe we dit aanpakken. Ik zal mijn moeder vragen om te komen helpen, zo vaak als je wilt. En je zult zien, de tijd vliegt voorbij.' Ik knik. Het liefst zou ik een blocnote uit mijn tas halen en een lijst maken, maar ik kan er vanavond gewoon niet meer over nadenken. En als we over zijn moeder beginnen, zitten we hier morgenochtend nog, ontbijt onder de Brooklynbrug.

Onze soufflé arriveert, een miezerig ingezakt kledderig hoopje gesmolten chocola. Er staat een kaars middenin. De ober zet het geheel voor mijn neus neer.

'Wat is dit?' Ik kan het niet helpen maar ik voel me, nu de strijd is gestreden, net als dat kleine bruine hoopje. Tranen druppen.

'Het is vanavond precies tien jaar geleden dat ik je voor het eerst zag.' Shit. Het is 15 oktober. Ik was het helemaal vergeten. Wie is er eigenlijk een lul? 'Het was het beslissende moment in mijn leven. Ik houd van je, Jennifer Bradley, en ik kan niet zonder je. Jij bent mijn leven.' Hij wrijft met de rug van zijn hand over mijn wang en ik leg mijn hoofd ertegen, met een week gevoel, denk terug aan ons eigen taaltje.

'Zeg, Lawrence, je bent een clown,' zeg ik, citerend uit onze lievelingsfilm.

'We kunnen niet allemaal leeuwentemmers zijn,' antwoordt hij, terwijl hij mijn hand pakt en zijn hoofd over de tafel heen tegen het mijne legt. 'Vooruit, doe een wens.'

Ik sluit mijn ogen en wens dat ik die tien jaar terug zou kunnen gaan om tegen Jennifer Probstfeld te zeggen dat ze heel voorzichtig moet zijn met wat ze wenst.

Hoofdstuk Vier

Thom zag mij het eerst. Ik was in Egypte, even een weekend weg van een opgraving in Carthago, tijdens mijn semester in het buitenland, en ik was op de markt van Caïro op zoek naar replica's van amuletten, om als souvenir mee naar huis te nemen. Ik was ervandoor gegaan, helemaal naar Noord-Afrika, om de moeizame relatie met mijn vriendje, een volwassen kindacteur, te ontvluchten, nadat we vruchteloos hadden geprobeerd om er 'samen uit te komen'. Op het eerste gezicht was Thom alles wat Heath niet was, te beginnen met wat daar vlak naast mij stond. Hij was maar een haartje groter dan ik, en toen hij in mijn ogen keek was er een directheid die altijd had ontbroken met de veel langere Heath. Het was heel onschuldig, denk ik, maar het werd al heel gauw verrukkelijk spannend en romantisch – een korte affaire gedurende een lange hete herfst, een hele oceaan verwijderd van onze respectieve wederhelften. In december keerde Thom terug naar zijn vriendin, en ik ging naar huis om te zien wat er nog over was van mijn gestrande relatie.

Een paar maanden daarvoor hadden Heath en ik over de toekomst gesproken. Na zes jaar samenwonen waren we vastgelopen, en ik wilde van hem weten hoe hij onze toekomst zag. Het was eigenlijk een soort ultimatum, maar ik had van tevoren geen strategie bedacht om van het toneel te verdwijnen. In een van zijn belachelijk eerlijke buien ontglipte Heath het volgende: 'Ik weet dat ik ooit wil trouwen, maar ik weet niet of jij de persoon bent met wie ik wil trouwen.' Oké, zak, dacht ik toen, ik geef het op. De week daarop pakte ik mijn spullen en verhuisde naar een kleine studio elders in de stad. Hij smeekte me om terug te komen, zei dat hij zonder mij niet kon slapen. Ik zei dat ik tijd nodig had om uit te vogelen wat ik wilde. Wonen in dezelfde stad was in het begin een rotgevoel, dus schreef ik me bij de universiteit in voor een archeologiekamp, en vertrok naar Tunis.

Toen het semester voorbij was, belde ik Heath mijn vluchtgegevens door; hij beloofde me van het vliegveld te halen, met champagne en rozen. Hoewel ik het gevoel had dat Thom perfect voor mij was, ging hij toch terug naar Gina. En ik wilde weten of mijn gevoelens voor hem niet voortkwamen uit mijn stille wens om snel mijn gram te halen. Hoe dan ook, Heath stond er niet. Ik nam een taxi naar zijn appartement, liet mezelf binnen, trof hem aan in bed. Nou ja, niet echt alleen. Zo te zien, sliep hij prima zonder mij.

Nadat ik te veel nachten in zelfmedelijden had doorgebracht, sleepte mijn vriendin Portia me mee naar de opening van een tentoonstelling. Dit keer zag ik Thom het eerst. En hij was met *haar*. Gina was een prachtvrouw; het type dat haar hoofd achterovergooit om te lachen, alleen was Thom duidelijk niet geamuseerd door wat zij zo grappig vond. De fysieke afstand tussen hen was groot genoeg om erin te glippen. En dat deed ik, en nu ben ik hier.

Er was een tijd, niet lang geleden, lijkt het, dat Thom en ik elkaars gedachten konden aanvullen, dat we in bed bleven kletsen, lang nadat de kinderen in slaap waren gevallen, en verhit debatteerden over niets, ook al waren we doodop. Eens hadden we een week lang een discussie over genetisch gemanipuleerd koren. Overdag lazen we erover om dan 's avonds weer door te gaan met onze discussie. Deze grappige kameraadschap verdween niet toen we eerst één kind hadden en daarna twee. We zijn altijd zo'n stel geweest waar anderen jaloers op waren – elkaars hand vasthouden op feestjes, smoezen tijdens diners, ook de kleinste wederwaardigheden van alledag delen en er nog steeds van genieten.

Maar de laatste tijd heeft er zich een aardverschuiving voorgedaan, en ik word panisch bij de gedachte dat Thom de kloof verwijdt met een continent en een oceaan erbij. In de afgelopen maanden was Thom steeds meer op reis, en de Thom van wie ik houd is steeds minder aanwezig. Hoewel hij in het verleden ook vaak op zakenreis was, sloeg hij nooit een vakantie of een verjaardag over, of vergat een datum als de vijftiende oktober, ook al was die dit keer mij helemaal ontschoten. Bjorn kan binnenstappen in zijn hoofd, hem zijn prioriteiten anders laten stellen met het vooruitzicht van nog één deal, nog één grote klant binnenhalen, en de druk van dat alles neemt Thom in beslag op een wijze die me niet bevalt. Het is net alsof hij harder zijn best doet om Bjorn te behagen en het begint een beetje als een competitie te voelen, alsof Bjorn de andere vrouw is. Maar ik heb hem harder nodig – door hem blijf ik overeind, door hem raak ik niet geheel verstrikt in dat web van moederen dat ikzelf heb gesponnen, door de manier waarop hij met mij en met de kinderen omgaat gedurende elke minuut dat hij er wel is. Tot voor kort. Vorige maand heeft hij Max' verjaardag gemist, door een trip naar Zuid-Afrika, vanwege een veiling van zeldzame munten. Hij vond het even erg als ik, maar sindsdien zijn we de draad een beetje kwijt. Voor het eerst in lange tijd weet ik werkelijk niet hoe we van hieruit verder moeten. Weet ik zelfs niet waar 'hier' is.

Hoofdstuk Vijf

Georgia plakt haar laatste babykrullen met shampoo langs haar hoofd en gaat in bad staan om beter in de spiegel te kunnen kijken hoe ze eruit zal zien na haar peperdure kuur in een Japanse sauna.

'Jen-fur.' Zo noemt ze me tegenwoordig, want ze heeft besloten dat mama niet meer kan, en ma te volks is, volgens Chloë's inofficiële etiquetteboek voor bijna-vijfjarigen. Ik heb gehoord dat Chloë een volle maand jonger is dan G, maar voor ik haar geboortebewijs zie, ben ik daar niet van overtuigd. 'Jenfur, is het voor jou een probleem als ik niet meer met de baby in bad ga?' Ze heeft ook besloten dat Max voortaan 'de baby' is.

'Eerlijk gezegd, wel.' Op de kleuterschool leerden ze de kinderen vroeger lezen; nu leren ze hun kennelijk een duurbetaalde portie eigenzinnigheid.

'Dat accepteer ik niet, Jen.' En ze laat niet af. 'Luister nou even, hij heeft een *penis...*'

'Je meent het!' Ik had er niet bij stilgestaan, gezien het feit dat Max zijn handje zo stevig op genoemde penis heeft dat ik op dit moment geen kans krijg om met mijn poezelige washandje de stinkende plooitjes eromheen schoon te poetsen.

'En ik heb een *vagina*,' zegt ze, en ze duwt haar hoofd tussen Max en mij in, en kijkt me diep in de ogen, in een poging om mij ervan te doordringen dat mijn gedrag toch enigszins aanvechtbaar is.

'Daar heb je een punt, G, maar niet zolang jij niet in staat bent om jezelf te wassen, ik heb echt geen tijd om jullie een voor een in bad te doen.' Ik duw haar zachtjes aan de kant om te voorkomen dat haar broertje het hele bad leegdrinkt.

'Chloë heeft een eigen douche. Ze zegt dat alleen kleine kinderen in bad gaan, en ik ben bijna *vijf*.' Ik had Chloë moeten vermoorden toen ik de kans had.

'En als we het nu eens aan je vader vragen?' Dit is een standaardsmoes, ik ben lui, en ik heb genoeg van nee zeggen en uitleggen waarom. Hooguit een dag of twee na zijn belofte dat 'we zullen kijken hoe we dit aanpakken' zit Thom nu in Seattle om een container uit te zoeken met schatten die mogelijk uit de Mingperiode dateren. Dus het duurt nog dagen voordat Georgia het hem kan vragen en misschien doet hij ze dan uit schuldgevoel wel alle dagen in bad tot aan zijn vertrek. Ze zoeken het maar uit.

'Maar papa is aan het werk en ik wil *nu* onder de douche!'

Zonder ook maar een seconde na te denken, heb ik Max uit bad gehengeld, het douchegordijn dichtgetrokken en de kraan helemaal opengedraaid. Ik controleer niet eens de temperatuur van het water, maar het is altijd lauw in het begin, dus de kinderbescherming roepen is niet nodig. Tot mijn verbazing begint Georgia niet te krijsen, maar ze staat wel zo hard in het bad te stampen dat ik bang ben dat ze zal uitglijden. Dus zet ik Max op de grond en trek het gordijn open.

'Houd daarmee op of je ziet Chloë nooit meer levend terug.'

Dat werkt. Ze kijkt me aan, probeert uit te vissen of ik meen wat ik zeg, en waarom ik 'levend' invoeg in een zin die ze al talloze malen heeft gehoord. Georgia is er een die altijd haar kansen weegt, en nu kijkt ze even de badkamer rond en ziet haar kans.

'Kijk, mama, Max *kruipt*!'

In de seconde dat ik me naar hem omdraai, speelt hij het klaar om weer op zijn rug te rollen. Maar de afstand tot de kattenbak van Peeve bewijst dat hij inderdaad heeft bewogen. En het keutelige ding in zijn handje is geen snoep.

'O, jezus,' zeg ik, en mijn dot van een Georgia zegt:

'*Mama*!' Het kost me 20.000 dollar per jaar om mijn dochter in *cursieven* te leren spreken.

De speelafspraak van vandaag was voor Max bedoeld. Op internet had ik gelezen dat baby's, wanneer ze andere baby's iets zien doen wat ze zelf nog niet kunnen, dat proberen na te doen. Een na-aap benadering van gedragsleer. Om deze theorie te testen belde ik mijn vriendin Penny op. We hadden elkaar leren kennen in de tijd dat ik als portier in de Limelightclub werkte – zij was toen aan de coke, en ik wist bij wie ze de meeste kans had om geld te lenen. Ze beweerde dat ze coke nodig had om haar plaats in het corps de ballet van het Joffrey Ballet te behouden, maar nadat wij hadden moeten ingrijpen, slikte ze zich regelrecht de moderne dans in. Penny is, net als ik, thuisblijfmoeder, maar toch krijgt ze het voor elkaar om elk jaar een show in het Joyce Theater te choreograferen en uit te voeren. Nadat we waren bijgepraat – ik doe er soms wel een halfjaar over voordat ik een vriendin bel – stelde ze voor om langs te komen met haar zoon Mikhail, dan kon hij het goede voorbeeld geven. Hij is een maand jonger dan Max en loopt al.

Max woog bij zijn geboorte negen pond en tien ons, en was, niet te geloven, negenenvijftig centimeter lang. Hij lag als een slang opgerold in mijn buik, met zijn hand over zijn hoofd, in solidariteit met de vertrapten der aarde en uit protest tegen mijn weeën, waardoor ik geen ontsluiting kreeg. Daar ging mijn natuurlijke bevalling. Het duurde tenminste niet de twintig uur die Georgia nodig had om zichzelf uit te poepen in een keizersnede. Maar ik dwaal af. Bij elke controle op het consultatiebureau zit Max tot nu toe op 97 procent qua lengte en 95 procent qua gewicht. We waren in het begin stiekem best een beetje trots. Maar toen andere baby's hem voorbij begonnen te kruipen, glimlachten we door onze bezorgdheid heen. Dat was het moment waarop Thoms moeder besloot om ongevraagd met Max naar een specialist te gaan, en die zei dat Max zou gaan kruipen als hij eraantoe was. Of dat hij op een dag gewoon zou gaan staan en lopen. Er was niets mis met hem. Ik denk dat hij een beetje toneelspeelt. Ergens heb ik het gevoel dat het aan mij ligt.

Mikhail begon te lopen met acht maanden en maakt waarschijnlijk op zijn tweede een dubbele pirouette, maar Penny dramt er niet over door. Het is een kind met een groot hoofd en tanden die naar voren staan, en dat troost me.

Dus toen Penny vanmiddag langskwam, hebben we Max en Mikhail in de box gezet – ik ben erg voor wat we 'babybox-matches' noemen – er een stuk of twintig gekleurde pluchen ballen in gegooid en ze hun gang laten gaan. We zaten nog maar net op de grond of

Penny trok het blik knagende wormen open dat ik al vijf jaar lang probeerde dicht te houden.

'Maak je geen zorgen, Jen,' zei Penny, kaarsrecht in yogahouding naast de box gezeten. Haar haar heeft alle kleuren van de regenboog doorlopen sinds ik haar ken, maar nu laat ze het gaan, zoals ze zegt, *au naturale* – een superkort wit à la Annie Lennox. 'Max gaat niet alleen lopen, hij is vast een van die baby's die meteen gaan rennen. Maar eigenlijk wilde ik het over jou hebben.'

Ik wilde niet meteen in de verdediging gaan. Misschien was het wel iets aardigs, zoals: 'Ik vind dat je haar echt leuk zit, zou je dat van mij ook willen knippen?' Dus ik zweeg en liet haar doorgaan, probeerde me niet te ergeren aan haar oude gewoonten: een hinderlijk frequent gesnuif, en het steken van haar mooi verbouwde neus in mijn zaken.

'Ik bedoel, je moet wat meer de deur uit, liever zijn voor jezelf. Wanneer ben je voor het laatst naar de manicure geweest?' Ik weiger naar mijn nagels te kijken, weet hoe afgekloven ze zijn. 'Waarom neem je geen oppas voor halve dagen? Thom verdient genoeg, en bovendien, hij doet waar hij zin in heeft. Het is tijd om terug te keren naar wat *jou* interesseert. Ik zei het pas nog tegen mijn vriendin Madeline, je lijkt zo doelloos, je ziet je vrienden niet meer, praat niet meer over weer aan het werk gaan. Het duurt tenslotte nog maar een paar jaar voordat Max naar school gaat. Hoe zit het met dat boek dat je wilde schrijven, iets over piraten of zo?'

'Hannibal. Over Hannibal. Een biografie. Ik heb zes hoofdstukken geschreven en toen was mijn inspiratie opgedroogd,' zei ik, terwijl ik me alvast schrap zette voor mijn lievelingsvraag.

'En doe je verder nog iets?' Ja, die dus.

'Hoezo?' Natuurlijk, ik wist wat ze bedoelde, maar zo makkelijk kwam deze kleine danseres er niet van af. Toegegeven, ze werkt er hard voor, maar haar echtgenoot is kunstenaar, en zijn waardeloze sculpturen van realistisch ogende afvalhopen verkopen voor tienduizenden dollars. Nou ja, ik denk dat hij evenveel verdient als Thom, maar hij werkt thuis en sleept Mikhail overal mee naartoe. En Penny heeft ook geen wicht van bijna vijf met de neiging tot zwaarmoedigheid, dat ze in de toekomst door haar studie heen mag helpen. Ik mag dan tegen Thom gezegd hebben dat ik weer aan het werk wil, maar ik gun Penny de lol niet dat ze gelijk heeft.

'Kijk je weleens naar Max en krijg je de neiging om je tong in zijn strot te steken?' vroeg Penny vanuit het niets. Maar ik was niet verbaasd, ze had tenslotte geen enkel gevoel voor wat echt niet kan. 'Ik bedoel, moet je eens kijken naar de lippen van mijn kind. Bah, ik zou ze er wel af willen knagen.'

'Het zijn leuke lippen.' Ze laten namelijk zijn tanden bloot. Het zou zoiets zijn als tongzoenen met Gerald Ford, en dan niet per se de Gerald Ford uit 1974.

'Weet je, Jen, ik weet niet hoe ik dit voorzichtig moet zeggen, maar we hadden het erover, en we snappen niet waarom je niet iets met jezelf doet. Ik bedoel, moet je niet eens nadenken over "wat verder"?'

Ze moest eens weten hoe vaak ik me in de badkamer opsluit. Als ik maar meer tijd had.

'Weet je, Pen,' ik onderdruk een snik, 'ik heb blijkbaar twee kinderen die de hele dag lang heel veel aandacht vragen. En dan ook nog de boodschappen doen, het huis schoonhouden, eindeloos wassen, en o ja, af en toe mijn echtgenoot dienen – die, zoals je niet zal zijn ontgaan, het grootste deel van de week op reis is. Misschien moeten jij en je vriendin Madeline iets anders zoeken om over te praten.' Er gebeurt iets grappigs wanneer ik boos word. In plaats van schreeuwen of onderkoeld reageren, ga ik janken. Penny weet dat, ze zag de tranen opwellen. Ze is te ver gegaan en nu krabbelt ze terug. Dit is ook de manier waarop ik sommigen van mijn vrienden in de hand houd.

'Sorry, sorry, ik bedoelde heus niet dat je niets doet, natuurlijk doe je van alles.' Ze gaat op haar knieën zitten en slaat haar armen om me heen. Ik snik op haar schouder. 'Je doet heel veel. En je weet dat ik volkomen achter je keuze sta om thuis te blijven, dat doe ik toch ook, we zitten in hetzelfde schuitje. Je bent geweldig. Je doet het fantastisch, kijk nou even hoe stralend Max is...'

En op dat moment brak mijn zoon uit in een hartverscheurend gesnik. En waarom ik ondertussen niet af en toe heb verteld wat de jongens deden terwijl wij ons onderonsje hadden? Gewoon omdat ik het niet weet. Ik keek niet. Er waren geen kleine dingen waarin ze konden stikken, geen scherpe punten om een oog uit te prikken, beide kinderen zijn zachtmoedig van aard en spelen lief met andere kleintjes. Zelfs nu weet ik niet waarom Max jammerde. Dat gebeurt nu eenmaal af en toe. Baby's huilen. Misschien was het wel omdat Penny mij aan het huilen had gemaakt, en dat Max stond afgestemd op de golflengte van mijn verdriet. Hoe het ook zij, ik pakte hem op op op, en beduidde Penny poeslief dat het speeluurtje voorbij voorbij voorbij was.

'Trek het je niet aan,' zei Penny, haar bemoeizucht voor vandaag een halt toegeroepen.

'Nee hoor, doe ik niet,' loog ik.

'Ik houd van je, echt.'

'Weet ik.' Maar was dat echt zo? Had ze ooit van me gehouden? Nadat ze was vertrokken, huilden Max en ik een poosje, en ik vroeg me af waarom ik haar eigenlijk had gebeld. En toen vroeg ik me af waarom we bevriend waren, en vervolgens of ik wel in staat was de juiste vrienden te kiezen, en toen, en toen.

En toen moest ik met Max Georgia van school gaan halen. Twee keer per dag sleep ik me daarheen met de metro, zeul Max in zijn superlichtgewicht buggy de trappen op en af. Ik moet het met Thom hebben over het huren van een auto zodra G alle dagen naar school gaat. En dan ben ik ineens een persoon die ik niet herken – iemand die haar kind van vier naar een particuliere school stuurt in een auto met chauffeur. Wat voor moeder ben ik eigenlijk? Wist ik het maar.

Hoofdstuk Zes

Liefde betekent nooit hoeven zeggen dat het je spijt. Gisteravond zat ik tv te kijken – Thom was naar Atlanta om een privé-collectie memorabilia uit de Burgeroorlog te taxeren – en die kostelijke show over de jaren zeventig duurde tot Max' bedtijd. Beroemdheden gaven commentaar op de slotzin uit *Love Story*, hoe waardeloos die is. Ik moet ze gelijk geven. Ik heb de film nooit gezien a) omdat ik niet op Harvard zat, en b) omdat ik, anders dan een hele groep vrouwen van mijn generatie, niet ben genoemd naar de pittige, tengere prachtfiguur die door Ali McGraw werd gespeeld. En dat is maar goed ook, want ik ben niets van dat alles. Nee, ik ben genoemd naar een figuur uit een soap-opera – dr. Jennifer Hardy. Zij had tenminste een echt beroep.

Toen ik mijn baan bij veilinghuis Christie's opgaf, deed ik dat niet alleen om thuis te zijn bij Georgia. Ik had ook genoeg van het werken in een omgeving van kunst als commercie. Door mijn zwangerschap raakte ik kennelijk het vermogen kwijt om het spel te doorzien en mijn eigen weg te gaan in een baan die meer tactiek vereiste dan ik bereid was te leveren, en hogere hakken dan ik bereid was te dragen. Thoms carrière bij Universal Imports begon lekker te lopen en hij moest zorgen dat hij naam kreeg in de internationale kunstwereld, dus leek het me een logisch moment om mijn baan op te geven en zijn droom te steunen. Dankzij mijn eens verfijnde smaak en mijn fotografisch geheugen stond ik hoog aangeschreven en mijn baas, Christy Bloomington, deed haar uiterste best om me te houden – stelde voor dat ik vier dagen per week ging werken, beloofde me een eigen kantoor waar ik rustig zou kunnen afkolven, en bood me zelfs salarisverhoging en promotie aan als ik bleef. Zij is een kinderloze ongetrouwde vrouw van onbestemde leeftijd, de laatste van wie je zou verwachten dat ze je een zo genereuze hand zou reiken.

Toen ik met zwangerschapsverlof ging, stond voor mij nog niet vast dat ik niet zou terugkomen. Ik ben terug geweest, precies één week, maar realiseerde me toen dat ik niet 'alles' kon hebben. De lokroep van de baby was sterker. Afgezien van mijn zware en stuitende bevalling, was Georgia echt een dotje, haar pluizige pasgeboren bolletje zo rond als een rijpe zachte vrucht. Ze was wat men noemt een modelbaby. Ze sliep goed, at goed, lachte lief, alles. Ze heeft alleen gehuild toen ze met zes maanden naar dokter Ferber moest. En dat kun je haar niet kwalijk nemen. Toen haar avondvoeding er eenmaal af was, sliep ze van acht tot acht. We waren verliefd. Zijn we nog steeds, maar vanaf dag één is ze elke dag een beetje verder van me weggegaan, hoe ik ook probeer haar tegen te houden. Maar dat is oké, ik heb er iets op gevonden om vrede te hebben met het feit dat ze eens echt zal weggaan: ik heb nog een baby gekregen, en zoals het er nu uitziet, zal hij nooit ergens naartoe gaan.

En tenger, met ruim 1,75 m, en 82 kilo, nou, reken maar uit, vooral als je een vrouw bent. O, dat gewicht is er zo weer af! Met borstvoeding SMELTEN die kilootjes zo weg! Achter kinderen aan jagen is de beste manier om je figuur gauw terug te krijgen! Fabeltjes. Met die twee engeltjes heb ik af en aan wel drie jaar borstvoeding gegeven, en elke keer dat mijn gewicht onder de 80 kilo zakte, stopte de melk en kwam 'F' weer terug. Als je nooit je kostbare voorleestijd-voor-je-pasgeborene hebt doorgebracht in een conversatiezaal voor zogende moeders, dan weet je niet dat F de code is voor 'feest', wat moderner is dan 'opoe' en beslist truttiger en onvolwassener dan 'ongesteld'. En werkelijk, er zijn vrouwen die alles zullen doen om te voorkomen dat F haar lelijke kop weer opsteekt. Ze gaan tussen de middag langs de crèche om hun baby snel even te voeden, enkel en alleen om dat festijn te ontlopen. Ze kolven zes keer per dag, dragen pads in hun beha, wassen talloze flessen en kolven, om vooral niet eens per maand een beetje bloed te zien. Het verbazingwekkendst bij die babbelsessies is dat, als het een keer over seks gaat, juist deze vrouwen wel heel erg geobsedeerd zijn voor een stel meiden die bang zijn voor hun maandstonde.

Vroeger was ik mooi, en velen zeggen dat ik het nog ben, Thom gelukkig ook, maar tegen de tijd dat de kinderen op de middelbare school zitten ben ik bijna toe aan een lidmaatschap van de seniorenbond. Het enige waar ik echt spijt van heb, is dat ik ze niet eerder heb gekregen. Ik zal heus nooit, zoals in *The Graduate*, iemands Mrs. Robinson zijn, behalve voor Thom, die een geruststellende zes jaar jonger is dan ik. Hij was nog niet eens geboren toen die film uitkwam. Of *Love Story*. Ik troost me met de gedachte dat hij me nooit voor een jongere vrouw zal verlaten, aangezien duidelijk is dat hij liever een oudere heeft. En bovendien heb ik Max nu, dus wie heeft hem nog nodig?

Mijn therapeut zei eens dat ik, als ik ooit kinderen zou krijgen, zou ervaren wat onvoorwaardelijke liefde is. Dat kinderen, net als jonge honden, liefde geven tot je hart ervan breekt. Ik weet niet zeker of ik dat geloof. Op sommige dagen betekent liefde nooit hoeven zeggen dat het je spijt, maar op andere dagen kan ik me soms ineens zo vreselijk opgesloten voelen dat ik gauw naar een andere kamer loop uit angst dat dat gevoel me onverschillig zal maken voor die wezentjes die ik de slaaf heb gemaakt van hun eigen behoeften. En wanneer ik weer binnenkom, tuimelen de woorden zonder dat ik erbij nadenk, uit mijn mond.

'Het spijt me.'

Hoofdstuk Zeven

Nu Georgia bijna de hele dag naar school is, stort ik me geheel op de opvoeding van Max en zorg ik dat hij de deur uitkomt, voordat ik ook hem verpest. Zo vang ik twee vliegen in één klap, ik hoef niet na te denken over 'wat verder', en ik leer mijn kind een essentiële vaardigheid. Eerlijk gezegd was ik vergeten hoe eindeloos saai thuiszitten met een peuter kan zijn. Zo hebben we bijvoorbeeld vanmorgen *Bruine Beer, Bruine Beer* – een boek van niet meer dan vijftig woorden – twintig keer gelezen.

Om tien uur op dinsdagochtend zijn we in het zwembad. Ik ben de enige moeder. Dat betekent niet ik en een stel baby's, nee, ik, Max, een stel baby's en een stel nanny's. Zwarte nanny's. Blanke baby's. Ik. Max. De zwemleraar is een gay met stalen buikspieren. De rest van ons heeft bolle lijven en benen met putjes. Een van de baby's ziet eruit als een sumoworstelaar, door al zijn vetrollen blijft hij zo goed drijven dat ik betwijfel of hij ooit zal leren crawlen, laat staan er ooit reden toe zal hebben. Zijn nanny is de enige magere in de ploeg. Ze heet Soledad en is heel lang. Ik ga naast haar staan, niet omdat ik door haar dunner lijk, maar wel door haar baby.

Max zit in het beginnersklasje, omringd door baby's van achttien maanden die allemaal al tandjes schijnen te hebben. Een van de baby's heeft dicht bijeenstaande ogen, een andere is zo kaal als een biljartbal en zal dat waarschijnlijk altijd zijn, behalve tijdens de achttien jaar in het midden van zijn leven. Een van de kleine meisjes heeft een roze lint aan haar badmuts, en ik zweer het, zoiets lesbisch heb ik nog nooit gezien. Maar vergeet niet, Rosie O'Donnell heeft miljoenen boze kijkers ervan kunnen overtuigen dat zij hetero was, dus dit kind kan nog wel een gooi doen naar een eigen talkshow. De andere baby's halen het niet bij mijn knulletje, en ik ben heel tevreden over mezelf dat hij de meest welgedane, prachtige baby in de groep is. En ja, ik realiseer me hoe pathetisch ik ben.

'Goedemorgen, mijn kleine wurmpjes, mijn kleine kippers, ik heet Sven, zijn we klaar om te gaan zwemmen?' Zoals gezegd, Sven heeft buikspieren van staal. Hij heeft ook blauwzwart haar dat midden op zijn voorhoofd in een Superman-krul uitloopt. Het is een god.

Wanneer wij in koor ja roepen, moedigt Sven ons aan om ons aan elkaar voor te stellen, onze wurmen en kippers, en elkaar te vertellen wat we in dit klasje hopen te leren. Hij maakt vast een grap. We hopen onze kinderen zwemmen te leren, Sven. En ze misschien genoeg af te matten om even een tukje te doen. O ja, en ons een te voelen met het universum, natuurlijk.

Soledad laat een klein uitschietend snuifje horen, stelt dan sumobaby voor. Het kan me niet schelen hoe hij heet, voor mij zal hij altijd sumobaby zijn. Of misschien spekjongetje. Een van de voordelen van volwassen zijn is dat we niet hoeven te zorgen dat de rest van het speelpein het vette jochie uitlacht, we kunnen het in ons eigen hoofd opslaan en genieten van zo'n klein inwendig lachje. Ik ben ervan overtuigd dat hij op zijn manier lacht om mijn omvang.

We zijn allemaal in het water en ik moet de brochure verkeerd gelezen hebben, want we leren onze kinderen helemaal niet zwemmen. Het schijnt dat mijn romantische gedachte dat baby's geboren zwemmers zijn weer een van die fabeltjes is. Sven legt ons uit dat baby's inderdaad bij hun geboorte kunnen zwemmen, maar dit nuttige levensreddende instinct al kort daarna kwijtraken. Het is kennelijk alleen goed voor watergeboorten, maar daarvoor is het duidelijk een beetje laat. Nee, we leren onze kinderen alleen maar om niet bang te zijn voor water. Ik had mijn 180 dollar beter kunnen gebruiken om een jacuzzi te laten installeren.

'Oké, dames, nu lopen we allemaal in het rond en laten onze kleintjes lekker op en neer dobberen, op en neer, en op en neer, en wanneer we helemaal rond zijn, niet kopje-onder, maar hupla in de lucht.' Dit is duidelijk een vent die niet sinds vijf uur vanmorgen op is. Max werd vanochtend een uur eerder wakker omdat hij zeiknat was, en wilde niet weer gaan slapen. Maar positief was dat hij 'mama' zei alsof hij het meende, waarschijnlijk omdat ik hem behoedde voor een stel pijnlijke rode billetjes. Als Thom thuis is, is hij meestal inzetbaar op dit vroege uur, maar nu zet hij zijn klok al de andere kant op om zich voor te bereiden op zijn nieuwe leven, zonder ons in een vreemd land, en gebruikt hij de kleine uurtjes om op kantoor zijn zaken te regelen.

Een mengelmoes van woorden en accenten klinkt op tijdens vijf rondjes op en neer dobberen, en ik sta net op het punt om mijn dikke witte lijf uit het zwembad te hijsen, wanneer Max bij het teken 'op' besluit neer te gaan. Onder water. Ik graai naar hem, ervan overtuigd dat mijn slechte houding dit keer zijn dood betekent, maar dan komt hij alweer boven, in de armen van Sven, giebelend en wel. Sven verzoekt mij uit het water te gaan. Mijn glibberige kleine guppy blijft bij Sven, waar hij duidelijk veel veiliger is, tot het einde van de les, wanneer de nanny's mij blikken van 'jij bent een waardeloze nanny' toewerpen, terwijl hun duidelijk beter getrainde, welgemanierde baby's in handdoeken gewikkeld liggen te kirren.

'Kom nu maar weer in het water,' zegt Sven, wanneer zij weg zijn. 'Gaat het? Je bent je vast rot geschrokken.' Hij geeft me geen tik op mijn pols, leest me niet de les over de kneepjes van het in leven houden van je kind. Hij maakt zich zorgen om *mij*. Ik wil dat hij mijn nieuwe boezemvriend wordt.

'Jezus, Sven.' Alsjeblieft, vind me aardig vind me aardig. 'Ik had Max echt stevig vast. O shit, sorry, geef hem maar aan mij.' Terwijl ik bezig was te bewijzen wat een goede moeder ik ben, was ik helemaal mijn kind vergeten.

'Jennifer, rustig, geen paniek, het gebeurt in elke les.' Had ik al gezegd dat deze man een god is? 'Ik ben echt onder de indruk van Max, hij is de beste zwemmer die ik ooit heb gezien.'

Mijn kind is de beste zwemmer die Sven ooit heeft gezien. Ik weet niet hoe lang Sven al lesgeeft en het kan me ook niet schelen. Max is de beste zwemmer. Hij mag dan niet kruipen, niet kauwen, maar hij wint het met zwemmen van alle andere baby's daar.

'Dank je, leuk om te horen.' Ik wil niet uit het water, maar ik zie dat Max' vingers en lippen blauw worden, en de volgende klas begint zich al te verzamelen. 'Nou, tot volgende week dan?'

'Dat zou ik leuk vinden.' Dat zou hij leuk vinden. 'Maar waarom doen we niet een privé-les?'

'Neem ik dan de baby mee?' Dat is maar half een grapje. 'Ik kan niet echt zwemmen. Ik bedoel, ik kan wel zwemmen, maar ik kan niet duiken of mijn hoofd onder water doen zonder mijn neus dicht te knijpen. Dus een enkel lesje kan geen kwaad.' Max spettert me in mijn gezicht, ik druk hem dichter tegen me aan.

'Oké, dan leveren we Max af bij de kinderopvang terwijl ik jou lesgeef en krijgt hij daarna les. Wat dacht je daarvan?' Ik heb het gevoel dat mijn hart uit mijn lijf springt.

'Geweldig. Echt geweldig.' Sven geeft me een plastic kaartje met zijn mobiele nummer, en ik schuif het in mijn badpak, naast mijn hart.

'Oké, dat is dan afgesproken. Nu moet ik naar mijn volgende les.' Ik wacht tot hij zich heeft omgedraaid zodat hij niet ziet hoe mijn dijen langs elkaar schuren wanneer ik naar de douche ren.

Hoofdstuk Acht

Klootzak.

Voordat ik kinderen had was dat mijn lievelingswoord. Sinds mijn kinderjaren heb ik niet zo hoeven opletten met wat ik zeg. Toen ik in de zesde zat, verscheen een van de jongens uit mijn klas met stekeltjeshaar, en een van de andere jongens maakte hem uit voor 'lulletje'. Ik vond dat heel erg grappig en helemaal niet schunnig. Toen ik dit voorval in de auto aan mijn ouders en mijn jongere broertje Andy vertelde, zwegen zij en hij grinnikte. 'Wat is er?' vroeg ik, want ik begreep dat er iets was. Als een hittegolf drong tot me door dat ik een lelijk woord had gezegd, en ondanks mijn miserabele verlegenheid voelde ik een opwelling van verbale kracht.

Maar toen ik op een ochtend Georgia uit haar bedje haalde en zij 'kloza' zei, wist ik dat ik mijn taal moest kuisen. Thom had me al gewaarschuwd voor dit moment. En ik hoorde Thoms moeder daarginds in Old Greenwich vrijwel haar handen in elkaar slaan, zo van 'heb ik het niet gezegd'. Toen ik in de tien dagen dat Georgia over tijd was, herhaaldelijk tegen mijn gigantische buik zei: 'Kom d'r uit, kleine klootzak, kom d'r nu uit,' was ik door Vera op de vingers getikt: 'Zeg, dat soort taal wil ik in dit huis niet horen in het bijzijn van een kind.'

Lezen kon ik pas op mijn zesde. Dat was niet ongewoon – integendeel, als je kind al kon lezen wanneer het naar school ging, wat was dan het nut van de eerste klas? Bovendien had Cheryl het veel te druk met zorgen dat er eten op tafel kwam om zich ook daar nog om te bekommeren. Om op de Park Streetschool te worden toegelaten, moest Georgia niet alleen een stuk lezen uit een 'jeugdeditie' van Ulysses, ze moest ook poseren als haar favoriete figuur uit die roman. Vraag me niet wie ze koos, ik heb het boek nooit gelezen, laten we zeggen Molly, klaar uit.

Het was Vera's idee geweest. Wij – het koningspaar, Thom en ik – waren overtuigde voorstanders van een openbare school, en ook vastbesloten een goede school in ons eigen district te vinden, wat ook niet zo moeilijk is, gezien het feit dat ons district van Tribeca, via Chelsea, naar de oostkant van de Bronx loopt. Ik had ook al navraag gedaan bij de plaatselijke YMCA en Georgia daar alvast ingeschreven. Wist ik veel dat Vera G al voor haar geboorte had aangemeld bij die dure kleuterschool aan Park Street. Berg-schoonmoeder is een zware om te beklimmen, met zo'n begroeiing vol klitten die zich aan je sokken vasthechten en nog lang nadat ze verdwenen zijn, blijven prikken. Of om deze afgezaagde metafoor nog wat verder door te trekken, als gifsumac dat omhoogklimt langs het latwerk van jouw liefde voor haar zoon, alleen om die vervolgens tegen je te gebruiken. 'Thom wil dit graag, hij weet alleen niet hoe hij het je moet zeggen.'

Barst, ik weet wanneer ik heb verloren, en ik weet ook welk gevecht ik wel of niet moet aangaan. Maar Georgia heeft nu al moeite met het gebrek aan structuur op haar nieuwe school. Van juffrouw Cartwright mogen de kinderen hun meegebrachte hapjes en lunch opeten wanneer ze honger hebben, een systeem waarover G om de dag in tranen is. Zij schijnt de enige te zijn die wacht tot tien uur met haar eerste tussendoortje en tot twaalf uur met haar boterham, op het moment dat de andere kinderen alles al op hebben en alweer hongerig zijn, en naar haar kijken met van die dromerige eet-je-dat-allemaal-alleen-op-ogen. Niets waarvan een kind zo droevig wordt als van bedelaars in dure merkkleding. Tegenwoordig neemt ze crackers mee om ze op afstand te houden.

Het zou zoveel makkelijker zijn als Georgia gewoon 'rot op' mocht zeggen. Ik meen het. Waarom misgunnen we onze kinderen dit simpele pleziertje? Uiteindelijk, en al heel vroeg, leren ze al deze woorden en gebruiken ze wanneer wij niet binnen gehoorsafstand zijn. Zoals wij ze gebruiken als zij niet in de buurt zijn. Iets om over na te denken – als we nu eens met zijn allen met een speld de macht van het lelijke woord doorprikten, zou het dan niet heel wat minder pijn doen wanneer onze kinderen ons op een dag uitmaken voor een stel waardeloze zakken?

Hoofdstuk Negen

Ik ben een boek aan het lezen. Geen plaatjes, alleen woorden. De druk is kleiner dan ik gewend ben, en voorzover ik nu kan zeggen is er geen moraal aan dit verhaal, alleen een onderdrukte huisvrouw die op zoek is naar echt lekkere seks. Ik lig opgerold op de bank, buiten slaat de regen in vlagen neer, Thom is in de keuken en voert de kinderen hun ontbijt. Hoewel hij pas over een paar weken weggaat, maak ik volop gebruik van zijn wens om het goed te maken. Nou ja, ik lees niet echt, ik luister stiekem.

'Zeg, GG, wat leer je op school?' vraagt Thom.

'Mmm, mmm,' bromt Max tegen zijn kom met cornflakes, die de vorm heeft van een hond.

'Niks,' mompelt Georgia tussen haar happen door. Ik spits mijn oren.

'Kom nou, je leert toch wel iets? Wat doe je het liefst op school?' Hij stelt zijn vraag anders, de benadering van een beginneling om een kind te laten praten.

'Uhmm, kleuren.'

'Zullen we dan na het ontbijt gaan kleuren?' vraagt hij. En hoewel ik haar niet kan zien, weet ik dat ze nu met haar rug tegen de leuning van haar stoel gaat zitten, want ik hoor hem over de vloer krassen onder haar gewicht. 'Of niet?'

'ABASEF, ABASEF!' schreeuwt Max. We hebben geen idee wat het betekent, maar meestal helpt het om hem een lepel te geven op dit moment van het dagelijkse ontbijtdrama.

'Geef hem een lepel,' roep ik. Ik draai mijn boek om en lees de achterflap: 'Vrouwtje heeft genoeg van kip op woensdag en seks op zaterdag.' Gelijk heeft ze.

'Of zullen we naar de kinderboerderij gaan, beestjes aaien?'

'ABASEF, ABASEF!'

'Papa, het *regent.*' Haar blote hielen trappen tegen de stoel. Dit betekent dat het idee van de kinderboerderij haar wel trekt, dat ze afweegt wat ze werkelijk wil tegen hoeveel voorstellen ze moet afslaan om haar vader te laten denken dat hij echt met het goede plan is gekomen.

'Een lepel, Thom, geef dat jong een lepel.' Ik ga er niet heen. Ik ga er niet heen...

'ABASEF!'

Ik sta op en loop de keuken in, pak een lepel uit het afdruiprek, geef hem aan Max – die zegt 'taka' met net dat beetje wrevel in zijn stem dat een kind van veertien maanden erin kan leggen – en ga terug naar mijn boek. Een naakte vent met een motorhelm op staat iets walgelijks te doen op het grasveld van de buurvrouw.

'Geege, zeg eens iets. Wat wil je vandaag gaan doen?'

'Reuzenrad.'

'ADAH BOK!'

'Maxje, kom, nog een paar happen, goed zo, grote MAX!' En ik zie voor me hoe Thom en Max alle twee hun handen in de lucht steken. 'GROTE MAX! MAXAMILLION, MAXABILLION, MAXATRILLION!'

'Papa, reuzenrad,' mekkert Georgia om zijn aandacht terug te krijgen.

'Hondje, er is hier in de buurt geen reuzenrad...'

'Jawel, bij Toys R Us,' klinkt het uit Georgia's en mijn mond. Intussen is de geschifte rukker weer op zijn motorfiets gestapt. Vrouwtje belt haar echtgenoot op de fabriek.

'Sinds wanneer is er daar een reuzenrad?' Het zal niet waar zijn, zover loopt hij toch niet achter.

'Al toen ik nog klein was! Gaan we, gaan we, gaan we?'

'DA DA OP!'

De telefoon gaat, ik wil hem pakken, maar Georgia is me voor. Het is net een pavlovhond.

'Hallo? Met het huis van de familie Bradley.'

'Geef de telefoon eens hier, schat,' zeg ik, en ik steek mijn hand uit.

'Hallo,' zegt ze glimlachend. 'Ja. Mmm, mmm. Zoiets. Is goed. Het is prima met hem. Jep.' Ze geeft de telefoon aan mij. 'Het is Omaatje.' Ik leg mijn hand over de hoorn en zeg tegen haar dat ze haar vader moet gaan helpen om Max aan te kleden voor hun uitstapje. De regen is opgehouden en het ziet ernaar uit dat het een heerlijke dag zonder kinderen gaat worden.

'Hai,' zeg ik in de telefoon. Georgia leunt even tegen me aan, loopt dan naar de keuken, niet langer geïnteresseerd. 'Hoe gaat het?'

'Lekker, en hoe is het daar?'

'Goed, goed, mag niet klagen. En pa?' Mijn vraag is even plichtmatig als hij klinkt, ik wil vandaag gewoon met niemand praten. Hoeveel ik ook van Cheryl houd, ze ziet altijd kans om te bellen wanneer ik niet in de stemming ben voor een babbel.

'Ach, je kent je vader, op bij het krieken van de dag. Hij is al vanaf de vroege morgen bezig met blad blazen.'

'Regent het niet bij jullie?'

'Hemeltje, nee, hoezo?'

'Nou, hier plensde het daarstraks.' Ik vouw een oortje om en sla het boek dicht, geen schijn van kans dat ik snel van de telefoon af kom.

'Wanneer vertrekt Thom?' Op de achtergrond hoor ik haar breinaalden tikken. Ze heeft nog nooit iets waaraan ze was begonnen afgemaakt. Meestal mogen de truien, dassen en mutsen hun tijd op aarde uitdienen als vreemdsoortige pannenlappen.

'Volgende week. Vanavond vertellen we het aan G.' Georgia komt de kamer weer binnenrennen.

'Wat vertellen, mama?' Ze klimt op mijn schoot. Thom komt ook de kamer in en zet Max naast mij op de bank – zijn snoet onder de opgedroogde yoghurt en een cornflake op zijn wang geplakt – en loopt weer terug naar de keuken.

'Breng me even een snoetenpoetser!' roep ik hem na – er klinken afwasgeluiden uit de keuken. 'Luister, Cheryl, ik bel je later wel terug...'

'Wat vertellen? Wat vertellen?' Georgia trekt aan mijn arm.

'ADAH! BOK! BOK!' Max drukt *Bruine Beer, Bruine Beer* in mijn handen, rukt dan de omslag van mijn boek. Georgia klimt op de rugleuning van de bank en port haar broertje daarbij met haar voet in zijn rug, waarop hij een doordringende kreet slaakt.

'Ja, schat, ik hoor het. Maar nog even één vraagje.'

'Blijf even hangen. Georgia, ga van de bank af. Thom, kun jij ze misschien even onder je hoede nemen?' Stilte valt. In mijn stem klinkt een toon door waar niemand van houdt. Thom komt binnen, met druipende sophanden, werpt mij een blik toe en pakt Max op. Georgia loopt achter hen aan en vraagt fluisterend: 'Wat vertellen, papa?'

'Goed, wat wilde je vragen?' zeg ik tegen Cheryl. Ik voel me narrig en belaagd.

'Ik wil jullie uitnodigen voor Kerstmis. Alle andere kinderen komen ook.' Sinds Thom en ik getrouwd zijn, is er een stille oorlog gaande tussen Cheryl en Vera over wie ons wanneer heeft gedurende de feestdagen. Ik ben er altijd voor dat we het hele gedoe overslaan en naar de Bahama's gaan. Thom wil eerste kerstdag bij zijn familie niet loslaten. Elk jaar probeert Cheryl ons voor beide dagen te strikken. Niemand wint.

'Gezellig, dan zie je ons op kerstavond,' zeg ik.

'Deze ene keer, dat is alles wat ik vraag, alleen deze ene keer zou ik zo graag ons hele gezin op beide dagen bij elkaar hebben, en wat jullie dan volgend jaar doen, kan me niet schelen.'

'Toe, Cheryl, je weet toch hoe dat ligt. Ik zou het heus anders doen als ik kon.'

'Is het echt zoveel gevraagd?'

'Nee, dat niet. Ik zal zien wat ik kan doen.' Elk jaar weer hebben we deze discussie, met dezelfde uitkomst.

'Dat is alles wat ik vraag. Regende het echt bij jullie?' Een bons, dan een krijs uit de babykamer.

'Zeg, het klinkt alsof er aan deze kant van de lijn iemand wordt vermoord, kan ik je terugbellen?'

'Natuurlijk, schat. Maar het duurt nog maar een paar maanden tot... ach laat ook maar. Vergeet niet het Thom te vragen.' Ik zeg dat ik het zal doen, ook al negeer ik haar hint, en dan leggen we neer.

Thom verschijnt in de deuropening van Max' kamer.

'Hij is zo'n beetje van de aankleedtafel af gestuiterd.' Max snikt in Thoms armen en steekt zijn handjes naar mij uit.

'Stil maar, manneke,' zeg ik tegen Max, hem over zijn rug wrijvend. 'Heb je hem soms even alleen laten liggen?' vraag ik aan Thom.

'Eén seconde, om zijn speen te pakken,' zegt hij, en hij haalt zijn schouders op alsof de geen-stap-weg-van-de-aankleedtafel-discussie niet al honderd keer is gepasseerd.

'Papa, *reuzenrad*.' Georgia trekt hem aan zijn hand. Ik vermoed dat zij bij die valpartij een rol heeft gespeeld, maar zonder bewijs gaat ze vrijuit.

'Als jij nou met G naar dat reuzenrad gaat, dan kan Max bij mij blijven.' Ik houd mijn stem neutraal.

'Oké, ben je klaar, Rudolf?' Thom wrijft in zijn handen. Trekt ze af van Max en mij.

'Klaar, Santa!' Ze springt in haar vaders armen, met een triomfantelijke blik naar mij.

Als ze weg zijn, ga ik met Max op de bank zitten, hij valt binnen een paar minuten in slaap. Er gaat niets boven een flinke dreun op het hoofd om een baby uit te putten. Ik pak mijn boek, maar ik heb mijn hoofd er niet bij. Thoms mobieltje gaat. Ik laat het gaan, blijf zitten en kijk naar de regen die inmiddels weer gestaag valt. Dan gaat de vaste telefoon.

'Hallo,' zeg ik, half en half verwachtend dat het Cheryl weer is, die denkt dat 'later' tien minuten later betekent.

'Jennifer, dat is lang geleden.'

'Inderdaad, Bjorn.' Thoms baas staat hoog op mijn toptienlijst van klootzakken, met grote kans om op nummer één te staan tegen de tijd dat Thom terugkomt uit Singapore. Toen Thom Bjorn voor het eerst ontmoette was hij net aangekomen uit Edina, Minnesota, en de twee waren bezig met de aankoop van een beeld via een lokale handelaar – een Egyptenaar genaamd Pablo, hoe gek ook – in Caïro, met een deel van de aan Bjorn toevertrouwde fondsen. De eerste keer dat ik Bjorn ontmoette, dat is een verhaal apart.

'Hoe is het leven daar?' Zelfs na al die jaren dat ik hem in stilte vervloek, word ik week vanbinnen wanneer hij op die fluwelige toon van hem spreekt.

'Beter dan antiquiteiten catalogiseren, neem dat maar van me aan,' zeg ik, mijn stem neutraal en ongeïnteresseerd. Het probleem voor Bjorn was destijds dat Pablo als stroman optrad voor het Egyptische museum, en dat Bjorn noch Thom over de expertise beschikte om te kunnen zeggen of de Nefertiti echt was – ze hadden zoveel verhalen gehoord over door het museum vervalste oudheden dat die ontmoeting nauwelijks zinnig leek. Maar Pablo had de maand ervoor een stel amuletten van onschatbare waarde voor hen opgeduikeld, en dus vroeg Thom of ik met hen meeging, een extra paar ogen met ervaring. Bjorn was beledigd, en sindsdien bevinden we ons aan tegenovergestelde zijden van Thom.

'Hááállo, Jen, ben je daar nog?' Ik schrik wakker uit mijn gemijmer. 'Is Thom er?'

'Ik vrees dat je hem net bent misgelopen, hij is op stap met Georgia.'

'Weet je waar hij naartoe is? Ik moet hem spreken.' Ik zie hem voor me, in zijn appartement, nog in kamerjas, gebruind, en fris van een ochtend in de sauna. Als ik niet had meegemaakt hoe hij die zomer minstens twintig vrouwen zijn bed in had gepraat – onder wie bijna ook ik – was ik waarschijnlijk gevallen voor zijn charmes.

'Ze hebben niet gezegd waar ze naartoe gingen, probeer anders zijn mobieltje.' Thom heeft het weer vergeten, dit keer ben ik er blij om. Die nacht, daar buiten Caïro, hadden ze 20.000 dollar bij zich, op hun lijf gebonden als bij een kamikazeactie. Toen we bij het huis aankwamen, ergens in de buitenwijken van Caïro, mocht ik niet naar binnen omdat ik geen hoofddoek droeg. En maar goed ook, want een paar minuten later arriveerde de politie, en ik zag kans om zoveel stennis te trappen over het feit dat ik mijn papieren moest laten zien, dat iedereen via de achterdeur kon ontsnappen. Een jaar later verkocht Bjorn de kop voor meer dan een miljoen dollar via een particuliere handelaar, richtte Universal Imports op en nam Thom onder zijn glibberige vleugels.

'Luister, Jenjy.' Ik haat het als hij me zo noemt, en hij weet het.

'Thom moet morgen voor me naar Griekenland om een vaas op te halen voor een klant in Singapore. Het is echt dringend. Ik heb zijn mobiel al gebeld. Maar ik zal het nog een keer proberen. Wil jij hem in ieder geval vast zeggen waarover ik heb gebeld?'

'Wat is het voor vaas?' Ik kan er niets aan doen, mijn beroepsnieuwsgierigheid is gewekt door de woorden 'Griekenland' en 'vaas'.

'Zou je dit maar niet aan de professionals overlaten, lieve?'

'Zoals je wilt.' Ik leg neer voor hij me nog verder kan kleineren. Daar gaat het weekend, maar het moet wel heel belangrijk zijn als Bjorn mij niet wil vertellen waarover het gaat. Ik trek Max dichter tegen me aan, reik naar Thoms mobieltje en zet het uit. Dan vlucht ik weer in het jarenzeventiglandschap van mijn boek. Gezegend zij Judy Blume.

Hoofdstuk Tien

Kinderen grootbrengen is een eenzame bezigheid. Toegegeven, meestal zijn er twee ouders, maar de taken zijn zelden gelijk verdeeld. En als er een nanny is, ontstaat er veelal tussen nanny en kind een even nauwe band als de moeder met het kind heeft, of je wilt of niet. Dat is de belangrijkste reden waarom ik thuis bij de kinderen ben gebleven. Ik wil niet dat ze een tweede 'mama' hebben. Ik ben erg jaloers van aard en het zou aan me vreten als ik na een dag paperassen over mijn bureau heen en weer schuiven thuiskwam en te horen kreeg dat Max net zijn eerste stapje had gezet terwijl ik in bespreking was over een of andere Griekse vaas, of een veilingcatalogus aan het samenstellen was. Die dingen zijn ook belangrijk, zeker, maar Max zet maar één keer zijn eerste stapje. En dus heb ik gekozen voor een nogal teruggetrokken bestaan. De nanny's van andere kinderen zien me als de vijand, en de meesten van de thuisblijfmoeders zijn zo efficiënt dat ik ze niet verdraag, hoezeer ik ook van op afstand hun kwaliteiten van supermama's bewonder.

Daarbij komt dat het doorbrengen van de dagen met je kinderen ook iets rustgevends heeft, iets kloosterachtigs. Veel van mijn gemoedsleven is langzaamaan diep weggezakt, begraven onder gedoe met flessen, luiers en berenkoekjes. Ik zou natuurlijk onder het dweilen over iets belangrijks kunnen nadenken, maar tegen de tijd dat ik de dweil heb uitgewrongen is het verdwenen. Vroeger volgde ik nog het nieuws, keek hoe CNN ons live meevoerde naar de frontlinie, maar dat werd te deprimerend, en ik heb Paula Zahn, de nieuwslezer, uit het oog verloren. Onlangs heb ik een poging gedaan om mijn leven in dit opzicht te beteren, heb een abonnement op de *Times* genomen, maar er is zelden een dag dat ik verder kom dan de vouw in de krant. Ik laat het liever langs me heen gaan, en ik houd van de diepe trance waarin ik raak door eindeloos het alfabet te zingen, of door de concentratie die nodig is om binnen de lijntjes te kleuren.

Maar toch, ik ben erg eenzaam, en ik ben bang dat ik, wanneer Thom vertrekt, nog eenzamer zal worden. Op de geboortepartij voor Georgia waren meer dan vijftig vrouwen – vriendinnen van school, werk, toevallige ontmoetingen, wat familie – die ik ooit goed heb gekend. Ik was helemaal overweldigd toen ze daar allemaal in dezelfde kamer bij elkaar waren, en ik voelde me heel erg bevoorrecht dat ik Georgia zo'n macht aan ervaring kon bieden, zoveel voorbeelden. Nu zie ik ze nog maar zelden, en Georgia kent hooguit een handjevol van hen. Degenen met kinderen hebben meer dan genoeg aan hun hoofd, en degenen zonder kinderen willen met mij alleen uit. En ik breng het maar zelden op om een oppas te regelen voor een avondje uit met de meiden.

Ik was niet het populairste meisje op de middelbare school, maar ik maakte altijd makkelijk vrienden, iets wat me nog steeds verbaast als het gebeurt. Ik ben een zorgtype, naar het schijnt, een schouder om op uit te huilen, een deur die openstaat. Ik maakte geen deel uit van enig kliekje maar was meer wat men een 'betameisje' noemde – zo een die vrienden kan zijn met iedereen en de lieve vrede bewaart. Ik had twee hartsvriendinnen, Portia en Candy, maar tot op de dag van vandaag weet ik niet zeker of zij dat ook zo zagen. Sindsdien heb ik een redelijk constante topvijf aan vriendinnen gehad, maar die lijst wisselt en ik haat het dat ik niet één persoon kan kiezen en zeggen 'zij is mijn hartsvriendin'. Waarom kan ik niet wat meer zoals Carrie Bradshaw uit *Sex & The City* zijn, en die term zonder onderscheid voor al mijn vriendinnen gebruiken, en daarmee ieder van hen het gevoel geven dat zij belangrijker is dan de anderen.

Soms vraag ik me af of ik, als Thom niet zoveel op reis was, meer energie over zou hebben om vriendschappen te onderhouden. Toen ik met Heath samenwoonde, die de pest had aan al mijn vriendinnen behalve Penny, merkte ik dat ik gaandeweg een aantal kennissen aan de kant zette en uiteindelijk heel wat tijd in mijn eentje doorbracht. En dan ging hij op tournee en liet mij achter met een blanco agenda en de tv-gids. We hadden best een spannend leven, dat wel. Dr.

Kreigsman noemde het een 'overgangstijd' – van die tijden in je leven dat je de kans krijgt om uit het harnas van al je verplichtingen te stappen en opnieuw te beginnen. Terugkijkend vraag ik me af of die tijd werkelijk beter besteed was met thuis tv-kijken dan met het ontmoeten van driedimensionale mensen. Ik vrees dat ik onbewust blijkbaar toch keuzes maak die me van het vriendenpad afbrengen. Mijn liefde voor Georgia en Max is dikwijls zo allesverterend dat ik gewoon niets over heb om aan anderen te geven. Thom incluis. Mijn lange dagen van was vouwen en flessen spoelen geven me een bepaald gevoel van rust dat moeilijk is uit te leggen, ook niet aan mezelf. En toch vrees ik de dag dat de kinderen het huis uit zullen gaan en ik alleen zal achterblijven met de brokstukken. Natuurlijk, ik zou mezelf kunnen opkrikken en op zoek kunnen gaan naar nieuwe vriendinnen. Overal in New York zijn vrouwen zoals ik.

Is het een biologisch mechanisme dat mij aan mijn kinderen kluistert? Als ik niet was gestopt met werken, zou ik dan een trouwere vriendin zijn, meer naar theater gaan, minder dik zijn? Kies ik voor het gezelschap van mijn kinderen om niet zo hard mijn best te hoeven doen om ook om anderen te geven? De naakte waarheid is dat ik soms alleen hen wil, wil dat zij genoeg voor me zijn, en dat zijn ze dan niet, en dan zit ik met alleen mezelf. En hoewel ik van mezelf houd, ben ik ook al niet mijn eigen beste vriendin.

Hoofdstuk Elf

Georgia en ik zitten in de metro, diep onder de stad, op weg naar een speelafspraakje in Brooklyn, om de draad weer op te pakken met Portia, mijn hartsvriendin van de middelbare school. Voordat hij vanavond naar Griekenland vliegt, trakteert Thom Max op een 'dagje voor de jongens', wat bestaat uit een bezoek aan Chelsea Piers, waar Thom Max alle sporten laat zien die hij eens op een dag zal leren, en uit het kijken van oude video's uit zijn eigen dagen als sportman. Het zal nog jaren duren voordat Max de schellen van de ogen vallen en hij zich realiseert dat zijn vader het nooit tot het basisteam heeft geschopt. Behalve in debatteren, dat wel.

'Mama, gaan we naar de speelgoedwinkel?'

'Ik heb mijn portefeuille niet bij me, droppie, alleen wat munten en een metrokaart.' Wie zegt dat ik niet een uur van tevoren weet wat mijn kind zal vragen?

'Ben je hem vergeten?'

'Ja, stomweg vergeten.'

'We kunnen toch ook alleen maar kijken?' Kijken mag dan onschuldig lijken, de neveneffecten van etalages kijken met een kind hebben een aangetoonde halfwaardetijd van twee weken. Maar ik ben zo blij dat ik Max voor een paar uur niet in mijn kielzog heb, dat ik alles zal doen voor Georgia.

'Natuurlijk, schat, wat je maar wilt.'

'Yay yay yay yay yay!' citeert ze haar broertjes nieuwste kreet. Ze is in zo'n verrukkelijke stemming, eist volledig op wat eens alleen voor haar was.

'Mama, weet je nog toen ik klein was, dat je me in een draagdoek meenam?' Een draagdoek van ongebleekte katoen, geweven door een consortium van zo'n twintig weet ik wats om geld in te zamelen voor Greenpeace, om precies te zijn.

'Dan wikkelde ik je in een dekentje en nam je overal mee naartoe, Old Navy, Dunkin Donuts, The Gap...'

'Willamsnoma, Starbucks, Burger King...'

'Het MOMA, Carpet Home, REM concert...'

'Toys R Us, U Pick Strawberries, uhm ... het UN...'

'Graceland, San Simeon, Buckingham Palace...'

'Neverneverland, Pooh Corner, het *Plaza*!'

Dit spelletje wint ze elke keer. Er zijn geen regels, of een duidelijke definitie van wat winnen is, maar zij weet dat ze heeft gewonnen wanneer ik mijn handen in de lucht gooi en haar een lekkere kietelbeurt geef.

Ik vind het altijd heerlijk om naar Portia te gaan. Ze is inspirerend. Van alle vrouwen uit mijn middelbareschooltijd is zij de succesvolste. Als Coördinator Nieuwe Vestigingen voor Tiffany's reist ze het hele land rond met een team van twintig man, om te zorgen dat iedere etalage in elke nieuwe vestiging precies gelijk is aan die van het vlaggenschip. Ze heeft speciale zilveren liniaals en meetlinten en creëert daarmee een continuïteit die geruststellend is voor de klant. Gewoon weten dat Paloma te vinden is in de uiterste linkerhoek van elke zaak is erg handig voor de vrouw die reist en op het laatste nippertje nog oorbellen moet kopen. Mijn kleine Portia, wie ik de antwoorden van algebra moest toeschuiven tijdens het eindexamen, is inmiddels helemaal volwassen en haar klasgenoten ver vooruit, en heeft meer succes dan iemand ooit had gedroomd. Het domme gansje dat van een robbedoes met kapotte knieën is uitgegroeid tot een vrouw die alleen in Armani-mantelpakken naar haar werk gaat.

Daarnaast is Portia ook de moeder der moeders. Ze heeft een drieling, twee meisjes en een jongen. Wat ik vroeger 'twintigduizenddollardrielingen' noemde, totdat ik van nabij haar verdriet meemaakte omdat ze niet zwanger werd. Nu zeg ik: leve de technologie! En laat de verzekering vooral meer pogingen vergoeden, voor alle vrouwen, los van inkomen! Vruchtbaarheid zit bij mij in de familie, meer een zegen tegenwoordig dan een vloek, als je ziet hoeveel van mijn vriendinnen worstelen om kinderen te krijgen.

Rocco, Gia en Sofia zijn net voor Georgia geboren en als we dichter bij elkaar woonden, zouden ze onafscheidelijk zijn. Het viertal is naar boven verdwenen, naar de speelkamer waar een echt kinderfornuisje staat dat binnenkort een echte afzuigkap krijgt. Niks niet koken bij een peertje in het huishouden van de Mariani's.

'Ik heb besloten mijn baan op te zeggen.' Portia heeft alleen even genipt aan haar glas wijn wanneer ze met de deur in huis valt. Als ik iets van vocht in mijn mond had gehad, had ik haar ondergesproeid, zo onverwacht komt deze mededeling. Ik wilde haar juist vertellen over Thoms reis, haar vragen of zij de armband had helpen uitzoeken, misschien zelfs een keertje mijn eigen hart uitstorten, maar in plaats daarvan ben ik opgelucht dat ik dat niet hoef.

'Heeft een headhunter je een betere baan aangeboden?' Ik schrik een beetje bij de gedachte dat Portia nog een keer omhoogschiet op haar weg naar wat alleen maar president-directeur van iets als Fortune 500 kan zijn. De stroomversnellingen van carrière maken lijken met mach één langs mij heen te razen, en hoewel ik mijn vriendin alles gun, echt waar, kan ik het niet helpen dat ik er zelf ook best een beetje van zou willen hebben. Niet dat ik weet wat dat beetje is of hoe ik de boel in evenwicht zou moeten houden. Ik denk niet dat ik evenveel geld kan verdienen als Portia, en ook al is ze het soort moeder dat zij verkiest te zijn, en dat ook echt goed doet, ik weet niet of ik zo'n soort moeder zou kunnen zijn. Het soort dat weken maakt van zestig uur en haar kinderen een halfuur per dag ziet, dat de halve maand op reis is en het echte moederen aan haar echtgenoot overlaat. Van het soort zoals Thom, nu ik erover nadenk.

'Nee, ik houd helemaal op met werken. Ik ben gepasseerd voor een promotie en ik heb genoeg van dat gereis en nooit mijn kinderen zien.' Ze heeft rode vlekken hoog op haar konen, en ik heb de indruk dat deze beslissing is genomen onder invloed van valium. Ik heb een misselijk gevoel in mijn maag, iets als het tegenovergestelde van jaloezie – eigenlijk ben ik blij dat mijn beste vriendin op haar werk is vernacheld. Maar niet het soort blij waarvan je blij wordt.

'Opzeggen? Zomaar? Weet Mark het?' Haar echtgenoot heeft de Grote Amerikaanse Roman geschreven. Heus. Hij had, toen hij ergens in de twintig was, een serie waardeloze detectives geschreven die zo populair waren dat hij er tien jaar over heeft gedaan om 'Pat Bruno' en haar speurhond Corgi om zeep te helpen met een echte literaire roman.

'Mark is het er volkomen mee eens. Hij gaat weer werken. Het is zijn beurt.' Achter haar glazige blik zie ik een traan opwellen. En nu ik goed kijk, zie ik dat haar gewoonlijk perfect geverfde kastanjebruine haar wat grijs vertoont aan de wortels, en haar Lily Pulitzer-blouse is niet alleen vies, maar er zit ook een scheurtje in bij de zak.

'Weet je zeker dat dit is wat je wilt? Ik bedoel, de kinderen zitten al op school. Op deze leeftijd vragen ze tenslotte niet zoveel aandacht meer. Eigenlijk heb je de leukste tijd gemist.' Shit. Stom van me. Heb ik dat hardop gezegd? Echt waar, ik kan uren met de kinderen doorbrengen en niet weten of ik iets hardop zeg, dus het zou kunnen.

Portia slaat de wijn achterover. Duidelijk dat ze me heeft gehoord. Ze wendt haar hoofd af en kijkt naar buiten, bijt zelfs op een van haar perfect gemanicuurde nagels. De haren in mijn nek gaan overeind staan.

'Sorry, ik weet het, er moet van alles met ze voor en na school. Afspraakjes, museum, dierentuin. En misschien is het ook een goed moment om er nog een te krijgen?' Tweede misser. Ik kan maar beter mijn mond houden. Ze schenkt ons beiden nog een glas wijn in.

'Het is oké zo. We willen adopteren. Ik heb een ernstige aanval van nestdrang, en je moest eens weten hoe ik je al die jaren heb benijd, op de eerste rang bij elke kleine ontwikkeling van Georgia. En nu Max. Soms vraag ik me af waarom ik zo nodig kinderen wilde hebben, als ik alleen maar iemand anders betaal om ze op te voeden. Denk je echt dat ik een verkeerde beslissing neem als ik mijn baan opzeg?'

'Nou ja, dat kan ik niet echt beoordelen, lijkt me.' Jaloers op mij? Ik ben het die altijd haar glanzende kastanjebruine lokken had willen hebben, haar natuurlijke aantrekkingskracht voor mannen, haar soepele manier van omgaan met het hele sociale leven, haar onstuitbare carrièredrang. Ik heb me altijd opgevreten over al haar vriendjes en haar kleren en, nou ja, neem dit huis, wie zou dat niet? Hoe kon ze jaloers op mij zijn geweest, terwijl ik al die jaren vocht tegen mijn vetrollen?

'Jij bent de enige die me kan helpen om erachter te komen. Ik heb nog niet opgezegd, het is niet te laat om mijn trots in te slikken. Of naar een andere baan uit te kijken. Jezus, weet je, ik ben gewoon niet goed in dat kindergedoe. Ik heb nog nooit meer dan een paar uur alleen met ze doorgebracht, en dan raak ik zo verveeld dat ik de neiging krijg om ze te vermoorden, alleen om een beetje leven in de brouwerij te brengen. Ik bedoel, hoe vaak kan een mens verstoppertje met ze spelen? Maar. O.' Ze zucht, wordt wat kalmer. 'Eerlijk gezegd wil ik gewoon die promotie, en ik heb zo verdomde hard gewerkt en de ballen in de lucht gehouden, en waarvoor? Opdat een tien jaar jongere vrouw mijn baas kan zijn? Ze is familie van de president-directeur. Ik had nooit gedacht dat dergelijke dingen echt gebeuren. Dus wat vind je dat ik moet doen? Moet ik mijn trots inslikken en terugvechten? Naar een nieuwe baan uitkijken? Thuisblijven? Is het echt leuk als je er eenmaal aan gewend bent? Alsjeblieft, zeg me of ik de juiste keuze maak.'

'Luister,' begin ik, en ik neem een slok wijn om even te kunnen nadenken, 'misschien moet je een lijst maken van voors en tegens. Eén van voors en tegens voor werken en één voor moeder-zijn.' Ik heb geen idee wat ik zeg, maar blijkbaar klinkt het goed, want Portia haalt een stuk papier en een pen te voorschijn uit een la in de keuken, waar we met ons wijntje zijn neergestreken.

'Een lijst! Dat is het!' Er verschijnt een grijns op haar gezicht. 'Oké. Thuis – Voor/Tegen. Werk – Voor/Tegen.' Ze kijkt me aan alsof ik over alle antwoorden beschik, in ieder geval voor de thuislijst.

'Wat dacht je ervan als je de kinderen eens wat meer zag?'

'Ja, allicht, dat staat boven aan de lijst. Voor. En misschien ga ik de kinderen een beetje thuis lesgeven. Voor. En handenarbeid. Voor. Hé, volgende week is het Halloween, ik zou een grote partij kunnen geven voor alle kinderen uit de buurt. Voor. Alleen ken ik die andere kinderen niet echt. Tegen. Het huis helemaal versieren. Voor. Maar waar koop je eigenlijk versiering? Tegen. Pompoenen! Voor! O, maar de verkleedkleren, ik kan niet naaien en er is geen tijd om het nog te leren. Tegen. Ik zou kleine cakejes kunnen bakken. Voor... wauw. Dit klinkt leuk! En ik kan me meer bezighouden met het plannen van hun activiteiten. Speelafspraakjes met een thema. Je weet wel, een boom planten voor Bomendag, naar Harlem voor Martin Luther Kingdag. Ik heb het! Waarom beginnen we niet samen een organisatiebureau voor kinderpartijen? Daar zouden we vast heel goed in zijn!'

'Houd je baan,' zeg ik, een beetje in paniek.

'Wat?' Ze breekt haar potlood doormidden.

'Ga maandag terug alsof er niets gebeurd is en houd je baan.' Ze kijkt naar het kladblok, waarop ze onbewust een vlugge schets heeft gemaakt van de Tiffanyvloer, door de woorden 'voor' en 'tegen' met vierkantjes te omlijnen als diamanten en halfedelstenen.

'Ja. Mijn baan houden. Voor.' We drinken nog meer wijn en giechelen om herinneringen uit onze middelbareschooltijd. Dan sluipen we naar boven en treffen daar alle vier de kinderen vast in slaap aan op Gia's bed, en Mark ook in slaap, in een stoel ernaast. Portia omhelst me, legt een vinger op mijn lippen en tikt haar voorhoofd tegen het mijne.

'Ook al vind ik dit een schattig gezicht,' zegt ze, weer helemaal zichzelf, 'ik zou, denk ik, voor geen goud met je willen ruilen.' Misser drie. Als ze echt jaloers op me was, zou ze wel willen ruilen. Ik wil niet alles wat zij heeft, alleen wel veel ervan. Zij is de goudstandaard, de übervrouw versus mijn huisvrouw, is ze altijd geweest. Zoals de Fransen bij de Olympische Spelen, als ik werkelijk wist hoe ik voor zilver moest gaan, zou ze dan misschien echt een klein beetje jaloers op me zijn?

Hoofdstuk Twaalf

Ik ben niet geboren in dit mooie appartement. Ik had geen zilveren lepel, of een spaarrekening. Mijn vader was verzekeringsagent en Cheryl viel als leerkracht in op de lagere school en had verder allerlei baantjes om ons te voorzien van zeep en cornflakes, terwijl mijn vader het deel van zijn salaris dat voor de hypotheek was bestemd, opzoop. Nou ja, hypotheek is mooi gezegd. Het was een banklening. Voor een stacaravan. In een woonwagenkamp. Aan de rand van de stad. Niet dat ik dit deel van mijn leven verzwijg, maar ik loop er ook niet mee te koop. Soms gebruik ik het als valstrik. Dat gaat zo:

Mijn steenrijke vriendin Tricia, die is opgegroeid in Scarsdale, en ik hadden het op een dag aan de lunch over de pluspunten van adoptie. Ik stelde dat een kind dat in armoede was geboren dezelfde basisaanleg heeft als een rijk geboren kind. Zij stelde dat slechte voeding van de moeder, een verkeerde omgeving, slechte voorbeelden enzovoort de intelligentie van een baby al voor zijn geboorte konden aantasten. Ik zei dat ik het er niet mee eens was, ik was tenslotte zelf in armoede opgegroeid. Zij wist dat ik van arme komaf was, alleen niet hoe arm. Dus zegt zij:

'Maar jij bent niet opgegroeid in een stacaravan.'

'Dat ben ik wel,' zei ik fel.

'Maak het nou,' schimpte zij.

'Het is waar,' hield ik vol.

'Nou ja, jullie huis stond tenminste niet in een woonwagenkamp.' Ze zocht naar een uitvlucht, maar ik gaf geen krimp. Ze hapte alsof ik nog steeds die persoon van vroeger was, hoewel ze stage liep bij Christie's, bij me thuis had gegeten en wist dat ik die aluminium wanden en die wielen allang achter me had gelaten.

Iedere dag worstel ik met de vraag hoe ik mijn kinderen gevoel voor realiteit kan bijbrengen. We willen allemaal onze kinderen een betere jeugd geven, meer kansen, niet alleen maar afdankertjes – hoewel Andy er geweldig uitzag in mijn afgedankte Garanimals T-shirts – een goede opvoeding. Verdomme, het staat vrijwel in de grondwet dat zij een beter leven moeten krijgen dan wij hebben gehad. Maar wat betekent dat als ze geen notie hebben van hoe de 'andere helft' leeft. En hoe maak ik voor hen aannemelijk dat ik eens tot die andere helft behoorde. Cheryl had twee kinderen uit haar eerste huwelijk, een paar jaar ouder dan Andy en ik. We zaten dus met zijn zessen in die caravan. Sardines, in blik.

Als je lang, blond en leuk om te zien bent, staan mensen er niet bij stil dat je misschien toen je jong was in de rij hebt moeten staan voor een door de overheid verstrekt stuk kaas. Ook bedenken ze nooit dat je hebt moeten werken voor wat je hebt. In plaats daarvan nemen ze aan dat de wereld jou een beetje beter behandelt, dat goede dingen gewoon komen aanwaaien. En weet je? Grotendeels hebben ze gelijk. Het is veel makkelijker om je verleden van je af te schudden en een nieuwe identiteit aan te nemen als je je schepen grondig achter je verbrandt. Op de middelbare school, achter een traliewerk van beugels en een heg van goedkope permanent, dacht niemand dat ik aantrekkelijk of populair kon zijn, of wat anders ook dan 'woonwagenvolk'. Je hoeft geen mouwloze T-shirts en afgeknipte spijkerbroeken te dragen, of met je vader te slapen, om dat etiket opgeplakt te krijgen. Als je ooit zo bent genoemd, weet je dat het niet betekent wat de meeste mensen denken. Het ligt veel dichter bij 'uitschot' dan bij 'leuk thema voor mijn nieuwe restaurant'.

Nee, ik ben niet verbitterd. Ik heb me ontwikkeld, droeg namaak merkkleding en ging uit met rijke patsers. Ik had een leuk leven, ging naar nachtclubs met de kliekjesmensen, at met beroemdheden in viersterrenrestaurants, genoot met volle teugen van Manhattan, leerde heel snel dat je alleen maar moest zorgen dat je op de juiste plek was met de juiste houding, om je te kunnen bewegen binnen een heel scala van steenrijke mensen. In de vroege jaren tachtig kon je elke nacht van de week met een beroemdheid naar bed als je daar behoefte aan had. Uiteindelijk had ik genoeg van dat oppervlakkige snelle leven en ben ik weer gaan studeren in die lange Heath-loze winters. Ik betaalde mijn studie met serveren in restaurants – Heath heeft nooit aangeboden om mee te betalen, en ik heb er nooit om gevraagd. En toen ontmoette ik Thom, kreeg een goeie baan, en we settelden ons en kregen kinderen, en we zagen op de een of andere manier kans om in een hoge belastingschaal te belanden en een fantastisch appartement te betrekken. De eerste keer dat we dit huis bekeken, was het niet om aan te zien – witgekalkte muren, betonnen vloer, en geen keuken, geen bad – maar de indeling was eigenlijk precies zoals ik het wilde, en ik wist Thom te overtuigen dat het echt perfect zou worden. Na een grondige opknapbeurt hadden we een juweeltje van een huis. Ik was helemaal opgewonden toen ik het aan Cheryl liet zien. Die keek één keer rond en zei:

'Het is echt heel leuk, schat, maar is het je opgevallen dat de indeling precies zo is als die van onze oude stacaravan?'

Misschien overschat ik hoever ik het heb geschopt en onderschat ik hoeveel verder Georgia en Max het misschien eens zullen brengen. Misschien staat er dan een fantastisch gebouwencomplex op de maan of op Mars, ontworpen door mijn dochter en gebouwd door mijn zoon, en zal hun nieuwe behuizing – afgeleiden als onze kinderen zijn van Thom en mij – de echo zijn van dit liefdesnestje dat wij hebben ingericht voor hun tijdelijk welzijn.

Hoofdstuk Dertien

Max had altijd al iets met Aziaten. Toen hij groot genoeg was om met zijn gezicht naar voren in de Baby Bjorn mee uit te gaan, vond hij niets mooier dan een wandeling door K-town, Little Japan of Chinatown. En het komt dus niet als een verrassing dat hij hopeloos verliefd is op zijn nieuwe vriendinnetje Lily.

Sven had ervoor gezorgd dat ik het geld voor de babyzwemlessen terugkreeg, zodat ik onze lessen regelrecht aan hem kon betalen. Tussen talloze pogingen door om mij zover te krijgen dat ik mijn hoofd onder water hield zonder mijn neus dicht te knijpen, vertelde Sven dat hij zijn dochter Lily had meegenomen om Max en mij te leren hoe je zo'n glibberige kleine gup moest vasthouden. Na een rampzalig uur van mijn neusholten spoelen met chloorwater gingen we de kinderen uit de kinderopvang ophalen. Daar trof ik Max zittend op de grond aan, kwijlend, met zijn mond halfopen, starend naar een Chinees meisje, iets kleiner en iets ouder dan hij. Om Sven te bedanken voor het op sleeptouw nemen van Max en mij, nodigde ik hem uit om na de les iets te komen drinken bij ons thuis – samen met Lily natuurlijk.

Ik ben nog steeds in de bloei van mijn romance met Sven, en ik merk dat ik nog nooit zo nerveus ben geweest in de nabijheid van een man. Het is bijna alsof weten dat we nooit seks zullen hebben de conversatielat nog hoger legt. Ik bedoel, als een vent alleen maar uit is op een vluggertje, vindt hij alles wat je zegt briljant. Maar dit is anders. Ik moet iets minder tastbaars inzetten om mijn vangst te verleiden – intelligentie, eigenzinnigheid, spitsvondigheid. Sven is niet bepaald een modieuze gay, draagt het liefst een houthakkershemd en Levi's, dus ik maak me niet druk over mijn belachelijk ogende legging en mijn slobbertrui... en toch voel ik me nog boller en onhandiger dan anders.

Wie niet sterk is moet slim zijn zeg ik altijd, dus ik heb een kaassoufflé geklopt voor de lunch, het enige wat ik in de eiersector werkelijk onder de knie heb gekregen bij mijn kooklessen vorige zomer – een cadeautje voor onze trouwdag. Het leek Thom leuk voor mij als ik één avond per week de deur uitging. Wat een attente echtgenoot. Wat een grootse wijze om ons huwelijk te honoreren. En nu gebruik ik, als iedere goede echtgenote met een onuitgesproken grief, de door Thom betaalde kooklessen om indruk te maken op een andere man.

'Kun jij echt een soufflé maken?' vraagt Sven, terwijl hij Lily van haar rugzakje verlost.

'Koud kunstje, ik heb alles al voorbereid, ik moet alleen de eiwitten er nog invouwen, dan twintig minuten in de oven, en *voilà*.' Zie je wel, ik wist dat Frans van pas zou komen.

'Wauw! Ik heb nooit echt leren koken, maar Tom vond dat ik kookles moest nemen, weet je, één avond per week iets om handen te hebben.' Ik laat bijna mijn soufflé vallen.

'Tom? Jouw partner heet Tom? Heb je ooit. De mijne ook. Denk je dat het te vroeg is om daarop te drinken?'

'Heb je toevallig Lillet in huis, of een ander aperitiefwijntje? Dat kun je nauwelijks drank noemen.'

'Ik heb niet alleen Lillet, maar ook sinaasappels.' Hij is mijn maatje. Had ik nu ook maar een pakje Gitanes, twee tickets naar Parijs, een penis, en tien jaar minder vet aan mijn lijf. 'Zeg Sven, ben je soms van Scandinavische afkomst, vanwege je naam?'

'Nee, maar dat is een grappig verhaal. Toen ik als kind opgroeide in New Jersey waren er zeven Stevens in ons blok. Er woonden kennelijk veel fans van Stephen Sondheim in onze buurt. Toen ik naar de stad verhuisde heb ik bij mijn eerste feestje de t-e eruit gegooid. Hé, kijk eens,' zegt hij, mijn aandacht van zijn leiblauwe ogen afleidend naar wat tot speelhoek is bestempeld.

Toen het appartement klaar was, hadden Thom en ik elkaar beloofd dat het niet weer één grote speelgoednachtmerrie zou worden, zoals ons vorige. Dat er een speelkamer zou zijn en dat de andere kamers zouden blijven waarvoor we ze bestemd hadden. Helaas, je kunt geen twee stappen zetten in welke richting ook of je breekt je nek over een blok of een autootje. Consequent zijn is niet onze sterkste kant.

Sven, die aan de rand van het zwembad al heeft gehoord dat mijn zoon niet kan kruipen als ik in de buurt ben, beduidt me stil te staan en dirigeert me, wenkend met een gekromde wijsvinger, langs de keukenmuur. Ik druk me plat tegen de muur en kijk voorzichtig om het hoekje, één oog tegelijk. En ik zie een paradijs: Max kruipt niet alleen, hij volgt Lily om het meubilair heen alsof ze hem aan een lijntje heeft. Wat ook duidelijk het geval is. Ik druk me weer tegen de muur en knijp mijn ogen dicht, bevries dit beeld om het later door de telefoon aan Thom te kunnen beschrijven. Die is in Rusland om een kostbaar Fabergé-ei af te leveren bij een collega-handelaar. Soms heb ik het gevoel dat hij niet veel meer is dan Bjorns overbetaalde koerier.

'O, de soufflé!' Ik ben vergeten hem in de oven te zetten, wat een minder grote zonde is dan vergeten de eierwekker te zetten, wat ik nu doe, terwijl ik 'Soufflé' afstreep van het lijstje van dingen die ik vandaag moet doen. We nemen ons drankje mee naar de woonkamer en Sven geeft een schreeuw als hij ziet hoe Max zich op zijn buik laat zakken bij het geluid van mijn schoenen. Lily is druk bezig hem cornflakes te voeren, en hij steekt zijn tong uit als een smekeling. Dit meisje zou hem werkelijk overal van kunnen genezen.

'Wanneer hebben jullie Lily gekregen?' Dat verhaal wilde ik zo graag horen, maar ik wist niet precies wat je wel en niet over adoptie kunt vragen. Bij het horen van haar naam kijkt Lily naar mij, haar haar hangt in een rechte pony boven haar ogen en is van achteren jongensachtig opgeknipt. Ze heeft een hemelsblauwe trui aan met daaronder een witte pulli, en ik voel hoe ook ik voor haar val.

'We hebben Lily zes maanden geleden geadopteerd, toen ze net een jaar was, nietwaar, schatje?' Ze klautert op Svens schoot, waarbij ze haar kleine voetjes neerzet met de behendigheid van een bergbeklimmer, en slaat haar armpjes om zijn nek. Max rolt op zijn buik om alles beter te kunnen zien – onder haar rokje zeker. Ik pak hem op, dan kan hij niet meer zo ontzettend geil kijken. 'En je zult het niet geloven, maar ze plaste al keurig op het potje. Dat was mijn grootste zorg over het hebben van een meisje. Ik bedoel, wie moest haar leren om zittend te plassen?'

'Praat me er niet van, het heeft mij maanden gekost om het Georgia te leren. Ik denk dat we er iets te lang mee hadden gewacht. Ze wilde met name niet op de wc poepen, poep was iets van haar. Met Max beginnen we op zijn tweede verjaardag, wat de boeken ook zeggen. Dat hele gedoe van "laat ze zelf aangeven wanneer ze zover zijn" is misdadig.' Wel ja, zit ik daar binnen tien minuten van ons eerste afspraakje tegen mijn geheime gayvriendje over poep te praten.

'Over boeken gesproken, heb je *Disco Bloodbath* gelezen?' verander ik van onderwerp. 'De film *Party Monster* is erop gebaseerd, je weet wel, die lui die jonge mensen in nachtclubs vermoorden en zo. Ik wil de film beslist zien, ik kom ook ergens in de documentaire in beeld.' Svens gezicht licht op.

'Heus? Ik ook! Ik wist niet dat jij een nachtclubmens was!' Hij zet Lily weer op de grond en ik ontdoe me even snel van Max. We spoeden ons weer naar de keuken, waar we niet zo op ons taalgebruik hoeven te letten en nog een drankje kunnen inschenken.

'Dat was ik ook niet,' zeg ik. 'Ik was een tijdje portier bij de Limelightclub, fooien vangen.'

'Hé, was jij dat meisje met dat citroengele haar? Noemden ze jou niet Lemonfur, vanwege die kleur?' Hij leunt voorover om beter te kijken, en ik span mijn kaak aan om mijn onderkin strak te trekken.

'De enige echte. Niet te geloven dat je dat weet, ik dacht dat alleen mijn vriendin Penny me zo noemde. En wie was jij dan?'

'Sven Svensson, nee Steven Tanen, olympisch zwemmer.' Hij pakt mijn hand en likt eraan, ik trek hem vol geveinsde afschuw weg. 'Ik ben weer op Tanen overgegaan, die andere naam was zelfs mij te gay. Ik hing alleen in de weekends in nachtclubs rond en ik mocht niet drinken vanwege de training. Ik heb nooit een medaille gewonnen, maar ik ben wel een keer of twee met Louganis gegaan.'

'Mijn god, dat vond ik echt een moordvent. Helemaal mijn type.'

'Ho even, ik weet niet precies hoe ik dit moet zeggen, maar hij is van *mijn* kant.'

'Nou en? Ik heb iets met gays, vind je dat gek?' We kletsen over alle mannen op wie we allebei vallen, over onze veroveringen, zingen een loflied op ons fabelachtige jongere ik. We praten niet over alle mannen die we hebben verloren, of over de velen die in de jaren tachtig aan aids zijn overleden, of wat een geluk we hebben dat we nu hier zitten en ons bedrinken. Wanneer het gesprek zachtjes op dat geheiligde terrein komt, doet Sven precies het juiste.

Hij loopt naar mijn kant van de keukentafel en begint *Crazy* te zingen, neemt me dansend in zijn armen. Lily komt de keuken binnenrennen en we tillen haar op om mee te dansen, net op het moment dat Max achter haar aan komt gekropen – in het volle zicht van zijn moeder. We schrikken ons allemaal rot wanneer de eierwekker afgaat.

Sven en ik hebben de bodem van de souffléschaal uitgeschraapt en de fles Lillet is bijna leeg. We leggen de kinderen te slapen en ik voel me ontspannener en gelukkiger dan ik in tijden ben geweest.

'Heb je weleens spijt dat je je baan hebt opgezegd?' vraagt Sven. Hij is sinds zes maanden thuisblijfvader, heeft zijn marketingbaan in de sport opgezegd toen ze Lily gingen halen. 'Ik bedoel, Lily is mijn alles, maar ik merk dat ik steeds minder te melden heb wanneer Tom thuiskomt. Dan hoor ik mezelf de plot vertellen van de Baby Einstein Nietzsche-dvd.' We lachen, maar weten dat het niet echt grappig is.

'Nou ja, in het begin is het wel moeilijk, maar het wordt steeds makkelijker, en nee, over het algemeen heb ik geen spijt.' Ik voel een oordeel in wat ik zeg, en hoop dat hij mijn complete gebrek aan overtuiging op dit front niet heeft opgemerkt. 'Ik heb alleen wel een beetje spijt dat ik niet heb geprobeerd weer aan het werk te gaan, al was het maar voor een paar maanden. Dan wist ik tenminste of ik spijt heb of niet. Zoiets.'

'Weet je, het is niet de verveling of de herhaling of het voortdurend iets moeten, maar meer dat het mijn libido aantast.' Hij kijkt naar de bodem van de schaal, doet of hij er nog wat uitschraapt.

'Hmm. Echt? Ook al ben je, nou ja, je weet wel?' Na twintig jaar in Manhattan wonen kan ik ineens geen 'gay' over mijn lippen krijgen.

'Gay?'

'Ja, weet je...'

'Dacht je nou echt dat gays voortdurend hitsig waren?' Die zit.

'Nou ja, niet zozeer hitsig, meer geneigd om hitsig te worden wanneer je het niet al bent. Hitsig.' Wat heb ik toch dat mensen aanzet om me dingen te vertellen waarvan ik me ongemakkelijk ga voelen? Ik wil dat dit een relatie is zonder seks. Helemaal zonder.

'Het probleem is dat Tom altijd wel wil, en sinds we Lily hebben ben ik gewoon voortdurend te moe. Wat wil hij dan? Dat ik fake?' Dit is nieuw.

'Oké, ik zal je een geheimpje verklappen. Alle vrouwen faken af en toe. Dat is heus geen schande. En je zult zien dat het een heel wat snellere trein naar dromenland is als je gewoon meegeeft dan als je het bordje "gesloten" uithangt. Iets in dat bordje maakt dat ze het juist nog meer willen.' Niet dat ik iets meen van dit hele verhaal, want Thom en ik hebben een fantastisch, zij het niet frequent, seksleven, maar ik moet gewoon begrip tonen, dat is waar mijn nieuwe vriendje behoefte aan heeft. En bovendien, als hij mijn advies opvolgt, zal hij waarschijnlijk merken dat hij toch hitsig is.

'Het spijt me, ik weet het even niet meer. En ik snap ook niet waarom ik je dit allemaal heb verteld. Ik kan maar beter Lily wakker gaan maken, anders slaapt ze vannacht niet.'

'Luister, als je Lily nu eens hier liet, en met Tom ergens romantisch ging dineren? Ze kan me helpen Max te amuseren...'

'Meen je dat? Je moest eens weten hoe dankbaar ik je ben.'

'Vooruit, laat je lekker versieren en rep nooit meer van je seksleven.'

'Afgesproken.'

Hoofdstuk Veertien

De eerste keer dat ik overgaf toen ik over tijd was, heb ik een schietgebedje gedaan dat het een jongetje zou worden. Mijn jongere broertje is een jongen. Mijn echtgenoot is een jongen. Al mijn gayvriendjes waren altijd jongens. Behalve Madison, die een meisje is geworden. Als babysit heb ik alleen maar op jongetjes gepast en al mijn vriendinnen kregen ook jongetjes en, nou ja, ik vond het gewoon enig zoals kleine jongetjes kleinejongetjesdingen doen. Ik was als de dood dat het een meisje zou zijn. Meisjes zijn slimme, manipulerende wezentjes die je al bij hun geboorte een stapje voor zijn. Wanneer mensen me vroegen of ik liever een jongen of een meisje wilde, kon ik niet zeggen 'gaat je niets aan' of 'heus, als het geen jongen is, stuur ik het terug,' dus zei ik om ze de mond te snoeren 'het kan me niet schelen of het een jongen of een meisje wordt, als het maar gay is.'

Aanvankelijk zei ik dat om te choqueren, maar na een poosje merkte ik dat een deel van mij dat echt zo meende. Als het, zo God wilde, een jongen was, en als hij, zo God wilde, gay was, dan zou hij me nooit verlaten voor een andere vrouw. Behalve dan misschien voor een transseksuele Madison. Vera was helemaal geschokt door mijn onschuldige grapje, maar Cheryl, die je altijd weer verraste, maakte van de gelegenheid gebruik om te onthullen dat haar eerste echtgenoot, vader van mijn stiefbroertje en -zusje, Vince en Judy, haar om diverse redenen had verlaten, maar bovenal omdat hij gay was. En homo zijn in de jaren zestig in een klein stadje in de Catkillls was niet iets waar hij tegen kon vechten.

Toen we bezig waren zwanger te worden van onze eerste, haalde ik alle trucjes uit om een jongetje te krijgen: we deden het staande, ik ging na afloop op mijn rechterzij liggen, klokte conceptie met de stand van de maan en oneven dagen van de maand, en ik stopte mijn hele kosmische denkvermogen in het woord jongen. Stel je mijn verbazing even voor toen er bij de echo met twintig weken niets van een penis te bespeuren viel. En hoe ik me voelde toen de dokter op het scherm aanwees dat dat de schaamlippen waren en dat de clitoris? Ik heb maar één woord: *Georgia.*

Heel veel pasgeboren meisjes lijken op hun vader, en G was geen uitzondering. Gelukkig is Thom een heel mooie man, en zij heeft zijn donkerbruine krullen en felle bruine ogen. Innerlijk is ze meer zoals ik, met haar scherpe gevoel voor wat fair is en haar onvermogen om te liegen wanneer je dat beter wel zou kunnen doen. Helaas heeft ze ook mijn geslotenheid en kan ze pijnlijk zwijgzaam zijn, vooral met vreemden in de buurt. Ik heb gevochten om mijn eigen introvertie te overwinnen, en ik vind het moeilijk om in haar mijn vroegere ik opnieuw te ervaren. Ze heeft een antenne voor de emoties van anderen, is een intens gevoelig kind met zenuweindjes die zo uit haar huid steken, althans zo lijkt het. Ja, ze mag je dan manipuleren, ze mag dan slim zijn, maar ik hoop dat ze eerder en beter dan ik leert hoe ze deze eigenschappen kan gebruiken om zichzelf te beschermen tegen hen die haar in de toekomst pijn zullen doen.

Mijn verdediging was de aanval, niemand toelaten, me wapenen tegen verdriet, na de pijn zo dikwijls en zo diep te hebben ervaren. Ik werd een eenmanseiland, mijn behoefte aan genegenheid had me in de steek gelaten. Het was niet moeilijk. Heath was altijd weg, een proefopname voor een komische tv-serie filmen in Vancouver, of op tournee met een Broadway-musical. Ik wees de aandacht van anderen af, maakte alleen plannen om ze vervolgens niet uit te voeren, zat thuis met een kom cornflakes bij een baseballwedstrijd. Ik kende alle wedstrijduitslagen van de N.Y. YANKEES, gedurende drie opeenvolgende zomers, uit mijn hoofd. Op een gegeven moment kreeg ik last van migraine en duizeligheid, alsof ik me buiten mijn eigen lichaam bevond, een gevoel waarop uiteindelijk de diagnose 'gespletenheid' werd geplakt. Nadat ik eerst naar mijn huisarts was geweest, toen naar een hoofdpijnspecialist, toen naar een neurochirurg en talloze andere specialisten in de gezondheidszorg, raadde Portia me aan om naar haar psychotherapeut te gaan. Ik onderging de ene sessie na de andere en hield vol dat alles in mijn leven perfect was, totdat hij me op een dag eenvoudigweg vroeg: 'Waarom ben je zo ongelukkig?' En al die jarenlang ingeslikte tranen stroomden eruit, al die gemiste kansen om te voelen, gevoeld te worden. Niet lang daarna ontmoette ik Thom, en zijn directe benadering van de liefde was zo'n schok dat ik eindelijk wist wat ik had gemist. Ik ben bang dat ik me, als hij weggaat, weer in mezelf zal opsluiten. Het is wel bij me opgekomen dat hij dat baantje in Singapore heeft aangenomen om mij de tijd te geven uit te vinden wat ik wil, maar is dat echt waar ik op dit moment het meest behoefte aan heb?

Hoofdstuk Vijftien

'Ik wil Ella en Emma en Amelia en Amy en Emma –'

'Lieverd, Emma heb je al genoemd.'

'Emma Shapiro, niet Emma Jones.'

'O, sorry. Ga door.'

'En Donavan en Matinka, en Brendan en Violet.'

'En Chloë dan?'

'Niet verklappen.' Ze buigt zich naar me over en fluistert: 'Te verwaand.'

'Nou ja, je hebt wel een beetje gelijk, maar ik dacht dat ze je bestste vriendin was.'

'*Beste* vriendin, J. Vorige week.'

'En wie is het deze week?'

'Matinka. En kunnen we een taart bestellen bij Chez Emilie?'

'Wat is er mis met Cup Cake Café?'

'Te veel jaren negentig.'

'G, toen was je nog niet eens geboren.'

'Jawel. In 1998.'

'Bij wijze van spreken.'

'Ik wil zo graag een taart van Chez Emilie. Alsjeblie-ieft.'

'En als ik nu eens zelf een taart bakte?'

Rolt met haar ogen.

'Maar je was altijd dol op mijn taarten.'

'Ja, toen ik nog *klein* was. *Alsjeblieft*, verneder me niet.'

'Zeg, wanneer ben jij veertien geworden?'

'Ik ben bijna vijf, ik moet het goed doen.'

'Oké, oké, niet huilen.'

'Ik *huil* niet, ik ben gewoon *gespannen*.'

'Je partijtje is pas over een paar maanden. Kom, zullen we ons

klaarmaken om naar Penny's Halloweenpartij te gaan.'
'We moeten shirts bestellen.'
'Hoezo, shirts?'
'Voor de voetbalwedstrijd.' Stom.
'Oké, ik luister, wat voor voetbalwedstrijd?'
'Op mijn partijtje.'
'Je speelt geen voetbal.'
'Maar toch is het een voetbalfeestje.'
'Sinds wanneer?'
'De helft roze shirts en de helft paars.'
'Roze, paars, staat genoteerd.'
'Op de roze moet staan Georgia, en op de paarse Aigroeg.'
'Wat?'
'AIGROEG.'
'Wat is dat nou weer?'
Ogen rollen, armen over elkaar.
'Nou?'
'Mijn naam achterstevoren.'
'Wat slim. Echt.'
'En geen baby's.'
'Is mogelijk.'
'Ik meen het. En niet proberen me om te praten.'
'Waarom zou ik dat doen?'
'Omdat jij van de *baby* houdt.'
'Jij ook.'
'En hij heeft een *penis.*'
'Wat je zegt.'
'En hij is een baby.'
'Daar kan ik niet omheen.'
'Oké, oké, hij mag komen.'
'Niet als jij het niet wilt.'
'Oké, oké.'
'Je hoeft hem echt niet voor mij uit te nodigen.'
Ogen rollen, een knuffel.

Hoofdstuk Zestien

In mijn jeugd was een verjaarspartijtje iets ongehoords. Althans bij ons thuis. Meestal bakte Cheryl mijn lievelingstaart (schuimgebak met glazuur), daar zetten we kaarsjes op, ik pakte wat cadeautjes uit, en weer was er een jaar voorbij. En ik voelde me heel bijzonder. Tegenwoordig verdoe ik eindeloos veel tijd aan of het plannen van een partijtje, of cadeautjes zoeken voor de verjaardag van een ander kind, of bedankjes schrijven voor partijtjes en afspraakjes. Jawel, een bedankje voor het één uur lang ontvangen van mij en mijn kind. Sommige moeders gaan nog een stapje verder en sturen me wijn om te bedanken, of iets van tafelgerei. In de vorm van een zilveren lepel van Tiffany's met een briefje: 'Misschien doet Max hier zijn mond wel voor open!'

Het zou allemaal niet zo erg zijn als ik enig indirect plezier aan deze partijtjes beleefde, maar omdat mijn kind ervan over de rooie gaat, ga ik dat ook. Op dat soort dagen overweeg ik ernstig om te verhuizen en me van dat sociale harnas te ontdoen. Hoewel, onlangs, toen het harnas even wat losser zat, betekende dat officieel het einde van zelf voeden, omdat zowel mijn kolf als mijn baby besloot niet meer te zuigen. Vierentwintig uur weg van de wereld, zweten bij kaarslicht, geen wc's doorspoelen, opgezette borsten en koude pizza. En was ik echt gelukkiger?

Ik heb mezelf nooit als een idealist gezien of een paniekvogel, totdat ik zwanger werd van Georgia, toen leken er ineens in alles wat je deed kankerverwekkende elementen verborgen te zitten. Dit wel en dat niet was overal, en nergens was iemand bij wie ik te rade kon gaan. Inentingen veroorzaken autisme, luiers verstikken vuilstortplaatsen, crèches worden geleid door kinderlokkers. Slaap met je kind, slaap niet met je kind, houd het brandschoon, vuil voorkomt astma. Als je je kind niet naar de crèche doet, leert het geen sociaal gedrag. Als je het wel doet, wordt het agressief. Roep Ophelia weer tot leven, wek een Kaïn uit de dood, verwek geen bruut, baar geen femme fatale. Geef je kinderen af en toe rust en ruimte, luister naar hun noden en behoeften.

Vorige week belde Georgia's schooljuf en zei dat ze zich zorgen maakte om G. Ze leek verdrietig, of er soms iets was waarover ik wilde praten? Jazeker, en wel over het feit dat onderwijzers vroeger meer tijd besteedden aan het bezighouden van kinderen en minder aan het bellen van ouders. Bel me niet omdat ze verdrietig is, wilde ik zeggen, bel omdat ze koorts heeft, of iets doms heeft gedaan. Als klein kind al kon Georgia een lang gezicht trekken, zuchten, en zeggen: 'Ik ben verdrietig, mama.' Of het nu een list was om mij te laten voorlezen, bij ons in bed te mogen kruipen, of gewoon om nog een koekje te krijgen, deze noodkreet werkte altijd. In het begin brak mijn hart ervan, maar algauw leerde ik dat het kleine mormel me bespeelde. Maar juffrouw Cartwright (ja, al die jaren werken om de mensen mevrouw te laten zeggen, en de scholen doen het nog steeds niet) laat zich nog steeds op de kast jagen. Wacht maar. Als ik mijn dochter ken, duurt dat niet lang meer.

God weet dat ik echt heb geprobeerd om de valkuilen van kinderen opvoeden te omzeilen. De kinderen kregen geen suiker tot ik het niet meer kon controleren, en toch doet Georgia een moord voor een taartje. We kijken geen tv, hoewel, tegenwoordig is een van mijn schuldige genoegens het opzetten van een dvd en daarmee een uurtje rust kopen. En, ja, Max en ik kijken af en toe naar een documentaire over de jaren zeventig. Dat is goed voor hem. Hij moet weten wat dingen als *bell bottoms* en Dating Game waren. Door mijn nostalgie naar mijn eigen kindertijd ben ik niet al te streng voor mijn kinderen. Ik ben door wolven grootgebracht. Ze gaven me vlees met twee maanden. Volgens de voorschriften aangelengd met water, maar wel vlees. Ik heb meer televisiegekeken dan wie ook, en ik keek goed. Ik at gesuikerde cornflakes zo uit het pak, en sliep in mijn kleren. Maar ondertussen ben ik niet één keer meer verkouden geweest sinds ik gestopt ben met roken omdat ik Georgia verwachtte. Ze hebben me verteld dat mijn moeder een pakje per dag rookte toen ze mij verwachtte, en toen haar arts haar aanraadde om over te gaan op die 'nieuwe' sigaretten met een laag teergehalte, werden het er twee. Ik woog acht pond. Toen de Inspectie voor de Volksgezondheid kort daarna bekendmaakte dat door roken het geboortegewicht lager wordt, zei mijn moeder: 'Ik dank de hemel dat ik niet ben gestopt.'

Ik heb altijd een verjaarspartij gewild, ik had alleen niet gedacht dat het me bijna veertig jaar zou kosten om het te bekennen. Niet dat ik er nu een wil, ik wil terug naar toen ik vijf was en een feestje vieren met al mijn vriendinnetjes van de kleuterschool, en een mooi ingepakte doos krijgen met onderbroekjes met de dagen van de week erop geborduurd door de moeder van Joanie. En een Scarlett O'Hara-verjaarstaart, haar hoepelrok lavendelblauw geglazuurd, en een hoed met een lint op haar poppenkop. En we zouden ezeltje-prik spelen, en bowl drinken uit kleine glazen kommetjes. En het mooist van alles, ik zou zo'n kanten jurk dragen, zoals andere meisjes op hun partijtjes aanhadden, met een satijnen lint om mijn middel, en schoenen met een gesp. Al mijn vriendinnetjes zouden er zijn, Patty, Joanie, Holly, Candy, Julie, Dorothy, Missy, Barbie, Jackie. Niks geen Emma's of Cassandra's of Chloë's, alleen gewone kleine meisjes, die lieve naampjes hadden en pret met elkaar maakten.

Maar als ik Georgia een alledaags partijtje geef, wordt ze behandeld als een alledaags meisje en zal ze zichzelf misschien voor de rest van haar leven zo zien. Elke avond lig ik te piekeren hoe ik aan haar verwachtingen kan voldoen, terwijl ik mijn eigen verwachtingen opnieuw evalueer. Ik wilde de mama zijn op wie andere mama's jaloers zijn, van wie de andere kinderen wilden dat het hun moeder was. Maar tegen welke prijs? Letterlijk. Het liefst zou ik voet bij stuk houden, zelf een taart voor Georgia bakken, en papieren feesthoedjes maken en zelf ballonnen opblazen, maar ik kan niet riskeren dat zij afgaat tegenover de andere kinderen, dat ze mij haat omdat ik haar laat afgaan. Dus zal ik de moeder zijn zoals zij vindt dat ik voor die ene dag moet zijn, ook al betekent het dat ik mezelf erom zal haten.

Hoofdstuk Zeventien

Thoms zuster verwacht haar vijfde kind in zes jaar. Ze hebben vier meisjes met hoogdravende namen die moeilijk waar te maken zijn. Ben benieuwd met welke naam ze nummer vijf opzadelen. Maar beeldschoon zijn ze wel, die vier, en hoewel ik dol ben op Georgia's kastanjebruine pijpenkrullen, zullen deze mooie blondjes ongetwijfeld op een dag als cheerleader langs de kant staan, terwijl zij zich rot rent op het veld. Overigens ziet Thoms zuster er acht maanden zwanger zo stralend uit als alleen mogelijk is wanneer je echt veel geld hebt. Ik heb ergens gelezen dat vrouwen tegenwoordig pillen slikken om niet te veel aan te komen. Ik zeg niet dat Theta dat doet, maar toch.

Omdat ook deze partij voor de baby, net als de vorige, op Vera's club plaatsvindt, wist ik hoeveel zorg ik aan mijn uiterlijk moest besteden, en eerlijk gezegd, zag ik het niet zitten. Gisteren ben ik gaan winkelen, maar na een keer of tien in de paskamer bij Eileen Fisher zonk me de moed in de schoenen. Max deed zijn uiterste best om me te helpen, klapte in zijn handjes bij het zien van mijn blote dijen, maar ik vrees dat het zijn liefde voor Cottage Cheese was, en niet een oedipusreactie. Als ik er niet goed kan uitzien in kleren die afkleden, wat moet ik dan nog? En alsof dat niet genoeg was, regende het pijpenstelen toen ik de winkel uitkwam, en nergens was een taxi te bekennen. Max zat daar paradijselijk als onder een glazen stolp in zijn buggy met regenkap, maar ik was mijn paraplu vergeten en zat er niet op te wachten om zeiknat te worden. Dus heb ik de bui uitgezeten bij City Bakery. En mijn in warme chocola gedoopte croissantje was dan misschien niet erg bevorderlijk voor mijn lijn, maar op dat moment leek het de enige troost voor een slopende dag.

Nadat ik vanmorgen elk kledingstuk groter dan maat 42 uit mijn garderobe had aangepast, besloot ik tot een eenvoudige zwarte lange blouse en een zwarte broek. Toen ik ten langen leste de slaapkamer uitkwam, was Thom druk in de weer met de kinderen, om nog even alles te halen uit zijn laatste weekend thuis. En dit moet ik mijn echtgenoot nageven: hij mag dan veel weg zijn, maar als hij thuis is, klaagt hij maar zelden over de kinderen – hij gooit zich er meteen in en neemt het helemaal over. Maar wat ik ook moet zeggen: hij heeft geen controle over wat er uit zijn mond rolt.

'Hai lieve, je ziet er geweldig uit. Doe je dat aan naar de partij?' Ik was meteen op mijn hoede.

'Hmm. Ja. Iets mis mee?' Hij had nauwelijks opgekeken. Misschien had hij niet echt gekeken.

'Nou nee, niets mis mee. Je ziet er geweldig uit. Maar het is toch een partij. Op de club?' Ik zag sterretjes.

'Nou en?'

'Je weet hoe die dingen zijn, en ik wil dat je je lekker voelt.' Georgia, die een mama-radar heeft als van een onderzeeër, lokte Max mee onder de eettafel.

'Ik voel me lekker.'

'Oké, laat maar. Je ziet er geweldig uit.'

'Nee, ik wil weten wat je bedoelt. Je vindt dat ik er niet goed genoeg uitzie voor je moeders club.' Oude discussies gaan niet zomaar ter ziele.

'Lieverd, ik meen het, echt. Maar je weet hoe die vrouwen zijn, en ik wil niet dat je je rot voelt als je minder goed gekleed bent dan zij. Wat dacht je van dat rode pak?'

'Welk rood pak?'

'Je weet wel, waarin je er echt goed uitziet.'

'O, je bedoelt dat maatje 36 dat ik al sinds vóór Georgia niet meer heb gedragen. Fantastisch idee. Ik zal kijken of ik het kan vinden.'

Ik slikte mijn woede, frustratie en afschuw voor mezelf in en verdween stilletjes naar de slaapkamer, waar ik vervolgens twintig minuten liep te snikken. De eerste tien in de badkamer, roodomrande ogen, terwijl ik mijn haar perfect steil föhnde. Hij kan doodvallen, dacht ik, en zijn zuster en zijn moeder ook. Toen liep ik naar het bed en zag daar die hele berg al afgewezen kleding, duidelijk niet genoeg katoen, zijde en wol om mijn tranenvloed op te slorpen. Uiteindelijk trok ik zo'n slankmaakpanty aan – Cheryl zou het gewoon een korset noemen – en brave kleine 'schoon-worst' die ik ben, hees ik me in een maat 40 zwarte rok met elastieken band, met daarop een zwarte zijden blouse en het jasje van het rode mantelpak, en beslist met de knoopjes los. Als lekker voelen betekent niet kunnen zitten of ademhalen, dan voelde ik me nu volkomen lekker. Ik paste de standaardclubformule toe en deed twee keer zoveel make-up op als gewoonlijk, en koos de meest protserige uit van de oorbellen die Vera me ooit had gegeven. Toen ik de badkamer weer uitkwam, keek Georgia me met open mond aan.

'Mama?' Ze probeerde haar schrik te verbergen, maar ze deed wel een stap achteruit. Max begon te huilen.

'Wauw, Jen, je ziet er *spectaculair* uit.' Thom kon moeilijk anders dan achter zijn keuze van mijn kleding gaan staan. Of misschien meende hij het echt. Hoe het ook zij, het kon me geen snars meer schelen.

'Fijn, ik ben blij dat je dat vindt.' Er sprong een knoopje van de blouse af en dat vloog door de kamer. Ik zakte ineen op de pers, mijn gezicht in mijn handen. Kennelijk kon het me toch nog wel wat schelen. 'Ik ga niet. Bel haar en zeg het.'

'Je bent mooi, en het spijt me dat ik je een rotgevoel heb bezorgd.' Thom knielde voor me neer en de kinderen volgden zijn voorbeeld, sloegen hun armpjes om mijn benen. 'Als jij je nu eens ging verkleden, dan trek ik intussen de kinderen hun jas aan, en dan brengen wij je erheen en wachten tot het is afgelopen.' Mijn ridder, zijn glanzende pantser.

Ik loop de club binnen en zie Vera bij de deur naar het restaurant staan, samen met Theta's schoonmoeder, die een kloon van Vera zou kunnen zijn. Geen schijn van kans om langs hen heen te glippen, en ook geen achteringang. Kin in de lucht, laat je niet kisten. Laat je niet kisten. Laat je niet kisten.

'Jennifer! En precies op tijd. Wat zie je er fantastisch uit! Ik vind altijd dat je er beter uitziet met wat kleur rond je gezicht. Volgens mij heb ik dat jasje niet meer gezien sinds Theta's bruiloft. Herinner je je mevrouw Stebbins, vast wel?' Of ik me haar herinner! Bij de partij voor Theta's derde dochter zat ik bij haar aan tafel – de tafel voor vrouwen langer dan 1,75 meter – en zij had gedurende de twee gangen geen woord met mij gewisseld, had alleen maar zitten praten met de vrouw links van haar, die samen met Theta was opgegroeid.

'Ja natuurlijk, mevrouw Snobbins, wat leuk u te zien.' Soms kan ik het niet laten.

'Wat zei je, lieve?' Vera knijpt me in mijn arm.

'Sorry, ik verslikte me in een dropje. Leuk om jullie te zien.' Ik kijk de zaal rond, maar niemand die me redden kan.

'Ik vertelde net aan mevrouw Stebbins dat je met Max naar zwemles gaat. Stel je even voor, Caroline, zo'n kleine weerloze baby leren zwemmen. Hoe verzin je het. Ik ben meteen een zwemvest gaan kopen. Maar ja, Jennifer heeft zo haar eigen ideeën, en ik wil me er niet mee bemoeien. Het zal in ieder geval niet mijn schuld zijn als er iets met dat lieve kleine jong gebeurt.'

'Zullen we straks verder bijpraten, ik moet nu echt mijn tafel opzoeken.' Dat, of naar de dichtstbijzijnde lommerd om mijn oorbellen in te ruilen voor een pistool.

'Kom maar, ik loop wel even met je mee.' Geen ontkomen aan dus, ik zet me schrap voor de volgende ronde. 'Breng me alsjeblieft niet in verlegenheid vandaag,' fluistert ze, hoewel het er meer uitkomt als een grauw, een verbeten glimlach op haar gezicht. 'Ik heb te veel tijd besteed aan het organiseren van deze partij om die door jou te laten verpesten.'

Ik weet wat jullie denken. Maar Vera is niet zomaar iemand. Het is gewoon een eersteklas kreng. Een drooggelegde dronkaard die God zo'n tien jaar geleden heeft ontdekt, maar hem misbruikt wanneer het haar uitkomt. En het was geen dropje, het was een heel klein pilletje met een opmerkelijk sterk sederende werking.

'Ik zal je matsen,' fluister ik terug. 'Jij houdt op met mensen vertellen dat ik eropuit ben om mijn zoon te vermoorden, en ik zal me gedragen als de schoondochter die je graag had gehad.'

'Ik wed om vijftig dollar dat je je mond niet kunt houden.' Ze is ook een gokverslaafde, iets wat geen van de vrouwen hier weet. Wanneer we naar een tafel met van die blonde nimfen toelopen, begrijp ik meteen wat ze in haar schild voert. Ik herken een van hen als Thoms liefje uit zijn middelbareschooltijd, en de andere twee komen me vaag bekend voor van andere partijen en Theta's bruiloft. Maar omdat Vera de dingen graag spannend houdt, maakt ze altijd een tafelschikking op thema, en ik heb geen van hen ooit gesproken.

'Maak er honderd van.' Ik weet waar ze op uit is.

'Afgesproken.' We blijven bij de lege stoel staan. 'Dames, mag ik jullie Thoms vrouw voorstellen?' Het zijn er drie, en ze kijken hongerig. Ze zijn gekleed in een mengeling van herfstkleuren, roestig, oker, chocoladebruin. Ik zie eruit als een kardinaal die vergeten is naar het zuiden te vliegen. Ik had echt Thoms raad moeten opvolgen en me nog een keer verkleden, in plaats van op weg hierheen de knoop aan mijn blouse te naaien.

'Jennifer. Ik heet Jennifer, en ik ben zeer verheugd jullie te ontmoeten.' Het zal niet gemakkelijk zijn om hier een voldoende te scoren.

'Hai, ik ben Treena, Thom en ik gingen met elkaar tijdens onze studie.' De blondste steekt haar hand uit, die is slap en wat vochtig, de vingerspitsen knijpen bijeen als ik de natte Kleenex in haar handpalm probeer te omzeilen. 'Sorry, ik ben verkouden, mijn kleintjes zijn al de hele week ziek, steken elkaar steeds weer aan.' Ik veeg mijn hand af aan Vera's mouw met een gebaar dat moet doorgaan voor een vriendelijk klopje.

'En dit is Clara, Thom en zij hadden wat met elkaar op de middelbare school, hoewel zij *veel* jonger was.' Ze draait mij om naar haar ideaalbeeld van een schoondochter. 'Is ze niet volmaakt? Ze is als beste van de klas voor haar eindexamen geslaagd, misschien kennen jullie elkaar nog van school? O nee, dat kan niet, jullie schelen mínstens tien jaar... en bovendien zat jij toch op die avondschool, hoe heet die ook alweer?'

'School voor Algemene Studies.'

'Wat interessant.' Ik heb het gevoel dat Vera me een klopje op mijn hoofd zou geven als ze erbij kon.

'Hallo, Jen, ik heb zulke boeiende verhalen over je gehoord.' Ze *is* volmaakt. Haar vlaskleurige haar hangt af tot aan haar middel, en ik denk met een schok aan Thoms recente gesoebat om mijn haar weer te laten groeien – wat hij 'vriendjeshaar' noemt.

'En ik ben Peggy, Theta's kamergenoot van de universiteit.' Hoewel dat misschien niet moet, mag ik haar meteen. Haar brede gezicht en helderblauwe ogen stralen naar me uit dat ze weet hoezeer ik onder Vera lijd. Zij is ook in gezegende omstandigheden en heeft een goedmoedige bollige uitstraling. Ze rukt mijn arm weg van Vera's arm en trekt me op de stoel naast haar. 'Dank u, mevrouw Bradley, we zullen goed op haar passen.'

'Zo, en ben jij ook met Thom uitgegaan?' vraag ik aan Peggy, in een poging om uit te vinden wat het thema van deze tafel is.

'Ja, één keertje maar. Dus voel je niet belaagd.' Duidelijk, de tafel met de succesvollere exen. Leuk.

'Geeft niet, hij belaagt mij tegenwoordig heel wat harder.'

Vera zet graag vier mensen aan een tafel, om de conversatie gaande te houden, en ook om later op de middag soepel over te kunnen gaan op een pittig potje bridge om geld. Ik ben grootgebracht met bezique spelen, dus ik ga liever weg voordat de pret echt begint. Maar voor het geval ik dronken genoeg word om te blijven, heeft Thom me een stapel bankbiljetten gegeven om helemaal los te gaan. Nog maar een uur te gaan, als ik mijn schoonmoeders innerlijke spelletjesklok goed ken. Ik besluit een glas wijn te drinken om de tijd door te komen met Thoms diverse exen.

'Zeg, Jen, woon je in Westchester?' Clara's hartvormige gezicht is snoezig, maar onder haar ogen zie ik een vleug van de donkere kringen die ze zorgvuldig heeft geprobeerd weg te werken.

'Nee, in de city. Chelsea. En jij?' Niet dat het me interesseert, maar ik hoop dat het in een andere staat is.

'Wij zijn net vanuit hartje Boston naar een voorstad verhuisd. Nu er weer eentje op komst is...' Ze haalt haar schouders op en wijst treurig naar haar buik. 'Vorig jaar ben ik partner geworden, maar nu wil het kantoor dat ik familierecht overneem, en ik zal nee moeten zeggen. Ik houd te veel van strafrecht om genoegen te nemen met zo'n kleuterpraktijk. Maar het is goed zo, ik heb het gevoel dat nu het juiste moment is om me helemaal aan *mijn* kinderen te geven. Jack en Mary zijn net drie, dus familierecht genoeg thuis!'

'Ach, het is heus niet zo erg als je denkt,' zegt Treena met haar verkouden stem. 'Ik heb er al drie en we zijn bezig aan de vierde. Het voordeel van je carrière opgeven is dat het je de kans geeft om meer kinderen te krijgen en er helemaal voor hen te zijn.' Haar keurig opgeperste pak glimt een beetje op de ellebogen. Zal wel komen door wat ze deed voordat ze stopte met werken.

'Ik snap niet hoe jullie het doen,' zegt Peggy. 'Dit wordt mijn eerste en ik ben nu al in tweestrijd of ik zal ophouden met werken of niet.' Je reinste broedplaats hier. Ik sla mijn benen over elkaar. 'Eigenlijk denk ik dat ik reclamefilmpjes maken helemaal niet zou missen. Ik heb het beter dan wie ook gedaan, en me er kapot voor gewerkt. Als ik besluit om er een paar jaar tussenuit te gaan, dan heb ik een c.v. waar alle deuren zich voor openen. Waar of niet?' Ze wil het maar al te graag geloven, maar haar blik is wat omfloerst en ik vraag me af of ze een bètablokker heeft ingenomen om de middag door te komen.

'O vast. En ik weet wel zeker dat ik, nu na vijf jaar, mijn baan bij Christie's zo kan terugkrijgen.' Iets wat ik dus niet weet. Christy heeft gezegd dat ze me graag zou terugzien, maar ik heb de ontwikkelingen in de kunst en antiquiteiten niet echt bijgehouden, behalve dan door Thoms carrière te volgen.

'Wat deed je daar?' vraagt Clara.

'Vooral oudheden taxeren.' Het is altijd moeilijk om precies uit te leggen wat je doet en het ook nog interessant te laten klinken, vooral wanneer je er al vijf jaar uit bent.

'Mijn grootmoeder heeft zo'n prachtige Chinese theepot, die al sinds de Burgeroorlog in de familie is,' zegt Treena. 'Misschien zou jij er eens naar kunnen kijken en vertellen wat hij waard is.'

'Ik denk dat je er beter mee naar iets als *Tussen Kunst en Kitsch* kunt gaan.' Dit is nog een reden waarom ik nooit over mijn werk spreek, mensen snappen het toch niet. 'Die zijn meer gespecialiseerd in dergelijke spullen. Mijn specialiteit was, zoals ik zei, oudheden – dingen uit de Oudheid, weet je wel. Maar dat doe ik nu ook niet meer. Dus...' Ik laat een gesmoord lachje horen, en de tafel zwijgt. Ik haal diep adem, en geen van de anderen weet hoe ze de stilte moet invullen die is gevallen door mijn onvermogen om Treena te helpen met haar theepot.

We pakken onze servetten op en zien dat Vera zowaar foto's van onze kinderen op onze pannenkoekborden heeft laten drukken. Clara en ik hebben er twee, Treena drie, en Peggy heeft een spotprent van een ooievaar. Om onze onuitgesproken spijt over de stilte te maskeren geven we onze borden aan elkaar door en stellen onze pannenkoekbaby's voor. Vera is zo aardig geweest om een werkelijk fantastische prent van Georgia uit te kiezen, een die ze bij een bekende fotograaf had laten maken toen G vier werd (ik: 'Waar heb je haar mee naartoe genomen?'). De foto van Max is recent, hij heeft de fietshelm op waarmee Vera kwam aanzetten toen ze hoorde dat hij voor het eerst was gaan staan (Vera: 'Ik weet zeker dat hij een gat in zijn hoofd zal vallen op die betonnen vloer die jullie zo nodig moesten hebben'). De ooievaar is best mooi vergeleken bij Clara's kinderen. Ze had bij Thom moeten blijven, ik hoop alleen voor haar dat ze behalve die neus ook geld heeft getrouwd. Treena's kinderen zijn gezond maar kleurloos. Het meisje is wel snoezig om te zien, maar de jongens kunnen maar beter hun wenkbrauwen laten trimmen, en gauw.

'En Peggy, ga je zelf voeden?' Clara heeft iets venijnigs, dat had ik al meteen in de gaten. Ik begrijp niet waarom mensen denken dat je die vraag aan een zwangere vrouw moet stellen, hoewel ik vrij zeker weet wat Peggy zal antwoorden.

'Ja, natuurlijk. Tenzij het niet gaat. Of als ik het niet leuk vind. Wat ik vast wel vind. Denken jullie niet?' Typisch dat gewauwel van de eerste keer zwanger.

'Je moet echt zelf voeden! Je kunt je kind toch niet het natuurlijkste en gezondste onthouden wat je te bieden hebt?' Ik verwachtte niet dat Treena La Leche zou zijn, maar ze had wel verteld dat ze er helemaal voor was gegaan.

'Ik vond het heerlijk!' valt Clara haar bij. 'Ik ben zo blij dat ik bij deze baby helemaal thuis zal zijn en er dus voor haar ben, wanneer ze maar wil. Je vindt het vast leuk, wacht maar. En niet opgeven als het pijn doet. Ik beloof je dat het echt prachtig is om naar je kind te kijken en te zien hoe het te eten krijgt van jou, van jou alleen.'

'Hmm, ja, dat wil ik, echt. Ik heb gehoord dat het een heel sterk gevoel is,' zegt Peggy, er duidelijk op uit om de tietenfanaten tevreden te stellen. 'Jennifer, hoe lang heb jij borstvoeding gegeven?' Ik voel me schuldig dat ik daarstraks heb gespot met dat later haar carrière weer oppakken, en ik ben ook een beetje verdrietig dat ik dat zelf niet heb gedaan, dus besluit ik om het goed te maken en haar te behoeden voor meer van dit soort vragen.

'Twee weken bij de eerste en een jaar bij de tweede.' Ik lieg, allicht, maar ik wil heel graag even iemand een lesje leren.

'Waarom maar twee weken, als ik vragen mag?' zegt Treena, terwijl ze in haar tasje graait naar een schone Kleenex of een brochure over 'Nadelige effecten van flesvoeding'.

'Vragen mag? Waarom niet?' Heb ik die honderd dollar echt zo hard nodig? 'Het lukte me gewoon niet. Ik had een keizersnede gehad, dus mijn melk kwam niet meteen op gang, en Georgia was een grote hongerige baby, en ik was uitgeput, mijn ene tepel was naar binnen gekeerd, en uit de andere kwam groenig vocht. Na twee weken proberen kregen we allebei spruw, en toen heb ik het opgegeven. Ik wist dat het geen zin had.' Peggy gaat lekker op haar gemak in haar stoel zitten, wetend dat ze geen doelwit meer is.

'Wauw, wat een verhaal,' zegt Clara. 'Maar weet je, met de juiste hulp was het je vast gelukt. Ben je joods?"

'Wat zei je?'

'Ben je joods? Ik heb gehoord dat joodse vrouwen niet graag borstvoeding geven. Ik bedoel, geen punt als je het niet fijn vindt, niet iedereen heeft het doorzettingsvermogen om door de eerste leercurve heen te komen.'

In naam van alles wat fatsoenlijk is en pro-Semitisch, besluit ik geen antwoord te geven op Clara's vraag. Maar in naam van alles wat je-weet-niet-waarover-je-praat-jij-schijnheilig-kreng betreft, besluit ik om mijn verhaal wat verder uit te spinnen.

'Nou, en toen kreeg ik Max, en hoewel het weer een keizersnede was, hapte die kleine donder meteen en liet niet meer los. Maar ik moet wel zeggen, Peggy,' en ik buig me iets naar haar toe, 'het deed wekenlang verdomde pijn, en mijn tepels waren gebarsten wat ik ook smeerde met lanoline, en ik zweer je hier en nu dat Max nooit zo slim zal worden als Georgia. Dat gaat gewoon niet gebeuren. Dus als jij om welke reden dan ook besluit om flesvoeding te geven, dan heb je mijn zegen.'

'Weet je wat ik mis?' Treena weet wanneer ze verloren heeft, en verandert van onderwerp. 'Ik mis vooral mijn borsten.' Nou ja, verandert bijna van onderwerp.

'Ik ook,' zegt Clara, en ze strijkt over haar borstkas. 'Ze waren altijd zo pront. Ik droeg nooit een beha. Nu moet ik mijn tepels controleren voordat ik de deur uitga, om zeker te zijn dat ze dezelfde kant op wijzen.'

'Zeg dat wel. De mijne zaten hier.' Treena hijst haar prima ogende borsten helemaal naar boven. 'Tegenwoordig zien ze er, als ik geen bh draag, uit als gebruikte condooms.'

Ik weiger om in gezelschap over mijn borsten te praten, laat staan ze aan te raken. Er is iets in een vrouw die zelf heeft gevoed wat maakt dat zij alle gevoel verliest voor wat in dezen gepast is. Peggy is heel bleek geworden, en ik steek mijn hand onder de tafel en streel zachtjes de hare. Er zit duidelijk niets anders op dan mijn eigen regels schenden.

'Maak je geen zorgen, Peg. Ik heb nauwelijks enig verschil gemerkt, en Thom zegt dat ik de lekkerste borsten heb die hij ooit is tegengekomen, kan zijn handen er niet van afhouden.' Ik werp Clara een blik toe, tart haar om nog een of andere laaghartige opmerking te maken. 'Dat is waar ook, ik had mijn echtgenoot nog een rondje seks beloofd, dus als jullie me willen excuseren, dan ga ik er nu vandoor.'

Ik pak mijn bord op en leg zonder mijn pas in te houden een honderdje bij Vera op tafel.

Hoofdstuk Achttien

Toen ik pas op de middelbare school zat, en een lelijk eendje was, vroeg Todd Peterson me mee naar het schoolbal. Hij was schriel, kleiner dan ik, en het tegenovergestelde van het soort jongen door wie ik gevraagd wilde worden. Ik zei dat ik al gevraagd was. En dat is ongeveer het moment waarop het met de liefde misging. Ik was niet gevraagd, ik had geen jurk, en ook geen geld om er een te kopen, maar ik wist dat ik maar beter snel iets kon bedenken, of riskeren dat ik de leugenaar was die ik was. Via onze kerk kende ik een oudere jongen uit een andere stad, die in het bijbelkamp altijd aardig tegen me was geweest, en dus schreef ik hem een brief om te vragen of hij me mee wilde nemen naar het bal. Hij zei ja. Cheryl kocht een jurk voor me – een onbeschrijflijk lelijk met stroken afgezet grijs geval – en ik leende van Judy een paar schoenen die een volle maat te groot waren. En dat alles om vooral niet met een nerd te hoeven gaan. Ik was Samantha Baker, ruim twee jaar voordat Molly Ringwald Samantha Baker speelde in *Sixteen candles.* Alleen was er voor mij geen sprookjeseinde weggelegd.

Mijn *date* verscheen in een roestige oude pick-uptruck met stoelen onder de hondenharen. Ik had hem een paar jaar niet gezien, en was verbaasd toen ik zag dat hij inmiddels ruim over de 1,80 meter was, dat zijn jeugdpuistjes nog erger waren geworden, en dat hij al flink wat haar was kwijtgeraakt, hoewel hij pas negentien was. Zijn pak was toevallig ook grijs – maar gemaakt van wollen flodderstof met grote ruiten; op zijn slungelige lijf zag het eruit alsof hij zo uit een goedkoop warenhuis was weggelopen. Je kon gewoon niet anders zeggen – hij was *the beast.* Niet dat ik echt *the beauty* was, maar ik plaatste mezelf toch wel iets hoger op de schoonheidsschaal. Hij was best aardig, dat wel, maar aardig zoals Jezus, niet zoals Rex Smith.

Toen we bij het feest kwamen, stond Todd alleen in een hoekje. Het kan mijn verbeelding zijn geweest, maar ik durf bijna te zweren dat hij me de hele avond in het oog heeft gehouden. Zodra het bal was afgelopen, vroeg ik mijn partner om me naar huis te brengen, ja, ik heb een geweldige avond gehad, maar nee, ik wil niet naar een van de feesten na het bal, ik ben te moe, ik heb hoofdpijn. Hij zette me af; ik verkleedde me en ging in mijn eentje uit feesten.

In de vijf jaren daarna heb ik misschien tien keer een afspraakje gehad, allemaal een ramp. Zelfs toen ik naar Manhattan was verhuisd, schenen mannen mij niet interessant te vinden. De clubs waren een prachtig toevluchtsoord, daar waren het allemaal misfits en nerds die de nacht regeerden. Maar ik keek wel uit om met een van hen het bed in te duiken. Aids sloeg hard toe en snel, schakelde in die jaren vele van mijn gay- en biseksuele vriendjes uit. Schakelde ze allemaal uit, om precies te zijn. Het was ergens in die tijd dat Andy me in opdracht van Cheryl vroeg of ik lesbisch was. Ik zei hem dat hij moest melden dat ik niet lesbisch was, dat ik een heterovrouw was die het gezelschap van gays zocht, en dat hij moest proberen uit te leggen wat het verschil was.

Op mijn eerste reünie van de middelbare school zocht ik Todd op. Hij was niet veranderd, en, afgezien van mijn gele haar, ik waarschijnlijk ook niet. Hij was al getrouwd en had twee kinderen – zijn echtgenote was een grote, blozende vrouw, van een soort ruwe schoonheid. Ik vertelde hem de waarheid over het schoolfeest. Hij vertelde dat hij me alleen maar had gevraagd vanwege een weddenschap en opgelucht was geweest toen ik nee zei.

Die zomer werd de vloek opgeheven en ontmoette ik de ware Rex Smith in een topless bar – niets vragen. We gingen een paar keer uit, maar toen ik van zijn beste vriend hoorde dat Rex verloofd was met zijn zwangere vriendinnetje, stopte ik met dat gescharrel, en ging vervolgens uit met zijn vriend – ook bekend als Heath Monroe. Ik had nooit gedacht dat er stommere namen bestonden dan Rex, maar daarin had ik me kennelijk vergist. Heath vertelde me dat zijn eerste impresario een fan was van Brontë en dacht dat de naam hem zou helpen om een rol te krijgen in de vampiersoap

Dark Shadows. Het werkte en de naam bleef.

Ik was met precies vier kerels naar bed geweest voordat ik Thom ontmoette. Verbaasd? Ik ook; dit waren tenslotte de wilde jaren tachtig en de safe-seksjaren negentig. Misschien was ik ouderwets. Ik werd verliefd op iedere man die met me naar bed ging, maar slechts twee van hen bewezen mij die wederdienst. Het is maar een kort lijstje, maar o zo zoet: de chippendalesdanser die mijn hart brak, de reservegitarist van de Psychedelic Furs die het stal en mee terugnam naar Engeland, de aardige joodse arts die mijn ziel probeerde te helen, de volwassen kindacteur, en mijn enige ware liefde.

Hoofdstuk Negentien

Halloween is alweer twee weken geleden, maar Max weigert om waar dan ook heen te gaan zonder zijn verkleedpak. Kan zijn dat het verband houdt met Thoms vertrek, maar ik betwijfel het – Max is gewoon Max. Zijn kostelijke dalmatiërpakje is zo vies dat hij eruitziet als een verwaarloosde zwarte labrador. Uit het mechanisme in de snuit-muts, dat eerst blafte als je erin kneep, kwam nu een soort hikgeluid waarvan Max zo bang werd dat ik de batterij eruit heb gehaald. Het goede nieuws is dat Max is gaan lopen. Het slechte dat hij ook voortdurend valt, en dan bij voorkeur achterover. En hoewel we vrijwel het hele appartement met kleden hebben belegd, schijnt hij een magneet in zijn schedel te hebben die de hardste en kaalste stukken van de vloer opzoekt. Vanmorgen waren we bezig met een worstelpartijtje, en toen gooide hij zijn hoofd achterover tegen mijn lip en die barstte open. Tot mijn verbazing was mijn eerste reactie Max door de kamer slingeren. Gelukkig weerhield mijn tweede, iets snellere reactie me van babymoord. In ieder geval maak ik me nu minder zorgen om zijn schedel dan om de vloer.

Max en ik hebben Georgia van school gehaald en de metro genomen naar Madison Park. G heeft besloten dat ze de 'baby' echt onmogelijk vindt nu hij een puppy is, en negeert hem volkomen. Ze reageert nogal emotioneel op haar vaders vertrek, valt een beetje terug in haar angstgedrag – binnensmonds praten als er vreemden in de buurt zijn, zich vastklampen aan mijn hand als we uitgaan. Max ligt vast in slaap in zijn buggy, dus lopen we nog wat rond om zijn slaapje niet te verstoren, voordat we Sven en Lily ontmoeten bij de hondenren.

'Mama, waarom hebben mensen een andere god dan wij?' Ik kijk op mijn horloge, dat bijna aan Georgia vastzit, omdat ze met haar beide handjes aan mijn hand hangt. O god. Nog vijftien minuten zoet te brengen. Niet lang genoeg om een behoorlijke discussie over religie te starten. Te lang om Georgia af te leiden met een ander onderwerp. Zoals elke goede moeder, speel ik de bal naar haar terug.

'Wat bedoel je, schat?' Ik ben benieuwd wanneer ze doorkrijgt dat 'schat' eigenlijk 'kleine lastpak' betekent.

'Nou, sommige mensen hebben een andere god dan wij. Een god zoals, mmm, Ally, en Yowie.' Ally? Yowie? Dit is nieuw voor mij. Misschien heeft ze het toch niet over religie. Wacht even. Allah. Yaweh. Aha. Ik sta stil bij de fontein en kniel voor haar neer, om te voorkomen dat mijn schouder uit de kom raakt door haar gewicht dat aan me hangt.

'Oké, kindje. Luister. Er bestaan in de wereld heel veel verschillende godsdiensten waarin mensen geloven. "Onze" god, zoals jij het noemt, zou je kunnen zien als de christelijke God, ook al doen we niet echt iets aan ons geloof.'

'Waarom niet?' Waarom niet? Even denken. Hoe laat ik dit even simpel klinken als het gecompliceerd is.

'Omdat papa en mama niet geloven in God. Als zodanig.'

'Maar oma zegt dat God Liefde is.' Ik had het gevoel dat daar een addertje onder het gras school. Vera had Georgia de vorige dag meegenomen naar Serendipity om warme chocolademelk te drinken, zodat ik even 'rust' had. Ik had het kunnen weten.

'Dat is waar. Dat is waar.' Ik trek haar dichter tegen me aan. 'Wat zegt oma nog meer?'

'Dat de goden van andere mensen kleiner zijn. Dat Ally donkerder is, en dat Yowie geen varkens eet.' Hoewel wat ze zegt misschien belachelijk klinkt, denk ik dat Vera het haar ongeveer zo heeft verteld. En nu kijken hoe we de schade beperken.

'Hmm, ja. Maar Ally, of liever gezegd, Allah is het moslimwoord voor God. En moslims hebben gewoon een andere benadering van dezelfde God, en ook de joden, die God Yaweh noemen. Het grootste verschil is Jezus. Christenen geloven dat Jezus de zoon van God is, de Heiland, maar moslims en joden wachten nog steeds op hun Heiland. Er zijn ook veel verschillende soorten christenen. Kom, nu moeten we verder anders zijn we te laat voor ons afspraakje. Zullen we er later verder over praten?'

'Hoeveel?' Ze verzet geen voet.

'Hoeveel wat?' Ik ga staan, duw de kar voort met Max, die zich uitrekt en geeuwt.

'Hoeveel christenen?' Ze staat nog steeds bij de fontein, kijkt me aan met van die zet-geen-stap-verder-of-ik-ga-schreeuwen-ogen.

'Hoeveel christenen wat?' Waarschijnlijk niet het antwoord dat ze zoekt.

'Hoeveel christenen zijn er?' Ze begint te trillen. 'Meer dan moslims en joden?'

'Ik heb ze recent niet allemaal geteld.' Tot mijn grote verbazing en afschuw begint ze te sputteren. Een vrouw die langsloopt met een Bugaboo-kar, neemt Georgia, Hond-Max en mij op en werpt me een blik toe van: 'Je moest je schamen.'

Ik duw de buggy met Max terug naar de fontein en til Georgia op. 'Wat is er, kleintje?'

'Oma heeft gezegd dat wij niet met haar en opa naar de hemel gaan als we geen christenen zijn.' Zeven doodzonden, en deze vrouw ziet kans om mij via mijn kind kapot te maken en tot het vagevuur te verdoemen.

'Wij zijn christenen, schattie.' Ik troost haar, wrijf over haar rug. 'Maar we kunnen ook iets anders zijn, als we vinden dat dat zinniger is. Als je maar lief bent voor andere mensen kun je in elk geloof geloven. En zullen we nu naar de honden gaan kijken?'

Ze knikt, een uitdrukking van grote opluchting op haar gezicht, wat alleen een afspiegeling kan zijn van mijn eigen opluchting.

Lily en Sven zijn al in de hondenhemel wanneer wij de hoek om komen. Ze hebben een Engelse dwergkees gered en haar de naam Suky gegeven. Dit is haar eerste uitje naar de hondenren, waar wij al jaren komen. Georgia en Max zijn helemaal weg van alles wat hond is, en we zouden er allang een hebben gehad als ik er niet zo tegen opzag om het begrip dood te moeten uitleggen. Peeve hadden we al voordat de kinderen werden geboren, en met een beetje geluk heeft zij het eeuwige leven. En heb ik niet net laten zien hoe goed ik ben in de 'grote vragen'? Georgia maakt zich los uit mijn armen en rent naar onze vrienden, die alle drie gekleed zijn in zeemansjoppers.

'Swenja!' roept Georgia, wanneer ze door Sven in de lucht wordt gegooid.

'Schattebouten!' roept hij terug, haar stem perfect nabootsend. Max probeert zich los te worstelen uit zijn tuig terwijl ik hem het laatste stukje naar zijn geliefde duw. Suky begint als een dolle te blaffen, ongetwijfeld in de waan dat Max een echte hond is. Sven grimast naar mij en zegt geluidloos 'leuke lip'. Ik wijs naar mijn zoon.

'Dag dames,' zeg ik tegen het verzameld gebroed. 'Hoe staat het ermee?'

'Jenfur,' zegt Georgia met een kreuntje en ze rolt met haar ogen. Ze wil kennelijk niet afgaan tegenover haar geheime gayvriendje. Gelijk heeft ze. 'Zeg, Sven, kan ik je iets vragen?'

'Hangt ervan af. Hoe persoonlijk?' Hij zet haar op een bank, knielt neer en buigt voorover om haar in de ogen te kijken.

'Ben jij een jood?' Ezel die ik ben, ik dacht dat we klaar waren met Religie 101.

'G, zo vraag je niet aan mensen... hmm, ik bedoel, zo vraag je mensen niet... om hulp.' Ik kijk naar Sven, zijn ogen zijn nog steeds wat verdwaasd op Georgia gericht.

'Ja, ik ben joods.'

'Ik ook. Maar ik heb mijn eigen Jezus nog niet ontmoet.' Ze is nog slimmer dan ik dacht.

'Ik ook niet.' Kennelijk is Georgia hiermee eindelijk tevreden, en ze slentert weg om naar de grotere honden te gaan kijken, terwijl wij Suky loslaten in de ren voor kleine honden.

Kinderen mogen niet in de hondenren, maar aangezien Suky op dit moment de enige kleine hond is, lichten we de hand met de regels en laten Lily en Max met haar rondrennen. Penny had gelijk over Max, toen hij eenmaal op zijn benen kon staan, begon hij meteen te rennen. Hij ziet er volslagen belachelijk uit in zijn hondenpak, maar op de een of andere manier kan hij het hebben. Misschien is hij toch gay.

'En hoe ging het gisteren?' vraagt Sven.

'Had erger kunnen zijn. Georgia heeft na zijn vertrek uren lusteloos rondgehangen, maar Max kent het verschil niet, die is zo gewend aan Thoms komen en gaan dat hij waarschijnlijk pas na een week in de gaten heeft dat er iets is veranderd. Maar nog even, en ze geven mij de schuld. Ik heb naast de spaarrekening voor hun studie er ook maar vast een geopend voor therapie. Je weet maar nooit.'

'Goed idee, ik wou dat mijn ouders dat hadden bedacht. Niet om het verder over mij te hebben, maar ik heb geweldig nieuws,' zegt Sven, naast mij over het hek leunend.

'G, kom eens hier bij ons in de ren, meisie.' Het is een goed park, een veilig park, en ik noem het altijd 'MacLaren Park' vanwege de favoriete trendy buggy van de bezoekers. Maar toch, er is maar een seconde voor nodig, zo van 'Ze stond net nog naast me'. In gedachten noteer ik wat Georgia aanheeft. 'Wat voor nieuws? Beesten, groenten of mineralen?'

'Geen van alle. Ik ga weer werken.'

'Wauw.'

'Ja.'

'Wauw. En Lily?' En Jennifer?

'Dat is het juist. Mij is gevraagd om tijdens de Olympische Spelen van volgende zomer, de onderdelen zwemmen en duiken te verslaan. En de hele ploeg komt van tevoren bij elkaar. Het is wel een hectisch programma, maar ik neem Lily mee als ik op pad moet, en wanneer ik hier ben, is het maar een paar dagen per week in de studio om te monteren, de ondertiteling te maken en een reportage samen te stellen over de atleten, dus met een parttime oppas moeten we het kunnen redden.' Hij wil dat ik blij voor hem ben, dat weet ik. Ik probeer het. Maar verdomme, ze kunnen toch niet allemaal hun leven keurig voor elkaar hebben en mij hier laten zitten met de kinderen en de honden. Zelfs de gays breken mijn hart. Waarom word ik toch altijd weer gedwongen om als zij weg zijn, naar mijn eigen keuzes te kijken en toe te geven dat ik een puinhoop van mijn leven heb gemaakt.

'Wauw. Dat is geweldig. Echt.'

Ik dwing een enkel traantje terug. Nee, ik heb nergens een puinhoop van gemaakt, niet van mezelf, niet van Georgia, zelfs niet van Max, wat anderen soms ook mogen denken.

'Toe, Jen, niet verdrietig zijn. We kunnen elkaar heus blijven zien. Ik wil dat je blij voor me bent. Dat thuiszitten is allemaal mooi en aardig, maar ik word er gek van. En het is een heleboel geld, nog afgezien van de kans op iets groters.' Hij slaat een arm om me heen, en door het waas van mijn tranen zie ik Lily paardjerijden op Max – een vies Dalmatisch paard – en ik probeer te lachen, in weerwil van mezelf. Hij wordt gek? Hij zit pas drie maanden thuis. Kun je even nagaan wat ik voor munt heb geslagen uit mijn situatie.

'Oké, ik ben blij. Kijk. Blij.' Ik betwijfel of hij me gelooft, en het kan me niet schelen. Kans op iets groters? Wat kon er in 's hemelsnaam groter zijn dan de geest van een kind vormen? Zwammen over iemands duiktechniek? Zeldzame oudheden catalogiseren? Een vestiging in Singapore opzetten? Ik zwijg stil, en Sven respecteert mijn stemming.

Hoofdstuk Twintig

Laat ik het maar eerlijk bekennen: ik ben niet gelukkig. Maar ik weet niet of dit een nieuwe vorm is van het 'ik vind het niet leuk om thuis te zitten met de kinderen'-gevoel, of dat oude gevoel van 'ik vind het niet leuk om een schepsel te zijn op deze planeet'. Zwaarmoedigheid komt voor in mijn familie, maar niet diepgeworteld, een soort oppervlaktezwaarmoedigheid. Mijn vader verjaagt haar met bier. Bij mijn broer gaat er onder zijn incidentele aanvallen van kotsgriep een dieperliggend wee schuil. Bij mij wisselt het met de seizoenen, en aangezien we binnenkort de winterzonnewende passeren, zou het kunnen dat mijn relatieve somberheid aan licht is gerelateerd. Ik ben aan vakantie toe. Voor kerst vraag ik om een reisje naar een of ander kuuroord. Trouwens, ik ben het helemaal zat om Thom om dingen te moeten vragen. Goed, ik heb huishoudgeld voor de dagelijkse zaken, maar wanneer ik ook maar iets anders wil kopen dan kattenvoer of luiers, voel ik me verplicht het aan Thom te vragen.

Daar wringt hem de schoen: Thom en ik hebben nooit besproken wat er zou gebeuren als ik niet weer aan het werk ging. Mijn salaris is gewoon verdwenen, en daarmee ook mijn creditcard. Zelfs toen ik met de volwassen kindacteur samenwoonde, had ik mijn eigen rekening. Cheryl, uitgekleed door haar gay ex-echtgenoot, zei altijd dat ik mijn eigen geld voor mezelf moest houden, maar ik vond het romantischer om het in de gemeenschappelijke pot te stoppen. Het is nooit bij me opgekomen dat ik me zo bankroet zou voelen als ik geen cent meer inbracht.

Ik geef Thom ook niet de schuld, en anders dan enkelen van mijn wat gecompliceerdere vriendinnen onthoud ik hem ook geen seks uit wraak. Integendeel, ik ben er gul mee, om te krijgen wat ik wil. En wat ik wil is een beetje vrede en rust. Kennelijk heb ik verdrongen wat een hel het was toen Georgia tanden kreeg, en nu Max als een dolle jonge hond op al het meubilair knauwt, en 's nachts om de paar uur wakker wordt voor weer een ijsgekoeld kluifspeeltje, of wat Dentinox, of om alleen maar vastgehouden te worden, heb ik echt het gevoel dat ik gek word. Hij heeft ook kans gezien om luizen te krijgen, God mag weten waar vandaan. Hij heeft twee nieuwe woordjes toegevoegd aan zijn vocabulaire: 'beesje' en 'au'. Zijn pijn gaat me door merg en been en tegelijkertijd wil ik dat hij erover ophoudt. Het is het ergst rond vier uur in de nacht. Dan ga ik hier in de schommelstoel zitten, zing slaapliedjes terwijl hij zachtjes jammert, masseer zijn hoofdje met mijn vingers, en dan hoor ik hoe buiten de nachtclubs leeglopen, hoor de jeugd langs mijn raam komen. Ik mis dat leven niet, maar ik mis wel het meisje in mij dat de hele nacht kon opblijven en dan tot twee uur in de middag sliep. Ik mis naar de film gaan, in mijn eentje door Central Park dwalen, lekker twee uur sporten, de wodka uit mijn poriën zweten.

Ik kan me niet herinneren wanneer ik voor het laatst helemaal alleen ben geweest.

En ik ben ook vreselijk jaloers op Svens nieuws. Ik voel me bedrogen, alsof hij zijn teen heeft gedoopt in de roestige wateren van thuisblijven en heeft besloten dat hij liever op het droge blijft. Max en mij aan de kant heeft gezet, juist nu we hem het hardst nodig hebben. Thom is er niet met Thanksgiving, maar wel met Kerstmis. We bellen elke avond, maar hebben beiden niet veel te melden. Wie weet heeft hij al een tweede gezin in Azië. Een mooie, goedgeconserveerde vrouw die voor het diner servetten vouwt tot zwanenhalzen. Een onberispelijk klein meisje met ebbenzwarte vlechten en een peuter die van Kaukasische vrouwen houdt. Zulke dingen gebeuren. Denk maar aan *Coffee, Tea, or Me.* Karen Valentine had een echtgenoot in LA en een in Londen. Omdat het spelers waren in een tv-film, kwamen ze er natuurlijk achter, maar tot op dat moment waren ze allemaal echt heel gelukkig.

Daar heb je dat verdomde woord weer. Oké, mijn ouders leven nog en zijn gezond, ik heb een man die van me houdt, twee prachtkinderen, aardige vrienden, een dak boven mijn hoofd, eten op tafel, dus alles wat nodig is om gelukkig gelukkig gelukkig te zijn. Misschien heb ik last van een teveel aan goeds. Ben ik misschien te rijkelijk bedeeld met geluk, heb ik veel meer dan me toekomt, en heb ik nu niets meer om naar te verlangen? Zal ik dr. Kreigsman bellen en weer in therapie gaan? Maar dan moet ik Thom om geld vragen, en dr. Kreigsman zei altijd dat ik, als ik niet zelf betaalde voor mijn therapie, de dingen waar ik mee zat niet onder ogen zou zien. Hij kan doodvallen.

Oké, nu zonder handschoenen, ik ben des duivels op Thom. Niet omdat hij me alleen laat zitten met de kinderen, hoewel dat terecht zou zijn, maar omdat hij mijn baan heeft gestolen. Mijn toekomst. Mijn inkomen. En hij heeft mijn liefde voor kinderen gebruikt om dat te doen. Ik ben veel beter thuis in oudheden dan hij, en heb hem met mijn kennis door talloze aankopen voor Universal Imports heen geloodst. Zonder mijn expertise zou hij nu geen vestiging in Singapore opzetten, zou hij niet Bjorns rechterhand zijn. Maar nee, ik moest hem zo nodig leren om kostwinner te zijn, jager-verzamelaar, zodat ik kon thuiszitten en luizeneieren vlooien. Dit is niet half zo leuk als het klinkt. Maar misschien is dat het toch – heb ik gewoon last van een mid-luiscrisis.

Hoofdstuk Eenentwintig

Cheryl en pa zijn over voor het weekend van Thanksgiving, om mij een beetje te ontlasten nu Thom er niet is. Ik zit pas een paar weken alleen met de kinderen, en ook al is het me gelukt om niet een van de twee te vermoorden, even soelaas kan ik wel gebruiken. Het was leuk om de boom te versieren gisteravond. Pa was de hele avond nuchter, en toen iedereen naar bed was, hebben Cheryl en ik de breekbaardere versieringen in de bovenste takken gehangen. Toen de stilte neerdaalde in de kamer, voelde ik dat ik geen zin had in praten.

'Hoe is het om in je eentje voor alles te zorgen?' vroeg Cheryl, in een poging me uit mijn tent te lokken.

'Niet veel beter dan het in jouw tijd was, denk ik,' antwoordde ik, terwijl ik een paar handgeblazen kerstballen uitpakte.

'Je belt nooit voor een praatje, is alles wel goed?' vroeg ze, niet om me een schuldgevoel te bezorgen, ze legde gewoon de vinger op de zere plek.

'Ziet het er goed uit?' ketste ik terug, terwijl mijn boosheid weer oplaaide na een avond van rust.

'Ja, ja, dat wel. Max loopt en Georgia doet meer dan alleen maar fluisteren. Dus zo te zien, oké.' Ze liet een kristallen engel aan zijn rode koordje heen en weer bengelen. 'O, kijk eens, lieverd, weet je nog wanneer je die voor Georgie hebt gekocht?'

'Haar eerste kerst. Zoiets vergeet je niet.' Ik pakte de engel van haar aan en ging op de bank zitten. 'Ik kan het niet meer. Ik kan het niet.'

'Wat, schat?' Ze kwam naast me zitten.

'Het. Alles. Wat dan ook. Het.' Ik wilde dat zij het voor me uitsprak, wilde dat zij het voortouw nam.

'Natuurlijk kun je het, je kon het altijd.'

'Precies. Ik kon het altijd. Nu wil ik dat iemand anders het doet. Ik ben het moe. Ik ben zo moe.' Ik begon te snikken, en Cheryl trok me tegen zich aan – niet iets waar een van ons beiden zich erg lekker bij voelt, dus het duurde even voor ik me eraan overgaf.

'Op een keer, toen je klein was, wilde je met alle geweld met je vader mee naar zijn werk in de andere stad, en ik zei: "Nee, je moet je middagslaapje doen, kom naast me liggen en ga slapen." Je wachtte tot ik sliep en sloop toen het huis uit, weet je nog?' Ik mompel een hm-mm. Dat verhaal heb ik al duizend keer gehoord, bij allerlei gelegenheden, maar elke keer lukte het Cheryl om het nieuw te laten klinken. 'Dus ben je in de richting gelopen waarin je dacht dat Will was gegaan, maar je liep de verkeerde kant op en kwam in een korenveld buiten de stad terecht.' Ik legde mijn voeten op de bank, slikte mijn tranen in, liet mijn boosheid varen. 'En omdat het koren heel hoog stond, verdwaalde je erin en hebben we je vaders oom erbij gehaald om je met zijn sproeivliegtuig te zoeken. Toen we je vonden, lag je als een bal opgerold en vast in slaap midden in dat korenveld. En ik was zo van streek dat ik je bang probeerde te maken met verhalen over vossen en wolven die je zouden kunnen opeten, maar je werd niet bang, je zei alleen maar: "Het spijt me, ik ben een lieve Jenny, niet aan papa vertellen, wees een lieve mama." Het punt is, Jenny, dat je niet opgaf, ook al zei ik nee. Je bent een heel vasthoudend meisje, schat, en ik zou niet willen dat je anders was. Als je instinct je zegt dat je Thom moet volgen, ga dan en vind hem.' Ze streelt nadenkend mijn haar. 'Zo niet, ga dan en vind jezelf. Alle vossen en wolven ten spijt. Maar geef de man wel een kans om zichzelf te bewijzen, dat is alles wat hij van je verlangt. En ga nu naar bed en kom er niet uit voordat je er zin in hebt.'

Nadat ik tot *negen* uur heb geslapen en samen met mijn ouders aan *tafel* heb *ontbeten* met Franse toast, maak ik een lijstje hoe ik de dag zal invullen.

'Dus ik denk dat ik vanmorgen eerst naar mijn manicure ga,' zeg ik tegen niemand in het bijzonder. 'En daarna ga ik lunchen bij Barneys en wat shoppen. En dan ga ik kijken hoe ze de boom op Rockefeller Center versieren...'

‘Mama, ik wil de boom zien!’ Georgia kletst haar vork neer op tafel, duidelijk nerveus door mijn gebruik van het persoonlijk voornaamwoord in de ikvorm, iets waarop zij allang het alleenrecht had verworven.

‘Hondje, wij gaan volgende week kijken, wanneer de lichtjes branden.’

‘Ik wil hem vandaag zien!’

‘Oké, pa, zou jij met ze naar de boom willen gaan kijken?’ Ik merk hoeveel kalmer ik ben na een nacht van acht uur slaap. Mij krijgen ze vandaag niet van mijn stuk. Ik zeg dag tegen de vossen en de wolven en voer mijn egoïstische plannen uit.

Ik ga naar de manicure, en lunch bij Barneys. Ik bestel een salade, laat ze de uitjes apart houden, de ingrediënten fijnhakken, en de dressing apart serveren, zoals iedere nette dame aan de lunch. Ik ga aan de bar zitten, drink een droge martini en lees ondertussen de *New Yorker*. Nadat ik de laatste in martini gedrenkte olijf heb opgegeten, slenter ik weer verder en trakteer mezelf op een maat 40 Pradabroek – eerste aanzet voor mijn nog te maken nieuwjaarslijstje met goede voornemens. Ik koop wat prullaria voor vrienden en familie, wip dan in een taxi naar de Angelicabioscoop voor de middagvoorstelling van een of andere ontzettend waardeloze Franse film die allang had moeten floppen.

Wanneer ik uit de bioscoop kom, zijn mijn ogen nog maar nauwelijks gewend aan het verblindende licht van een sneeuwwitte lucht, als ik Thom op het trottoir zie staan met een bos gele rozen in zijn hand en een halve grijns op zijn gezicht. Ik knipper een paar keer met mijn ogen, in een poging om hem te laten verdwijnen. Hij is blijkbaar vergeten dat ik niet van verrassingen houd. Mijn eerste reactie is om weg te rennen, maar dan herinner ik me Cheryls raad, en ik besluit hem de kans te geven me terug te winnen. Hij begeleidt me naar een wachtende taxi, bindt een zijden shawl over mijn ogen, en ik word in de kussens teruggeworpen wanneer de auto met een schok in beweging komt.

‘Oké, Mickey Rourke, heel grappig. Waar geen we heen?’ vraag ik, het spel meespelend.

'En waarom zou ik je blinddoeken als ik je dat zomaar zou vertellen? Ik weet dat je niet van verrassingen houdt, maar waar is je gevoel voor avontuur gebleven?'

'Mmm, ik weet niet, heb je in de wasmand gekeken?' En terwijl ik al bezig ben dit moment van zijn de vreugde te ontdoen, val ik toch een beetje voor de oude Thom-betovering. Hoe boos ik ook op hem ben, hij vindt altijd wel een manier om me te verleiden. Ik stribbel tegen zolang ik kan, maar uiteindelijk ga ik voor de bijl, en graag. Maar niet voordat ik hem flink partij heb gegeven. En dit mag dan zeer romantisch zijn, wat het ook is, maar ik moet wel bekennen dat ik me prima amuseerde in mijn eentje.

'Jen, wil je liever dat ik de blinddoek afdoe?' Hij klinkt mistroostig. Maar dat zou deel kunnen zijn van zijn spelletje.

'Nee, nee, beslist niet, laat maar zitten. Ga lekker je gang en laat vooral je pret niet door mij bederven.' Mijn stem klinkt plagerig. Mooi zo.

'Ik ben voor drieënhalf jaar in Dara gestationeerd.' Zijn adem voelt heet tegen mijn oor, en ik vind het lekker. 'Als ik aan de donkere zijde van de maan was neergepoot zou mijn isolement niet groter zijn geweest. Je hebt geen idee waarover ik het heb, hè Lawrence?'

'Nee, effendi,' fluister ik terug, en mijn pols gaat sneller.

'Echt niet? Nee. Dat zou al te... mooi zijn.'

De taxi stopt en Thom helpt me eruit, maakt ondertussen de shawl los om te onthullen dat we bij The Inn op Irving Place zijn aangekomen, de plek waarheen hij me op de avond van onze verloving had meegenomen. We drinken thee bij het haardvuur in de salon, en eten zoveel sandwiches en scones met geklopte room als ik op kan. We drinken ook onze eerste fles champagne, nectar van de goden-die-matigheid-verafschuwen. Zonder champagne zou ik Thom niet hebben, en zeker Georgia niet, en waarschijnlijk ook Max niet. Het is het enige wat echt werkt om mij los te maken, wat me de vrijheid geeft om te zeggen wat ik graag wil zeggen, te voelen wat ik graag wil voelen. Om kort te gaan, het is een wonder dat ik geen alcoholist ben. Mijn vastbeslotenheid smelt langzaam weg en ik herinner me heel goed elk klein ding waar ik bij deze man zo van houd: hoe hij ooit zijn winterjas aan een zwerfster op straat gaf bij temperaturen van ver onder nul; hoe hij Andy geld leende om aan zijn eigen huis te bouwen en nooit een cent terugvroeg; hoe hij lange gesprekken voert met Cheryl wanneer die belt, in plaats van beleefd hallo te zeggen en de telefoon aan mij te geven; dat hij samen met mij aankwam toen ik Georgia verwachtte zodat ik niet meer zou wegen dan hij.

Wanneer we volgegeten en aangeschoten zijn, voert Thom me mee de trap op naar dezelfde kamer die we de laatste keer hadden. De rozen zijn voor ons in een vaas gezet, en ik zie dat Thom de kamer met een vleugje vroege kerst heeft versierd. Er staan kerstrozen in allerlei tinten, en naar kaneel geurende kaarsen verspreiden een warm licht.

'Wanneer...'

'Vanmorgen, nadat ik met de nachtvlucht uit LA was gekomen. Ik heb in de afgelopen vierentwintig uur behoorlijk non-stop gevlogen, en mijn armen zijn me toch moe!' Ik rol met mijn ogen. Hij plopt nog een fles bubbelwijn open, en ik voel de magie in deze kamer.

'Hoe...'

'Cheryl. Zij heeft me vanmorgen je route doorgebeld. Ik ben met stalken begonnen toen je in Barneys was en heb zelfs die waardeloze film uitgezeten.' Hij overhandigt me een glas en gaat met een druppel champagne op zijn vingertop langs mijn lippen.

'Waarom...'

'Omdat ik van je houd, Jennifer Bradley, meer dan van wat ook ter wereld. Ik kan niet zonder je.' En tot slot van zijn dronk klinken we. 'Dank je.'

'Waarvoor?'

'Dat je ja hebt gezegd.' Hij komt een stap dichterbij. 'Als de kamelen doodgaan, gaan wij ook dood. En over twintig dagen zal het zover zijn.'

'Dan valt er geen tijd te verliezen, vind je niet?'

We zetten onze glazen neer en vliegen op elkaar af. We hebben in geen jaren zo gezoend, en ik ben helemaal verbaasd over hoe hard ik toe ben aan een lekkere beurt, en gauw.

Alles verloopt volgens plan, schoenen uit, kleren uit, op het bed, rollebollen. We zijn helemaal opgewonden, als een stel tieners, maar dan springt Thom plotseling op van het bed.

'Shit!'

'Heb je je pijn gedaan? Heb ik je pijn gedaan?'

'Shit, shit!' Hij staat te schoppen tegen zijn weekendtas.

'Kom hier en vertel wat er mis is. Lieverd?'

'Shit, shit, shit!' Na een flinke slok uit de fles bedaart hij een beetje. 'Ik ben die klotecondooms vergeten!'

Ik weet niet precies waarom, maar ik vind dit heel grappig, en ik begin zachtjes te hinniken, om vervolgens in een schaterlach uit te barsten.

'Klote... condooms... geen... klote... condooms... om... te...'

'Heel erg grappig. Ha ha ha.' Hij probeert niet te lachen, maar kan het ook niet laten, en we duiken het bed weer in. Ik zeg tegen hem dat we veilig zijn als hij maar voor het zingen de kerk uitgaat. Ik zit vlak voor mijn menstruatie – dat zou mijn narrige buien kunnen verklaren – en ik weet altijd precies wanneer mijn ovulatie is. Ik vind het geen dolle gedachte om zonder condoom te vrijen, maar nu ik het groene licht heb gegeven, is er geen houden meer aan deze man die uiterst diligent is omgegaan met geboortebeperking.

Terwijl ik nauwelijks een kwartier later lig te luisteren naar Thoms zachte gesnurk, word ik door mijn liefde voor hem overspoeld en vormen zich poeltjes in mijn hart. Hij zou de maan voor me naar beneden halen als ik het hem vroeg, dat is waarom ik nooit hoef te vragen. Ik realiseer me ook dat ik al in geen vijf uur meer aan de kinderen heb gedacht. Voor vannacht is het dus lieve vrouw, en morgen werken we weer aan lieve mama. Lieve Jenny zal moeten wachten tot maandag.

Hoofdstuk Tweeëntwintig

Ik was niet van plan om Thoms achternaam aan te nemen. Ik meen ook dat ik het nooit officieel heb laten vastleggen. Het was een van die dingen die gebeuren als je niet oplet, en even later ben je niet meer juffrouw Probstfeld, maar mevrouw Bradley. Toen ik klein was, wilde ik niets liever dan die onspelbare naam inruilen voor iets eenvoudigers, iets stijlvollers. Het ging niet om het behouden van mijn identiteit of om iets te bewijzen. Ik had er genoeg van om hem altijd maar weer te moeten spellen: Nee, b-s-T, T van Thee, of van Treiteren.

Toen ik met mijn kindacteur samenwoonde, droomde ik van de dag dat ik mijn handtekening zou zetten als Jennifer Monroe. Zo simpel, zo stijlvol. Maar die dag kwam niet. Zelfs niet na zes jaar samenwonen. Ik moet er wel bij zeggen dat hij geen kinderen wilde, maar bereid was te wachten om te zien of hij van gedachten zou veranderen. Dat deed hij niet, maar ik wel. Toen hij op tournee was met *Cats: Now and Forever*, realiseerde ik me dat ik wel kinderen wilde, en dan baby's om te beginnen, en niet volwassen kindacteurs.

Nadat we ons verloofd hadden, vroeg Thom of ik zijn naam ging aannemen. Ik zei ja, waarom niet, Bradley is een mooie naam. Maar ik hield wel een slag om de arm, zei dat ik mijn eigen naam voorlopig nog wilde houden omdat mijn carrière net begon te lopen en ik geen zin had om met getrouwd aan te geven dat ik misschien minder ambitieus zou zijn. En met een streepje ertussen? Zo jaren tachtig. Zie je het voor je: Jennifer Probstfeld-Bradley? Klinkt als een ziekte. 'Sorry, ik kan niet komen, ik heb de ziekte van Probstfeld-Bradley.' Of als een deftig advocatenkantoor. Voor mij stond vast dat ik overdag Jennifer Probstfeld zou zijn, Junior-Specialist Oudheden bij Christie's, en 's nachts Jen Bradley, echtgenote en huisvrouw.

In het jaar dat voorbijging voordat we trouwden, gebeurde er iets vreemds en ingewikkelds. Thom en ik hadden besloten dat we zelf de bruiloft wilden organiseren en betalen, maar stilaan werd de hand van Vera voelbaar in onze plannen. Niet dat ik het meteen in de gaten had, maar kleine dingen, zoals dat Vera bij de cocktailparty per se de band van haar oom wilde, of dat de verlovingsring de diamant van Thoms grootmoeder moest zijn – heel attent, maar een enorme last. Ik had mijn zinnen gezet op een eenvoudige gladde gouden ring, een traditie bij de Scandinavische tak van mijn familie. Ik had het ook met Thom besproken en hij was het ermee eens. En voor ik het weet, zitten we daar in de Inn en opent hij het fluwelen gewelf om te onthullen wat ik alleen maar kan omschrijven als een koplamp. Met een gewicht van tweeënhalf karaat had het ding alle ingehouden vertoon van een bowlingtrofee. Het schreeuwde gewoon: KIJK EENS HOEVEEL MIJN ECHTGENOOT VAN MIJ HOUDT! Ik verbleekte bij de aanblik ervan, maar om de avond niet te verpesten heb ik mijn verbijstering en afschuw op dat moment niet laten blijken.

Ik heb hem een week gedragen. Het was een eer, echt, dat Vera een zo waardevol juweel aan mij toevertrouwde. Theta en zij namen me mee uit lunchen bij Le Cirque om het te vieren – de ring ongetwijfeld – en daar kwam ik erachter dat Theta's ring niet alleen exact gelijk was, maar dat deze twee kanjers van diamanten ooit een paar oorbellen waren geweest, die Skips vader voor zijn moeder had gekocht, ergens achter in de jaren dertig, tijdens een zakenreis naar Oostenrijk.

Een van mijn vaders hobby's was het verzamelen van memorabilia uit de Tweede Wereldoorlog, van boeken tot geweren en medailles. Ik herinner me nog dat ik een boek van hem las, over hoe de joden in Oostenrijk van hun bezittingen werden... laten we zeggen, verlost in een poging hen tot paupers te reduceren en hen hoe dan ook te dwingen tot emigreren. Ik droeg de diamant van een dode vrouw, en niet van de dode vrouw die ik dacht.

Om een lang verhaal kort te maken, ik had geen zin meer om iets van de Bradleys te dragen, en zo voorzichtig als ik kon verzocht ik Thom om de steen terug te geven aan zijn moeder. We verzonnen een verhaal over hoe vergeetachtig en onhandig ik was, en dat ik zo panisch was om hem te verliezen dat ik die verantwoordelijkheid niet aankon. We kwamen nog wel meer obstakels tegen. En zo werd ik beetje bij beetje in hun werkelijk fascinerende familiegeschiedenis ingevoerd. Het bleek dat Bradley ook Vera's meisjesnaam was. Haar familie was Iers katholiek uit de zuidelijke regionen van Tyron County. Skips familie waren Bradleys uit Ulster, nazaten van de Schotse presbyteriaanse sekte. Een Keltische Romeo en Julia. Vera zag Skip ongetwijfeld als haar kans om uit haar hel van Kanten Gordijnen te ontsnappen naar het paradijs van countryclubs, die haar vader de toegang via de voordeur hadden ontzegd, maar hem graag achter de bar hadden staan. Zij is het absolute prototype van protestantse Amerikaanse kleinburgerlijkheid. Nou ja, katholieke, in dit geval. Blijkt dat de enige naam die ze heeft veranderd haar voornaam is. Van Maria Teresa in Verity – afgekort Vera, Latijn voor 'waarheid'.

Uiteindelijk kwam ik stiekem terug op mijn belofte en veranderde mijn naam alleen in ons trouwboekje. Maar nadat ik mijn baan had opgezegd, en in het ziekenhuis mijn naam opgaf als Jennifer Bradley zodat er geen verwarring zou ontstaan over de kinderen, en door talloze uitnodigingen en kerstkaarten met 'Mr. and Mrs. Thomas Bradley III' ging die naamsverandering eigenlijk vanzelf. Nu ervaar ik die naam als een plaveisel waaronder ik word platgewalst en waardoor het beetje originaliteit dat ik nog inbracht in onze relatie, wordt opgeslokt. In mijn poging om vanbuiten geen Bradley te worden heb ik mezelf vanbinnen onherkenbaar gemaakt, en losgelaten wie ik eens dacht te zijn. Ik ben geen haar beter dan Vera, mijn felbevochten identiteit van carrièrevrouw, neofeministe is weggespoeld met het badwater van de kinderen.

Hoofdstuk Drieëntwintig

Sven heeft me toch niet helemaal in de steek gelaten. Zijn baan begint pas na Kerstmis, dus we zien elkaar nog steeds. Thom en ik hebben het dat weekend echt geweldig gehad, en tijdens onze brunch in de Inn, na onze roekeloze losbandige nacht – nog twee keer, geloof me of niet – hebben we gesproken over hoe we ons leven beter konden inrichten. Zodra de nieuwe vestiging is geopend, gaat hij achter een betere baan hier aan, met minder reizen. Hij heeft zijn tol betaald en kan zijn expertise elders gebruiken als Bjorn hem het mes op de keel zet. Het is een begin. We hebben een aparte rekening geopend waarop Thom geld zal storten dat ik kan uitgeven waaraan ik wil. We hebben ook besloten dat ik meer tijd nodig heb om mijn gedachten op een rijtje te zetten en uit te vinden wat ik wil gaan doen als Max naar de kleuterschool is.

Daarom heb ik Veronika, de oppas van de buren, ingehuurd om voor Max te zorgen op dinsdag en donderdag, van tien tot twee. Het kind van de buren is van 9 tot 3 naar school, en de Mercers hebben haar salaris gekort, maar hebben haar verder nog wel de hele dag gelaten om hun was te doen en hun bedden op te maken. Ze is hartstikke blij dat ze een extra honderdje per week verdient, maar ze vindt het vooral leuk om iets interessanters om handen te hebben terwijl Joseph op school zit.

Als iedere goede onderzoeker ben ik op deze eerste dinsdag op stap gegaan met een rugzak vol geslepen potloden en notitieblokken, klaar om me te nestelen in een studienis van de openbare bibliotheek en mijn onderzoek naar Hannibal op te pakken waar ik was gebleven, dankzij Penny's goedbedoelde raad. Ik denk dat ik deze tijd moet gebruiken om te zien of ik die biografie echt wil schrijven.

Maar eerst hebben Sven en ik besloten om het een en ander te gaan vieren met koffie bij Starbucks, tegenover de bibliotheek. Daar zit ik nu op hem te wachten, werp af en toe een blik op mijn vrijheidsklok, wanneer ik 'Hé, JP,' hoor en een lichte aanraking voel op mijn schouder. Ik weet wie het is, ook al heb ik hem in geen zes jaar gezien, en terwijl het bloed in mijn aderen stolt tot kokend ijs, staar ik lang naar de punten van mijn schoenen, draai dan met ferme kaak mijn hoofd om en antwoord:

'Hé, Heath, hoe staat het leven?' Ik kijk hem in de ogen, terwijl ik hem met mijn perifere gezichtsveld verder opneem. Nog steeds langer dan welke vent ook, nog steeds gebeiteld uit Calabrisch marmer, nog steeds ruikend als het meest exotische kruidenmengsel dat een parfumeur zou kunnen bedenken, mijn Heath, mijn volwassen kindacteur, heeft nog steeds dezelfde magnetische aantrekkingskracht als op de dag dat ik hem voor het eerst ontmoette.

'Niet slecht, gezien het feit dat ik meespeel in een stuk hier vlakbij. Maar wat voert jou naar Times Square?'

'Dit is Times Square niet, maar Bryant Park.'

'Details. Jij was altijd al zo Duits precies. Je bent geen spat veranderd.' Was het maar waar. Ik heb twee kinderen gebaard, mijn haar afgeknipt, en ben zeker tien kilo aangekomen. Niet echt de sylfide die hij van de huwbare plank heeft geplukt.

'Ik heb inmiddels twee kinderen.' Soepel, Jen, heel soepel. Waarom til je je rok niet op en laat hem de littekens zien?

'Dat heb ik gehoord. Een jongen en een meisje, is het niet?'

'Een meisje en een jongen, in die volgorde. Georgia en Max. Bijna vijf en net een. Ik heb helaas geen foto bij me, meestal zeul ik al genoeg troep mee.'

'Ik wist altijd al dat jij kinderen zou krijgen,' zegt hij grijnzend. Heath, de Alwetende. De geweldige Wizard of Heath. Heath de Almachtige.

'Goed van jou, heel goed. In welk stuk speel je? Ik wist niet dat je op Broadway speelde.' Ik hoef hem niet te vertellen dat www.heathmonroe.com op mijn favorietenlijst staat. Dat ik zijn carrière nauwkeurig heb gevolgd, en zelfs naar een paar van zijn cabarets ben geweest, met een zwarte pruik op als vermomming.

'Ik neem volgende maand de rol van John Stamos over in *Nine*. Op het ogenblik ben ik vervanger en ik val in op de show van kerstavond en oudejaarsdag.'

'Zeg, Stamos is toch ook begonnen op tv?' Heath haat het om aan zijn start te worden herinnerd, aan het feit dat zijn tweede komische tv-serie, *Getting Bigger, Baby!* in de peilingen altijd minder scoorde dan *Full House*.

'Klopt.'

'En nu val je voor hem in? Wat een grap.' Verbazingwekkend hoe verbitterd ik nog ben na al die jaren. Verbitterd en toch, als hij het voorstelde zou ik zo met hem meegaan voor een vluggertje.

'Zeg dat wel. Maar het is echt een aardige vent, hij heeft me veel geleerd,' zegt hij lachend, onkwetsbaar als altijd. 'Net of ik hem overal volg op Broadway. Eerst *Cabaret*, nu *Nine*. Ik kan alleen maar hopen dat hij goede rollen blijft krijgen. De druk om zelf weer een grote show op te zetten wordt hierdoor beduidend minder.'

'Kom op, jij krijgt alles van de grond, als ze je de kans geven, en dat zullen ze, wacht maar, en dan mag Stamos voor jou invallen.' Hij heeft het weer voor elkaar, de rollen weer omgedraaid, zodat ik zijn onzekerheid wegneem door hem hapjes je-kunt-het te voeren om zijn ontembare ego te strelen.

'Luister eens.' Hij buigt voorover, fluistert bijna in mijn oor. 'Het is echt geweldig om je weer te zien, kunnen we niet een keer uit eten gaan en bijpraten?'

'Lijkt me leuk,' zeg ik, alsof ik het meen. Wat me verbaast, is dat ik het echt meen, en ik krabbel mijn nummer en e-mailadres op een stukje papier.

'Zeg, wat ben jij van plan met al die potloden en papier?' Hij heeft in de duistere diepten van mijn rugzak gegluurd. 'Lijkt wel of je weer aan de studie gaat. Spannend.'

'Ja. Inderdaad, aan de studie. Nog een keer.' Niet te geloven dat ik dat echt heb gezegd. Een volslagen onbeschaamde leugen. 'Maar op het ogenblik ben ik bezig aan mijn boek over Hannibal.'

'Wat fantastisch, Jen. Ik heb altijd geweten dat jij ooit zou gaan schrijven. Je hebt zoveel talent.'

'Heus? Vind je dat?'

'Altijd al gevonden.' Hij aait over mijn wang, en ik val voor de oude Heath, degene die voor me zorgde toen ik aan het afstuderen was, en die me voor een lang weekend meenam naar Tokio, gewoon omdat hij zich dat kon veroorloven. 'Ik moet ervandoor.' Degene die me altijd verliet om op tournee te gaan en met een of ander onnozel wicht uit de show het bed in te duiken. Degene die niet met me wilde trouwen. 'Ik bel je.'

Ik zie hem de deur uit slenteren, juist wanneer Sven achteloos komt binnenlopen. Ze passeren elkaar en Sven draait om zijn as om hem na te kijken. Dan ziet hij mij en hij snelt naar me toe.

'Was dat...?'

'Ja.'

'Heath Monroe?'

'Op een schaal van één tot tien, hoe vreselijk zie ik er vandaag uit?'

'Wat deed hij hier?' Hij kijkt om naar de deur.

'Even luisteren, lieve, op een schaal van één tot tien, hoe vreselijk?' Ik draai zijn gezicht naar me toe.

'Is één goed of slecht?'

'Slecht.'

'Zeven, misschien acht.'

'Niet liegen. Ik ga een cappuccino voor je halen, en kijk naar me alsof je me niet kent, met de volle aandacht van een duikcommentator.' Ik neem de tijd, kies een pompoenscone, bestel nog een koffie voor mezelf en een voor Sven. Ik kijk om en zie dat hij een notitieboekje ophoudt met een 6,5 erop gekrabbeld.

'Je spaart me,' zeg ik, wanneer ik terugkom.

'Je bent met hem naar bed geweest, waar of niet?'

'Schuldig.'

'Hoe kon je!' Hij geeft me een pets op mijn been.

'Niet moeilijk, zoals bleek. Ontmoette hem in een bar, ging met hem mee naar huis, steek H. in J. enzovoort.' Hoe geïnteresseerder Sven raakt in dit gesprek, hoe verveelder ik word. Maar ik ben deze weg al een paar keer eerder gegaan, dus ik weet dat hij niet eindigt voordat alle banden lek zijn.

'Nee, ik bedoel, hoe kon je dat voor me verzwijgen? Voor Sven? Dat vind ik niet eerlijk. Ik heb jou over Louganis verteld, en wat doe jij? Mij dat verwijten.' Hij ziet er zo schattig en gay uit wanneer hij pruilt. Maar hij heeft gelijk, ik had het hem moeten vertellen.

'Sorry, ouwe, het kwam gewoon nooit ter sprake. Maar hier is het verhaal. We ontmoetten elkaar, werden verliefd, woonden zes jaar samen en gingen toen ieder onze eigen weg. Einde. Vind je dat ik er oud en dik uitzie?'

'Ja. Heel oud en walgelijk dik. En vettig. Pafferig. Alsof het elke dag Thanksgiving is. Alsof het elke dag Thanksgiving is in het bejaardenhuis, voorgekauwd, verteerd, kleurloos en levenloos. En kwijlend.' Hij heeft zijn kruk van me weggedraaid, en ik weet dat hij alleen maar wacht tot ik het goedmaak. Hoewel ik moet bekennen dat ik geniet van zijn beledigende monoloog.

'Hij valt op mannen.' Dat is niet echt waar, maar de geruchten doen al zo lang de ronde, dus wat maakt het uit als er nog een vent denkt dat Heath van die kant is.

'IK WIST HET!' En hij geeft me zowaar een high five van vreugde.

'En Heath is niet zijn echte naam, die is Keith.'

'Nog een die zijn naam heeft veranderd – hij is mijn zielsvriend.' Hij laat zich met een zucht op zijn kruk zakken.

'Wie verandert er zijn naam nou niet?' Ik wilde dat ik het had gedaan. Althans een Jennifer minder in New York. Ik vond de naam Claire altijd zo mooi. Zo stijlvol, zo vol licht. 'Zo tevreden?'

'Je ziet er niet vettig uit.' Hij nipt van zijn koffie.

'Jij ook niet.'

'Ik zag dat hij oogcontact met me maakte. Ik vond hem geweldig in *Big Baby*, dat was echt de beste tv-serie die ik ooit heb gezien. Weet je nog, die keer dat hij in zijn bed had geplast, en zijn stiefvader razend werd, maar dat hij toen die snoet trok en alles vergeven was?' De onvermijdelijke rit door herinneringsland levert meestal meer informatie op over de fan, zoveel weet ik onderhand wel.

'Naar die serie heb ik nooit gekeken, hij was tegelijk met *Happy Days*,' zeg ik, een steek richting Heath, terwijl hij niet eens binnen gehoorsafstand is. Niemand die Scott Baio meer haatte dan mijn ex.

'Maar geloof me, na een nacht dronken rondsloeberen is die bedplasserij echt niet zo grappig.'

'Maar zeg nou zelf, in *Getting Bigger, Baby!* was hij echt flitsend. Ik had destijds alle jaargangen van *Teen Beat.* Wat een god.' Zijn blik dwaalt af in de richting waarin Heath is verdwenen. Zou weleens kunnen dat Sven lijdt aan het ernstigste geval van Heathitis dat ik ooit heb meegemaakt. Ik kijk nadrukkelijk op mijn horloge.

'Wauw, wat vliegt de tijd,' zeg ik, terwijl ik mijn notitieblok pak, mijn 6,5 en mijn potloden. 'Ik moet naar de bibliotheek voordat mijn vrije tijd op is.'

We lopen samen naar buiten, en Sven gaat met een flauw smoesje in de richting van Heaths theater, ongetwijfeld in de hoop nog een glimp van hem op te vangen. Ik ken dat. Het is mij ook overkomen, en wanneer ik de andere kant opga, voel ik nog steeds de aantrekkingskracht van die magneet van over de 1.85 meter.

Ik ga aan een grote eikenhouten tafel zitten, knik naar de zwerver naast me, en haal de spullen voor mijn nieuwe onderneming te voorschijn: vijf 2B-potloden, perfect geslepen, drie notitieblokken, mijn laptop, de dertig bladzijden aantekeningen over Carthago en Hannibal die ik tien jaar geleden heb gemaakt, en een blauwe Bic medium. Ik doe mijn horloge af en leg het naast de potloden. Nog maar drie kwartier voordat ik Georgia van school moet halen. Hoe krijg ik op deze manier in 's hemelsnaam ooit iets van de grond? Concentreren. Concentreren. Concentreren.

Ik sla mijn aantekeningen open, kijk dan omhoog naar de lampen. Ze zijn groot. En mooi. Ik doe mijn laptop open. Wallpaper met Georgia en Max. Ik mis ze. Ik kijk in het hoekje van mijn scherm hoe laat het is. Nog precies tweeënveertig minuten. Via de draadloze verbinding van de bibliotheek log ik in op het web. Haal mijn e-mail op. Een berichtje van Thom, zegt dat hij van me houdt. Dat is fijn. Een berichtje van Sven dat we elkaar zullen ontmoeten bij Starbucks. Al gedaan.

De zwerver begint te snurken en ik vraag me af wat hij in zijn leven heeft gedaan om hier te belanden. Drugs waarschijnlijk. Ziet ernaar uit dat hij zijn roes aan het uitslapen is. Aardig dat ze hem hier toelaten. De stank van urine dringt tot me door, maar ik doe alsof het een luier is, ik wil een slapende zwerver niet beledigen door naar een andere tafel te verkassen.

Veertig minuten. Tik. Tik. Tik.

Oké, ik wil dus vandaag geen boek schrijven. Ik besluit de resterende tijd nuttig te besteden en maak een lijst van wat ik zou moeten doen om weer op de banenmarkt te komen.

1. Haar afknippen en verven.

2. Tien kilo afvallen.

3. Geld lenen van Thom om nieuwe mantelpakken te kopen.

4. Zorgen dat ik up-to-date raak op het gebied van antiquiteiten.

Ik klop mezelf mentaal op de schouder dat ik zo slim ben.

5. Christy bellen.

6.

Ik tik met het gum van mijn potlood tegen mijn tanden. Wat is punt 6? Enig idee? Mijnheer Dakloos wordt wakker, snuift in mijn richting en verdwijnt met zijn papieren tassen naar een andere tafel. Ik ruik even steels aan mezelf, leg mijn neus tegen mijn schouder. Oef. Ik was vergeten dat Max vanmorgen op mijn schouder had gespuugd. Dat heeft vast een goede indruk op Heath gemaakt. Ja, leuk je te zien, ik heb de boel echt prima voor elkaar, ben na al die tijd weer bezig aan mijn boek. Nee, de kinderen heb ik volkomen onder controle. Ik ga zelfs regelmatig in bad. God nog aan toe. Vijfendertig minuten. Laat ook maar. Het is een prachtige dag, dus ik doe mijn laptop dicht en pak mijn spullen in. Schrijven is heel wat moeilijker dan het lijkt. Maar ik heb donderdag nog.

6. Christy bellen.

Het ijzer smeden als het heet is. Ik loop naar buiten naar de trappen, zet mijn mobieltje aan, en toets het nummer in dat ik vroeger zelf beantwoordde.

'Goedemiddag, kantoor Christy Bloomington. Met Francesca. Waarmee kan ik u van dienst zijn?' Niet Christy. Verdomme. Natuurlijk niet, ze nam nooit zelf de telefoon aan, waarom zou ze dat nu dan wel doen?

'Eh, hallo, is Christy er?' De wind waait en ik duik weg achter een van de leeuwen.

'Het spijt me, ze is aan het lunchen, kan ik een boodschap aannemen?' Francesca klinkt alsof ze nog nooit in haar leven geluncht heeft, wedden dat ze de helft van mij is, nog zo'n aspirant-Gwyneth Paltrow.

'Graag, zou je haar willen zeggen dat Jennifer Bradley heeft gebeld?'

'En waar gaat het over?' Goede vraag. Jouw baan. En ik zou maar uitkijken, Frances, ik ben een levende legende.

'Niets. Vriendin van vroeger. Wil je haar zeggen dat Jennifer heeft gebeld?'

'Hé, toch niet Jennifer Bradley?' Haar stem verliest iets van zijn ijzige ondertoon, en ik beluister een licht Long Island-accent. 'Eh... die hier vroeger werkte?' Ik wil wedden dat ze nooit eh... heeft gezegd in het bijzijn van Christy.

'Dat zou je kunnen zeggen,' zeg ik.

'Christy heeft het altijd over jou, weet je.'

'O ja?'

'Zeker weten. "Jennifer zette de lekkerste koffie." "Jennifer kon een vervalsing op een kilometer afstand herkennen." "Je had eens moeten zien hoe snel Jennifer haar kopij schreef, nooit een tweede versie nodig." Het is best moeilijk om tegen jouw reputatie op te boksen, alsof je de koningin was van alle medewerksters die ze ooit heeft gehad.' Ik zette de lekkerste koffie? Is dat hoe ze zich mij herinnert? 'Zal ik je nummer noteren en vragen of ze terugbelt?'

'Dat heeft ze.'

'Weet je het zeker? Ze heeft graag dat ik het nummer noteer, of ze het nu heeft of niet.' Ik weet het, ik ben het die haar daarin heeft verwend. Ze hoefde nooit een nummer op te zoeken als het aan mij lag.

'Absoluut zeker. Dank je.' Ik druk op einde zonder te wachten of het kind verder nog iets wilde zeggen. Misschien vergiste ik me, en wilde Christy me zo graag houden omdat zij daardoor zo goed leek, en niet vanwege mijn potentieel. Terwijl ik naar de metro hol, hoopt iets in mij dat Christy mijn nummer niet heeft, me niet kan bellen en wakker schudden.

Hoofdstuk Vierentwintig

Ik zie als een berg op tegen de feestdagen. Ik haat dat geren en gevlieg om cadeautjes te kopen, de mensenmassa's die de winkelstraten blokkeren, de volledige afwezigheid van het echte Kindeke Jezus, en de druk om alles te moeten opeten wat iedereen maakt of stuurt, juist nu ik zo wanhopig graag de vijf kilo kwijt wil die ik met Thanksgiving ben aangekomen. Mijn stiefzusje Judy bakt de verrukkelijkste pindakoekjes bestrooid met suiker en met zo'n heerlijk chocoladepluimpje erop, en elk jaar stuurt ze me twee dozijn. Een dozijn voor mij, een dozijn voor Thom en de kinderen. Ik kom al een kilo aan als ik teken voor ontvangst.

Dit gevoel van volslagen onverschilligheid achtervolgt me elke december. Ik doe alsof, maar daaronder voel ik me als Dickens' Scrooge. Nou ja, niet helemaal Scrooge, want ik vind het prima dat anderen zich storten op het inpakken van cadeautjes en vrolijk worden op de kantoorborrel. Ligt gewoon aan mij. Misschien was het de dag waarop ik me realiseerde dat wij geen schoorsteen hadden in onze stacaravan, en dat de kerstman zich niet met zijn dikke rode lijf door de smalle verwarmingsopeningen kon wurmen. Toen ik klein was moesten we van mijn ouders altijd eerst een paar uur gaan slapen voordat we onze pakjes mochten openmaken op kerstavond, 'zodat de kerstman kon komen'. Niet zo gemeen worden, dat was niet hun bedoeling. Ik weet het want ik ben een keer stiekem uit mijn bed gekropen, heb onder hun deur door gekeken en gezien hoe ze de pop inpakten waar ik om had gevraagd. Toen ik die avond het pakje openmaakte, wist ik dat ze al die tijd hadden gelogen. Maar ik liet niets merken, dat zou ook niet zo wijs zijn geweest, want Andy geloofde nog wel. Judy en Vince waren toen al te groot om er nog iets om te geven, maar ze speelden het spel keurig mee.

Oké, en dan nu over het Kindeke Jezus. Als mijn ouders me vertellen dat Kerstmis te maken heeft met de kerstman en het Kindeke Jezus, en ik kom er vervolgens achter dat ze liegen over die eerste (Woont op de noordpool? Doet in één nacht de ronde over de hele wereld?), hoe kunnen ze dan van mij verwachten dat ik in die andere, veel grotere leugen trap (Onbevlekte ontvangenis? De zoon van God?)? Kan zijn, zul je zeggen, maar we hebben allemaal moeten schakelen na die eerste teleurstellingen. Wat doet dat ertoe, het gaat om de *geest* van de kerstman, dat telt, en de *heilige* geest van het Kindeke Jezus. Vergeef me, maar soms vind ik acht dagen chanoekaolie makkelijker te slikken.

Ik wil mijn kinderen geen leugens verkopen. Geen grote, in ieder geval. Een enkel klein leugentje kan zinnig zijn, maar grote, nee dat niet. Bij Georgia's eerste kerstfeest heb ik tegen Thom gezegd dat ik het niet opbracht om haar in te wijden in die cultus rond Kerstmis, en we kregen zo'n ruzie dat ons huwelijk bijna was gestrand. Hij koos voor de snelweg van de 'onschuld', en ik ging sputterend op pad via het landweggetje van de 'eerlijkheid', en op de een of andere manier kwam hij eerder aan in het land van de kerstman. Ik zat mokkend op de bank terwijl hij met een rood-witte muts op de kerstboom versierde en cadeautjes inpakte. Ik slikte mijn betoog in en begon aan de herziening ervan voor volgend jaar, wanneer het effect van liegen tegen een kind van twee veel zwaarder zou wegen dan de te verwaarlozen schade van dat eerste jaar.

Met een leugen leven kan alleen zolang je blind blijft voor de leugen die je jezelf hebt verkocht. Wanneer ik terugkijk op mijn jeugd en bedenk hoeveel tijd ik wel niet heb doorgebracht in de kerk, en met allerlei religieuze activiteiten, is het net of ik naar twee mensen kijk: ik zie de Jennifer die de adventskaarsen aansteekt en Johannes 3:16 opzegt, en de Jennifer die de verzen uit haar hoofd heeft geleerd en de rol van gelovig meisje speelt. Niet dat ik na de dienst meteen naar buiten ging, of rookte en dronk. Ik was echt een braaf kind. En ik was er trots op dat ik iedereen kon overtuigen hoezeer ik vervuld was van de christelijke geest. Maar ik weet nu dat ik dat helemaal niet was. Het beste kan ik het als volgt uitleggen: het was alsof ik gay was, en alle anderen niet, dus deed ik alsof ik was zoals zij. Het kwam niet bij me op dat dat lege gevoel in mij in conflict was met dat vrome gevoel dat ik voorwendde. Op het moment dat ik Tannersville verliet, 'verliet' ik ook de kerk. Het grappige is dat ik er nooit bij heb stilgestaan, ik sliep, na een nacht stappen, op zondagmorgen in alsof ik was wie ik altijd al was geweest.

Ik wil dat mijn kinderen een zinvolle band hebben met God, of een god, of goden. Ik wil dat ze vreugde ervaren in de schoonheid van de schepping, en de schepper een high five geven. Maar ik kan niet wat voor mij een leeg geloof is op hen overdragen. Soms wilde ik zo wanhopig graag dat ik in God kon geloven, omdat er met geloof een soort troost moet komen die mij anders ontzegd blijft, maar dan kijk ik naar hen die wel geloven en zie dat velen van hen lijden. Dus ik zal zwijgen als het graf en toestaan dat Thom met Kerstmis Georgia en Max meeneemt naar de kerk, in de hoop dat het werkelijk de christelijke geest zal zijn die indruk op hen maakt, en misschien zullen zij de betekenis vinden die ik niet heb kunnen ontdekken.

Intussen hebben Georgia en ik wel een afspraak – ik vertel haar nooit een grote leugen, en zij vraagt mij nooit om haar een halve waarheid te vertellen. Vorig jaar ben ik begonnen met een nieuwe traditie. Ik heb haar uitgelegd dat Sint-Nicolaas een gulle oude baas was die lang geleden leefde, en dat de mensen hem hadden bestempeld tot een heel speciaal iemand die kinderen vreugde en hoop bracht. Op de zesde gaan we naar het postkantoor om een sintbrief uit te kiezen, en dan gaan we 's middags een cadeautje kopen om naar een kind te sturen dat zoveel minder heeft dan wij. We bakken koekjes voor onszelf en voor Sint-Nicolaas en ik vertel ze verhalen over goede daden.

Dit jaar zal ik Georgia uitleggen dat ik van het Kindeke Jezus houd, en dat we ons gelukkig mogen prijzen dat hij zo'n bijzonder leven heeft geleefd. We zullen ook kaarsjes aansteken voor haar nieuwverworven joodse ziel, en zodra ik ben ingelezen over het oogstfeest van Kwaanza, zal ik haar daarvan ook het een en ander meegeven. Misschien is het uiteindelijk makkelijker voor me om tegen haar te liegen. Als ze veel geluk heeft, zal ze iets moois vinden om in te geloven, dat ene dat mij geheel schijnt te ontbreken. Ik kies ervoor om die leegte in mij voor haar verborgen te houden, voor iedereen trouwens. Ik zie het graag als een onzichtbaar kruis dat ik moet dragen, en daarmee is Jezus een beetje mijn persoonlijke verlosser. Nu moet hij er alleen nog voor zorgen dat ik mezelf niet meer zo serieus neem.

Hoofdstuk Vijfentwintig

Een van de redenen dat ik in de afgelopen vier jaar bijna het huis niet uitkwam, is het tempo dat vereist is om dat voor elkaar te krijgen. Neem nu vandaag. Georgia heeft weer een nieuwe hartsvriendin, en we hebben voor vanmorgen een speelafspraak bij haar thuis. Toen we dit sociale pad kozen, heb ik me voorgenomen dat we de zaterdagen voor onszelf zouden houden, maar omdat het vlak voor kerst is, wilde Georgia deze afspraak er met alle geweld nog tussen proppen. Ik ben niet achterlijk, ik weet dat dit glad ijs is, want als een kind eenmaal zijn zin krijgt, is er geen weg terug. Maar het is gezelliger om iets anders te doen op zaterdag dan weer uitleggen waarom papa nog steeds niet thuis is.

Na school uit spelen gaan is het handigst, want dan hoeft niet het hele Italiaanse leger in actie te komen om beide kinderen aan te kleden en op transport te zetten op het moment dat ze net naar hun favoriete tekenfilmpjes zitten te kijken – of liever gezegd, hun favoriete reclames onderbroken door stompzinnige tekenfilmpjes. Ik heb zelfs gezien dat Georgia het geluid uitdeed en alleen weer aanzette bij de nieuwste barbiereclame. Niet zo lang geleden hadden we niet eens tv in de woonkamer, maar een van de consequenties van je kind uit spelen laten gaan is je niet opwinden over wat ze bij andere kinderen thuis doen. Toen Geege eenmaal doorhad wat ze miste, begon het zeuren, en bidden en smeken. De laatste tijd wint ze nogal vaak, en dat is wel verklaarbaar. Ik heb er gewoon genoeg van om altijd nee te moeten verkopen nu Thom weg is, omdat hij door de telefoon altijd ja zegt, en ik dus weer de boosdoener ben. Dus zeg ik soms ja, zelfs als ik nee bedoel.

'Georgie, je moet nu echt je tanden gaan poetsen, anders komen we te laat.' Ze zit voor de tv, kluivend op haar duim. 'Wees niet zo'n zombie, schat, dat staat je niet.' Ze is net uit bed en ligt pruilend in haar pyjama opgerold tegen haar nog slaapwarme deken.

'Ik wil niet.'

'Wil wat niet?' Max en ik zijn al uren op. We hebben allebei onze koffie al op, de krant gelezen, en zijn, op onze schoenen na, klaar om de wereld onveilig te maken.

'Ik wil niet gaan.' Ze stopt steels haar duim in haar mond, terwijl ze mij een lusteloze blik toewerpt, zo van durf-hem-er-eens-uit-te-trekken.

'Zullen Max en ik dan maar zonder jou gaan?' Max springt op me af en rent even snel weer weg, probeert op de salontafel te klimmen om Peeves staart te pakken.

'Ké.' Ze meent het niet. Ik zie een voet van onder de dekens in de richting van haar kleren kruipen, die ik op de bank heb klaargelegd zodat ze er makkelijk bij kan. Dit is een gevecht van de laatste tijd, want Georgia's slaapgewoonten zijn dramatisch veranderd. Ze heeft eigenzinnig besloten dat ze langer mag opblijven dan de baby, dus is ze van haar gewone bedtijd van rond halfacht naar soms elf uur gegaan. En nu niet afkeurend mompelen, ik breng haar nog steeds op dezelfde tijd naar bed, maar dan hoor ik haar nog uren kletsen tegen denkbeeldige personen, of alleen maar zachtjes zingen. En ik zou het ook niet zo erg vinden als ze daardoor 's morgens niet zo onhandelbaar was.

'Ik weet het goed gemaakt, als we nu braaf opstaan, gaan we op de terugweg naar huis warme chocolademelk drinken.' Misschien is dat waarom ik de laatste tijd verlies, door een 'beloning voor dwarsliggen' uit te loven. Maar ik kies voor de kortste weg, want mijn geduld en mijn energie om dat kleine nest te slim af te zijn, zijn tanend.

'Bij Saradipty?'

'Als je over vijf minuten klaar bent, haren gekamd, tanden gepoetst, schoenen ge...' en daar gaat ze.

'Mag Ella mee?' Pyjama uit.

'Moeten we aan haar moeder vragen.' Legging aan.

'En Miles?' Shirt aan.

'Wie is Miles?' Sok aan.

'Broertje.' Sok aan.

'Moeten we ook aan hun moeder vragen. Misschien mogen ze geen warme chocolademelk. Of misschien heeft zij al chocolademelk voor ons klaarstaan, wie weet.' Schoenen aan. Ze heeft om tijd te winnen gekozen voor haar instappers. Ze rent naar de badkamer om haar haren te borstelen, terwijl ik Max' voeten in zijn sok-mocassins wurm.

'Au, lukt niet, mama. Jij moet het doen!'

'Oké, jij je tanden, ik je haar.' Wanneer we de badkamer uitkomen, zijn Max en Peeve bezig de vloer schoon te likken, Max' shirt, broek en mocassins onder de oranje smurrie. Hij heeft op de een of andere manier kans gezien in de tas van zijn buggy te graaien en de zak met zijn tussendoortjes open te ritsen, en daarbij de toch al lekkende fles melk leeg te gieten. En dit alles in hooguit twee minuten. Georgia gluurt ernaar van achter mijn been en krijgt de slappe lach.

'Mama, moet je Max nou zien! Hij ziet er niet uit!' Ik moet me beheersen om haar geen mep te verkopen en de kamer uit te gooien. Mijn woede en frustratie richten zich nu op haar en ik geef haar de schuld van het hele gebeuren. Maar aangezien een kind slaan tegenwoordig uit den boze is, trek ik een gele kaart.

'Naar je kamer, Georgia.' Ik kijk niet naar haar en mijn stem is vlak.

'Maar ik heb niets gedaan!'

'Dat is het juist. Ga, en gauw.' Ik hoef niet te schreeuwen, ze snapt het en gaat, doet zachtjes de deur achter zich dicht. En nu zorgen dat ik mijn tramontane niet verlies. Ik slinger Peeve de badkamer in, trek mijn broek en mijn trui uit, en pak Max op onder zijn oksels. Met alleen mijn slipje en beha aan zet ik hem in de gootsteen en ontdoe hem van zijn kleddernatte kleverige kleren. Nadat ik hem heb uitgekleed, neem ik hem mee naar zijn kamer om hem te wassen en schone kleren aan te trekken.

Op de een of andere manier lukt het ons om allemaal in redelijke staat bij Ella op de stoep te staan. Dit is alles wat ik weet over Ella Little: ze woont op Park Avenue in een chic flatgebouw met portier, ze is een dag na Georgia jarig, ze ruikt, volgens Georgia, 'naar koekjes', ze heeft een broertje Miles, en is geen familie van Stuart. Haar moeder, Angela, heb ik nooit ontmoet, maar we hebben elkaar wel even over de telefoon gesproken om deze afspraak te maken. Ik hijs Max op mijn heup en laat hem aanbellen.

Ik verwacht niet dat de nanny in het weekend werkt, maar wanneer een zwarte vrouw de deur opendoet, zeg ik automatisch: 'Hallo, is Angela thuis?' Waarop zij antwoordt: 'Jij bent vast Jennifer. Kom binnen.' Ik parkeer de buggy op de plek die me wordt aangewezen in de hal, en zij voert ons binnen in een smetteloze kamer met alles in wittige tinten en een overweldigend uitzicht over Noord-Manhattan. We worden even alleen gelaten en kijken rond, onze handen durven al die tinten wit en ivoor nauwelijks aan te raken als we het ons, zoals opgedragen, 'gemakkelijk' proberen te maken. Georgia loopt naar de wand die helemaal van glas is en tuurt naar het verkeer op Park Avenue, Max laat zich op de grond zakken en aait het hoogpolige tapijt. Ik geef hem zijn zak met speeltjes, maar hij kijkt er niet eens naar en gaat op kattenkwaad uit. De nanny komt terug met een blad met koekjes en bekertjes warme chocolademelk, en zet dat neer op de glazen salontafel. Ze gaat zitten en roept met zangerige stem: 'Ella, Georgia is er!' en dan dringt tot me door dat zij niet de nanny is. Ik ben nooit erg goed geweest in het verbergen van mijn verlegenheid, en vandaag is het niet anders. De vlammen slaan me uit, ik voel de warmte naar mijn gezicht kruipen en begin te kuchen. Je wordt bedankt, Georgia. 'Ruikt naar koekjes?' En wat dacht je van 'is zwart'?

'Mooie plek. Ik bedoel huis. Mooi huis heb je,' breng ik uit, en ik reik naar een beker. 'Je had echt niet zoveel moeite voor ons hoeven doen.' Ik neem een slokje, doe nog een poging. 'Heerlijk, heb je dit zelf gemaakt? Ik bedoel helemaal. Althans zo smaakt het.' Geen van mijn vriendinnen was ooit zwart. Ik vrees dat het op mijn gezicht te lezen is.

'Je wist niet dat we zwart waren, hè?' Angela glimlacht, een mengeling van medelijden en zelfverzekerdheid.

'Mmm, nee, niet echt. Het spijt me.' Oeps. Ik probeer die misplaatste verontschuldiging recht te zetten met een flauwe glimlach van mijn kant.

'Interessant. Ella had ook niet verteld dat jullie blank waren.'

'Ik kan me niet herinneren dat ik je ooit bij de school heb gezien.' Zou kunnen zijn omdat ik er nooit lang genoeg rondhang om de andere moeders te ontmoeten.

'O, daar ben ik nooit. Ik heb een baan. Had een baan, bedoel ik.' Het ijs breekt een beetje wanneer Ella verschijnt. Ze is schattig gekleed, in een Schots geruit jurkje, haar haar gevlochten in een zigzagpatroon, met talloze vlechtjes die in haar nek hangen. 'Zeg eens dag tegen mevrouw Bradley, schat.'

'Dag mevrouw Bradley,' zegt ze, terwijl ze me een hand geeft en een knicksje maakt. Ze ruikt naar vanille, niet koekjes, en ze is al een van haar melktandjes kwijt. Ze is om op te vreten.

'Dag Ella, is de tandenfee al langs geweest?'

'Ja mevrouw, en ik heb een dollar gekregen.' Georgia en zij begroeten elkaar en G stelt haar voor aan Max, voordat ze beginnen aan hun chocolademelk en koekjes. Ik ben onder de indruk, niet alleen van Ella's manieren, maar ook van die van mijn dochter, die zich hier heel wat netter gedraagt dan thuis. Ze kletsen en giechelen als dames aan de lunch, en ik moet mijn oren spitsen om op te vangen wat ze zeggen.

'gaan... voetbal... Chelzy Piers...'

'...cool... dag later... circus...'

'En Jennifer, wat vind jij van de school?' Welke leugen hang ik op? Dat ik die fantastisch vind en er niet over zou denken om Georgia ergens anders op school te doen? Dat we blij zijn dat Georgia op de 'goede' plek zit? Ik kies voor half half.

'Ik weet het niet. De juffrouw is aardig, en Georgia lijkt gelukkig. En jij?' Ik heb maar een handjevol zwarte kinderen op de school gezien en vraag me af waarom ze ervoor hebben gekozen.

'Als het niet vanwege het onderwijs was, zou ik meteen van school veranderen. Er zijn zoveel van die verwaande kleine meisjes en verwende jongetjes dat ik nogal wat te stellen heb met Ella. Ze weet intussen precies hoe ze me naar haar hand moet zetten. Meisjes zijn al moeilijk genoeg om op te voeden zonder ook nog eens slechte invloeden van buitenaf. Niet beledigend bedoeld, overigens.'

'Nee, begrijp ik. Maar waarom heb je die school dan gekozen?' Ik knabbel aan een gemberkoekje, ook al staat suiker niet op mijn dieetlijst, waarvan ik heb besloten om hem naar de letter te volgen om af te vallen voordat ik Heath weer ontmoet, als hij tenminste ooit belt voor die eetafspraak. Gember is een wortel. Wortels, dat zoek ik straks thuis wel op.

'De seniorpartner van mijn mans kantoor heeft ervoor gezorgd, al zijn kinderen hebben op die school gezeten. We konden geen nee zeggen. Ty wil dat zij alles krijgt wat hij nooit heeft gehad.' Ergens in het appartement begint een baby te huilen.

'O, dat is Miles, ik ben zo terug.' Angela neemt het lege blad mee, dan kan Max er tenminste niet meer bij. Georgia werpt me een vermoeide blik toe, zo van 'haal het niet in je hoofd om je met ons te bemoeien', en trekt Ella mee naar het raam. Ze praten op fluistertoon en ik voel me onwezenlijk, alsof ik in een film verzeild ben geraakt.

'Hé, Jennifer, kun je me soms even helpen?' klinkt er uit dezelfde richting als het nu hysterische gekrijs van de baby. Ik ga achter het geluid aan, met Max op mijn hielen. De stank komt me nog voordat ik Miles zie tegemoet – een poepbom die net is ontploft. Ik loop de kamer in, onverschrokken. Angela staat als versteend bij de commode, Miles ligt op zijn rug in het ledikantje, wild met zijn armen maaiend. Hij huilt niet echt meer, staart alleen naar zijn moeder die niets doet.

'Ik weet het, over een paar maanden lacht hij, kraait en knuffelt hij en alles, maar nu is hij alleen maar een bundel zenuwen met een kakfabriek erin.' Angela slaakt een zucht. Ik duw haar aan de kant en ga aan de slag om Miles te verschonen. De poep is uit zijn luier gedropen en hij zit tot aan zijn oksels onder. Het onderlaken is kledder en ook de molton. Ik leg een stapel hydrofiele luiers op de commode en leg dan Miles erop. Max begroet hem met 'baby'.

'Ik ben net ontslagen.' Ze is bijna in tranen, haar ogen glinsteren vochtig in het zachte licht van de kinderkamer. 'Ik heb tot vorige week hoogstens tien keer een luier verwisseld. Als ik het goed klokte kreeg ik zelfs in het weekend geen kak te zien. En nu schijt hij ineens de hele tijd. Zoveel geef ik hem niet te eten, dus waarom zit hij zo vol kak. Ik bedoel, die eerste poepjes waren wel lief, en als hij verstopt zit ben ik blij als ik iets van kak zie, maar, jezus, wat een puinhoop! Ik kan niet anders denken dan dat zijn achterste een metafoor is voor mijn leven van dit moment.'

'Wat moet hij aan?' Ik heb Miles ontdaan van alle kak, hem een luier omgedaan, en trek dan op aanwijzing van Angela een slaappakje uit de stapel onder op de commode. Ik was helemaal vergeten hoe makkelijk je een baby verschoont die nog niet kan tegenstribbelen. Nadat ik hem heb aangekleed, geef ik hem over aan Angela en ga verder met het verschonen van het bedje. Max is bezig met de deur, open-dicht, zegt 'da da' en herhaalt zijn ritueel.

'Weet je, ik wilde echt een tweede kind, maar ik breng het niet op om thuis te zitten. Ze hebben me na mijn zwangerschapsverlof wegbezuinigd, toch niet te geloven? Dat serpent van een bazin van me zegt dat de vent die mijn achterstallige werk heeft overgenomen, het zo goed doet dat ze de baan aan hem geven.'

'Wat doe je, Angela? Liever gezegd, wat deed je?' Ik leun tegen het bedje, geef haar al mijn aandacht.

'Zeg maar Angie. Sorry dat ik me zo laat gaan. Ik weet dat we elkaar nauwelijks kennen, maar ik ben zo laaiend dat ik niet weet wat ik zal doen als ik geen stoom kan afblazen.' Miles ligt alweer te slapen, duidelijk dat ze althans iets goed doet.

'Geeft niet. Dat effect heb ik kennelijk op mensen. Wat is er nu eigenlijk precies gebeurd?' Inderdaad, dat effect heb ik op mensen. En in stilte vind ik het best spannend om vriendschap met iemand te sluiten die zo cool is – en zo zwart – als Angie. Ik bedoel, ze heeft een piercing in haar tong.

'Ik was creatief directeur bij Brent, Brad en Barrow. Je had het daar moeten zien, zo uit *Thirtysomething*, van dat heerlijke retro jarenvijftigmeubilair, cool sfeertje, Chinese afhaalmaaltijden, pooltafel in de hal. Ik heb me opgewerkt van tekstschrijver tot een heel plezierige positie, direct rapporteren aan de directeur. Toen ik Ella kreeg deden ze niet moeilijk. Ik ben er drie maanden tussenuit geweest en ben toen in haar eerste jaar weer vier dagen per week gaan werken. Ik werkte me kapot in die vier dagen. En zelfs op de vijfde dag werkte ik van huis uit.'

'En toen?' Niet dat ze enige aanmoediging nodig heeft, ze is helemaal op dreef.

'Nou, toen werd een vrouw die gelijk met mij was gestart, en die altijd voor mij werkte en met wie ik elke dag lunchte, bevorderd tot coördinator, ja coördinator – ze creëerden een nieuwe functie en lieten mij aan haar rapporteren. Ik heb nog nooit een vrouw in zo korte tijd zo machtsbelust en zo venijnig zien worden. Ze liet zelfs wat grijze lokken in haar haar verven om ouder te lijken. Ze werd ontzettend arrogant tegen me. Begon me te vertellen hoe ik de reclames moest opzetten – voor klanten voor wie ik al vijftien jaar werkte. Zegt ze tegen me: "Angie, je cliënt wil Malcolm X niet in zijn reclames. Niemand is geïnteresseerd in Malcolm X." Niemand is geïnteresseerd in Malcolm X! En zij, rookt zij soms *cocaïne*? En DAN heeft ze het lef om tegen me te zeggen "Kijk eens of je iets kunt met Michael Jordan. Die is echt sexy. Weet je, Angie, je moet één ding niet vergeten. Jij bent zwart, en je moet beter inspelen op de zwarte markt. Daarom ben je juist zo waardevol." Ik moet niet vergeten dat ik ZWART ben? GEEN BROEDER MALCOLM?'

'Wauw,' zeg ik, en ik knik instemmend, hoewel ik geen idee heb hoe het is om niet te mogen vergeten dat ik blank ben.

'Dus werd ik zwanger. Dacht dat het niet uitmaakte nu of later, en misschien werd die meid in de tussentijd wat volwassener. Ging naar de directeur, regelde mijn zwangerschapsverlof, leerde mijn assistente de kneepjes van het vak – dat kleine serpent – en bedong dezelfde voorwaarden als de eerste keer. Ik had het moeten zien aankomen, weet je. Dat is het ergste van alles.' Dan barst ze echt in tranen uit, en Miles wordt wakker en huilt met haar mee. Max, die juist bezig is de luieremmer open te peuteren, begint ook te huilen. Ik wil de poepluier erin proppen, maar hij is vol, dus haal ik de zak eruit. 'Dat rotkreng heeft mijn accounts aan een ander gegeven terwijl ik weg was. Toen ik terugkwam riep ze me bij zich en zei "Luister, Angie, je moet dit niet persoonlijk opvatten. Je weet hoezeer ik op je gesteld ben. Maar het is tijd dat hier een nieuwe wind gaat waaien." De waarheid is dat ze ons niet allebei konden blijven betalen, dus stuurden ze degene die geen hielen likte de laan uit. Laat ik de baby maar even eten geven, dan kan hij zich weer onderkakken. Wil jij hem ook even vasthouden, jij hebt hem tenslotte verschoond, dan gooi ik intussen die stinkzooi in de vuilnisbak.' Ze geeft de baby aan mij en pakt de zak met luiers op.

'Natuurlijk, graag. Ik mis dat hele kleine.' En je begrijpt, dat levert meteen protest op van de grote baby, dus pak ik hem ook op en loop achter Angie aan naar de keuken. Ik denk terug aan hoe geweldig Christy altijd voor me was, hoe ze me raad gaf, me aanmoedigde, en hoe hard ze had geprobeerd om me van gedachten te laten veranderen toen ik besloot mijn baan op te geven. Ik voel me schuldig, alsof ik Christy op de een of andere manier heb beledigd, haar geloof in mij en haar inzet voor mij heb beschaamd.

We komen langs Ella's kamer en ik kijk even naar binnen. Zoveel roze heb ik nog nooit bij elkaar gezien. Georgia springt op me af en wil in de babyboom klauteren. Ella vindt dat kennelijk grappig en wil aan de andere kant in mij klimmen. Ik zak op mijn knieën en, terwijl ik Miles met mijn ene hand vasthoud, kietel ik met de andere om beurten de drie kinderen. We krijgen allemaal de slappe lach. Angie komt terug en doet mee, niets wat meer oplucht na een huilbui dan lekker lachen.

'Heb jij je nanny weleens bespied?' vraag ik aan Angie wanneer zij in de keuken bezig is Miles' fles te warmen. Max mag met de potten en pannen spelen en maakt een hels kabaal.

'Wat?' vraagt ze proestend.

'Hé, het water kookt, waarom koop je geen flessenwarmer, veel handiger? Trouwens, ik heb nooit iets warm gemaakt, voor geen van beiden. Als ze alleen maar dingen op kamertemperatuur of zo uit de koelkast krijgen, weten ze niet beter.' Beng, beng klinkt het.

'Zeg, wat zei je daarnet over je nanny stalken?' Eerlijk is eerlijk, zij heeft haar hart gelucht, nu is het mijn beurt.

'Nou ja, ik heb sinds kort twee keer per week een oppas voor Max, om wat meer tijd voor mezelf te hebben. Maar toen was ik afgelopen donderdag op weg naar de bibliotheek, en zag ik ze in het park. Het was absurd, alsof ik naar een parallel universum keek en daar was mijn kind met een andere moeder.' Beng. Ik werp Max een 'houd op'-blik toe, hij trekt zich er niets van aan. Beng.

'Eh...' Ze vraagt zich vast af of ik gek ben. Dat doe ik zelf ook.

'En voor ik het weet volg ik ze. Niet omdat ik haar niet vertrouw, ze is geweldig. Ik kon het gewoon niet laten. Ik keek naar ze en dacht: Dít doen ze dus wanneer ik aan het lunchen ben, en dát terwijl ik in de bibliotheek zit. Hoe dan ook, ik heb ze meer dan een uur geschaduwd, en toen ze weer thuis waren, heb ik vanaf de overkant van de straat gekeken hoe zij de lichten aandeed. Maar toen keek Max uit het raam en zag me. Ik heb gedaan of ik net kwam aanlopen. Vind je dat absurd?'

'Weet je wat absurd is, kinderen hebben. Het is allemaal zo vreselijk opgefokt en bezopen. De manier waarop ze je fysiek openrijten en je vervolgens emotioneel verscheuren, terwijl ze je ook nog eens onderschijten. En dan groeien ze op, geven je de schuld van hun vreemde gedrag en bemoeien zich met jouw leven. Vertellen je wat je wel en niet moet eten. Zeggen dat ze je in een verzorgingstehuis zullen stoppen als je niet braaf bent. Dat is pas absurd. Ik ga een heleboel geld verdienen en zet dan in een waterdicht testament dat Miles tot mijn dood mijn luiers moet verschonen voor hij er ooit een rooie cent van zal zien. En ik ben sterk. Ik word wel honderd.' En daarmee is ze officieel mijn nieuwe idool.

'Dus Veronika stalken is oké? Dank je.'

'Maak het, dat is ook bezopen. Maar als jij je er lekker bij voelt, ga je gang en bespied je oppas. Het is verrekt moeilijk om de hele dag te werken en niet te weten wat ze aan het doen zijn. Ik heb geluk dat mijn moeder voor Ella en Miles zorgt. Ze komt met de trein uit Brooklyn en ik betaal haar het gangbare tarief. Ze zijn dol op haar, en ik ook, en ik weet dat zij ze niet zal slaan, omdat ze mij ook nooit met een vinger heeft aangeraakt, tenzij ik het verdiende.' Ze neemt Miles van me over en geeft hem de fles.

'Sope. Op, op!' Max legt zijn pannendeksel neer en begint zo hard aan mijn broek te trekken dat hij bijna op mijn enkels belandt. Misschien toch maar geen rekbare taillebanden meer. Ik pak hem op en hij wil meteen weer op de grond.

'Oeps, sorry,' zegt Angie, 'ik wist niet dat hij kon praten.'

'Kan hij ook niet. En hij heeft trouwens vanmorgen wel ergere dingen gehoord. Jij boft dat je moeder zo dichtbij woont. De mijne zit twee uur weg. Maar ze komt zo vaak als ze kan.'

Georgia en Ella komen de keuken binnenstormen, helemaal stralend. Ze hebben blijkbaar iets leuks bedacht.

'Jij moet het vragen,' fluistert Georgia achter haar hand tegen Ella, die haar handen op haar rug ineenvouwt en opkijkt naar haar moeder.

'Mogen we naar de draaimolen?' ratelt ze zo snel als ze kan.

'Vragen we dat zo?' zegt Angie, meer vriendelijk dan berispend.

'Mama, mogen we naar de draaimolen, alsjeblieft?' Ella en Georgia staan te dansen en iedereen kijkt naar mij. Ik knik tegen Angie en de hel barst los. Terwijl we onze jassen en wanten aanschieten en de buggy's pakken, voel ik ergens diep in mij een resonans met deze nieuwe clan. En wanneer we op straat achter onze buggy's lopen te kletsen over wie en wat we zijn, en Angie even lief verlegen naar me glimlacht, heb ik het gevoel dat ik haar al mijn hele leven ken, of in ieder geval voor de rest van mijn leven zal kennen.

Hoofdstuk Zesentwintig

Totdat Georgia werd geboren, had ik altijd gewerkt. Het was nooit bij me opgekomen dat ik onderbetaald werd of dat mijn baas me zou willen ontslaan. Toen ik bij Christie's werkte, heb ik me nooit afgevraagd of ik carrière maakte, ik werd alleen maar gedreven door mijn vreugde dat ik een baan had gevonden die ik echt leuk vond. Over feminisme als principe werd bij ons thuis nooit gesproken. Wat mijn hardwerkende en van tijd tot tijd stevig drinkende ouders wel uitdroegen was dat, als er werk te verzetten viel, je dat maar beter kon doen. Toen ik nog maar net uit de luiers was, ving Cheryl overdag kinderen op van werkende moeders. Ik hielp haar door speeltjes op te rapen en tussendoortjes uit te delen. Het enige wat ik me herinner uit die tijd is een klein jongetje dat Bobby heette en zijn druipneus altijd aan zijn mouwen afveegde tot ze helemaal plakkerig waren. Toen ik een beetje ouder was, ging ik 's middags mijn grootvader helpen op de boerderij, wangzakratten vangen voor een kwart dollar per staart. Tegen de tijd dat ik elf was, was ik al heel lang, en volwassen genoeg om een baantje aan te nemen als oppas voor een meisje van vier.

Mijn eerste betaalde baan was bij de bijstandswinkel, toen ik in de vierde klas van de middelbare school zat. Gedurende twee schooluren per dag deed ik daar de administratie – ik kreeg het minimumloon en extra studiepunten. Ik had twee jaar typeles gehad, want waar ik opgroeide mocht je als meisje van geluk spreken als je na je eindexamen een goede secretaressebaan kon krijgen. Pa wilde dat ik naar de kappersschool ging in plaats van naar de universiteit, en dan bij zijn kapper in dienst, zodat hij zijn haar voor niets kon laten knippen. Hoe stimuleer ik mijn kinderen?

De bijstandswinkel was nieuw voor me en ongewoon, ik had nooit geweten dat mensen formulieren konden invullen en geld krijgen door ze alleen maar weer in te leveren. Bij mijn dagelijkse archiefwerkzaamheden kwam ik heel wat te weten over mijn buren – de Trehorns, in de stacaravan rechts van ons, zaten helemaal in de steun, en tegen de Jarvis', bij de ingang van het woonwagenpark, liep een onderzoek wegens kindermishandeling, om er maar een paar te noemen. Maar het meest verbaasd was ik dat ons gezin in aanmerking kwam voor steun. Dat zette mijn wereld op zijn kop – in de rij staan voor kaas was één, maar steun voor gezinnen met Afhankelijke Kinderen was wel even iets anders. Tot op de dag van vandaag zal Cheryl ontkennen dat we ooit arm zijn geweest – een van haar eigenaardigheden.

Cheryl was mijn beste voorbeeld hoe ik aan baantjes kon komen en geld verdienen. In de jaren zeventig gaf ze een poosje lezingen voor de Weight Watchers, in de keldergewelven van de kerk in Tannersville en in andere steden in de buurt. Ze kreeg een dollar voor elk nieuw lid dat ze inschreef, en vijftig cent voor elk lid dat zich elke week liet wegen. Als ze een goede avond had in januari kwam ze soms met dertig dollar thuis, maar in de zomer mocht ze al blij zijn als er twee vrouwen kwamen opdagen. Om dit inkomen aan te vullen leerde Cheryl feesttaarten bakken. Dat waren mooie tijden voor ons kinderen, omdat er altijd een schaal suikerglazuur in de koelkast stond. Dan had je nog de Tupperware-jaren, en daarna de Mary Kay-producten, en niet te vergeten haar baantje als organist voor de synagoge in New Paltz – zij was sabbatsmeid. Toen Cheryl veertig werd, deed ze iets onverwachts, ze ging een opleiding psychotherapie volgen. Ze werd consulente huwelijksproblemen, en met zoveel succes dat ze twee boeken over het onderwerp schreef en van de opbrengst een huis in de provincie kocht.

Mijn vader, Wilhelm genaamd maar bekend als Will, was meestal op pad om voor State Farm verzekeringen te verkopen aan de plattelandsbevolking in de Finger Lakes, in de periode voordat daar de geknakte landbouweconomie weer opveerde door de productie van ijswijn. Een goed mens, bekend om zijn zwijgzaamheid. Hij was als kind stelselmatig geslagen en had gezworen om ons nooit met een vinger aan te raken. Dit betekende ook echt met geen vinger, dus ook geen knuffels of ritjes op zijn schouders. Diep in hem lag een woede verborgen die zich maar één keer openbaarde tijdens een sneeuwstorm toen de verwarming uitviel en hij twee uur lang onder het huis bezig was om die weer aan de praat te krijgen. Toen hij weer binnenkwam, met naar later bleek bevroren handen, zei hij tegen Cheryl: 'En dat kloteding zal branden.'

Mijn familie is niet carrièregericht, maar wel werkgericht. Judy is schoonheidsspecialiste geworden en is nu eigenaresse van de kapperszaak – nadat ze de vorige eigenaar een jaar geleden had uitgekocht. Vince is barkeeper in de kroeg waar pa drinkt, en Andy is na een tweejarige universitaire opleiding naar Rochester verhuisd en werkt voor Kodak op hun afdeling nieuwe projecten, wat dat ook mag inhouden.

Zat ik op het carrièrepad en zit ik nu op het babypad? Als ik bij Christie's was gebleven, zou ik dan nu ongeveer op mijn top zitten? Vanaf mijn eerste kantoorbaantje tot aan het moment dat ik Georgia kreeg, ben ik nooit werkloos geweest. Zelfs in dat luxe-intermezzo van *Big Baby*-verlof, bracht ik nog steeds mijn eigen geld binnen. Soms denk ik dat er op het doosje met mijn prenatale vitaminepillen in grote letters 'NEEM ME IN' moet hebben gestaan, want ergens gedurende mijn zwangerschap is werken als essentieel voor mijn zijn uit mijn gedachten verdwenen. Mijn zwangerschapsverlof was de eerste keer in mijn leven dat ik niet werkte. En ik moet bekennen dat ik het heerlijk vond. Mijn schandelijke geheimpje is dat ik thuiszitten in een joggingpak verkoos boven douchen, aankleden en gewogen worden naar mijn dagelijkse interactie met de mensen voor wie ik werkte. Georgia kon mij geen jaarlijkse beoordeling geven, haar kon het niet schelen hoe mijn haar zat, wat voor schoenen ik kocht, zij deed alleen haar mondje open en begon te drinken.

Maar de trieste waarheid is dat Georgia mij nu niet echt meer nodig heeft, ze heeft haar eigen vrienden, en Max... nou ja, Max is een sterke kleine dondersteen. Naarmate de dagen verstrijken voel ik me steeds minder nuttig, en ik merk dat ik bijna voortdurend aan 'wat verder' denk. Moet ik nog vier jaar wachten totdat Max hele dagen naar school gaat, me opgeven voor twaalf jaar liefdadigheidswerk en naschoolse activiteiten, om vervolgens te ontdekken dat ik bijna zestig ben en niets om handen heb, en dat het nog eens zo'n twaalf jaar duurt voordat kleinkinderen het vacuüm vullen. Ja, dat zou ik kunnen doen. Maar ik zou ook weer iets kunnen gaan doen waar ik echt goed in ben – werken.

Hoofdstuk Zevenentwintig

De kerst breng je met je familie door, een magische tijd voor kinderen, verrassingen voor iedereen. Daarom ben ik blij dat het nu januari is. Max en ik hebben deze morgen een fikse vakantiekater wanneer we ons gereedmaken om met Sven, Lily, Penny en Mikhail naar Chelsea Piers te gaan. Later op de middag hebben we een afspraak bij de peutergym, een plek waar ik tot nu toe heb geweigerd ook maar een voet over de drempel te zetten, ook al verzekert Thom me dat het heus niet zo'n petrischaal vol bacteriën is als ik wel denk. Maak je mij niet wijs. Dertig kwijlende peuters in een grote met schuimrubber beklede box, haal er her en der een wattenstaafje langs en toon dan aan dat het niet stikvol zit met de smerigste bacteriën. Vroeg inenten is ook alweer uit de mode als gevolg van een aantal studies die een mogelijk maar niet waarschijnlijk verband aantonen met autisme, dus Joost mag weten wat voor megabacterie daar ergens op de loer ligt om in mijn baby te bijten.

Maar eerst is het voedertijd in de dierentuin. Max is plotseling van twee slaapjes per dag overgegaan op één, wat betekent dat ik hem om elf uur moet voeren voordat hij midden op de dag voor twee uur afknapt. Dit is niet zijn hoofdmaal, maar als ik wil dat hij langer dan een uur slaapt, moet ik wel zorgen dat hij genoeg binnenkrijgt. Zijn ontbijt was een kommetje cornflakes met babyyoghurt en geprakte banaan, en toen nog een volle fles melk. Daarna hebben we Georgia naar school gebracht, zijn een uur geleden thuisgekomen, hebben een babydansje gemaakt en nu beginnen we weer van voren af aan. Ik had gedacht dat ik meer tijd zou krijgen wanneer Georgia eenmaal naar school was, maar in plaats daarvan ben ik bijna twee uur kwijt met halen en brengen. Geen van haar klasgenootjes woont hier in de buurt, maar vandaag haalt Angie haar voor me op. Wij thuisblijfmeiden moeten elkaar steunen.

Ik heb een voorafje van cornflakes op het blad van Max' kinderstoel gestrooid, en hij schuift ze rond langs de rand en schiet ze dan als vlooien de keuken in. Hij eet nog niet echt zelf. Als ik hem een lepel geef, probeert hij hem eerst in zijn oor te steken en smijt hem dan op de grond. Regel is, één keer en niet meer. Ik geef hem nog steeds potjesvoer. Wat mij betreft mag hij spinazielasagne eten als hij studeert. Is ook altijd handig om in huis te hebben als student. Ik heb één keer spinazielasagne gemaakt, de helft ervan in de mixer fijngemalen, en keurig in Max-maatblokjes ingevroren. Hij nam één hap, draaide zijn hoofd opzij, deed zijn mond open en liet het er langs de zijkant van zijn tong uitdruipen op de grond. Ik heb het hele ijslaatje met lasagneblokjes leeggekiept.

Max eet een potje of twee leeg in tien minuten, in minder als hij echt honger heeft. Vandaag is hij moe, dus moet ik zijn mond openmieren om er een hapje brood met smeerkaas in te krijgen. Hij spuugt het tenminste niet meteen weer uit, gebruikt alleen de lepel om mijn vork met brood af te weren. Ik val aan met de vork en hij pareert met de lepel. Ik weer met de vork, hij weer met de lepel. Ik probeer een vliegtuigje om hem af te leiden en hij antwoordt met een mep, wat hem een rode kaart oplevert en een vroeg vertrek naar dromenland.

Nu hij slaapt, heb ik even de tijd om na te denken over wat er vorige week is gebeurd. Cheryl heeft aan het kerstdiner een bom laten ontploffen.

'Will en ik wonen niet meer onder één dak. Hij is verkast naar het gastenverblijf boven de garage,' vertelde zij aan de verzamelde clan – Andy, zijn vrouw Teresa, hun kinderen Matthew en Mark; Judy, haar echtgenoot Carl, hun dochter LaToya, en Vince – en toen hebben we, als goede presbyterianen, haar aangekeken, naar pa gekeken, onze maaltijd in stilte opgegeten, en zijn naar de kerk gegaan. Wij zijn geen praters. Ik wist niet eens dat Cheryl mijn moeder niet was totdat ik naar school ging en andere kinderen vroegen waarom ik haar geen mama noemde. Toen ik het haar vroeg, vertelde ze me het een en ander, een paar jaar later nog wat meer, en uiteindelijk kon ik uit die weinige woorden de stukjes van de puzzel in elkaar passen.

Cheryls kerk heeft een nieuwe dominee, de derde in twee jaar. Deze gemeente leiden is zoiets als drummer zijn in *Spinal Tap* – je levensverwachting daalt al fors door alleen maar ja te zeggen. Eerwaarde Monk is er sinds augustus, toen het longemfyseem van wijlen Eerwaarde Hammond deze de das omdeed. Cheryl is zeer gesteld op dominee Monk, en ze had me verzekerd dat ik er geen spijt van zou krijgen als ik naar de kerstdienst ging. Dat is elk jaar hetzelfde liedje – zij wil dat ik naar de kerk ga, en ik wil niet dat ik naar de kerk ga. Dit jaar was ik beslist niet van plan om te gaan, met Max als excuus, maar toen ze het grote nieuws had verteld had ik geen keuze meer.

Max hield zich rustig tijdens de eerste drie gezangen, neuriede mee op zijn schattige monotone manier, maar toen de kinderen naar voren werden geroepen om het Kindeke Jezus te begroeten, slaakte Max een kreet en kromde zijn rug als een dolfijn. Ik heb hem voor de rest van de dienst meegenomen naar de ruimte voor stoute baby's. Eerwaarde Monk – met zijn arm in het gips, om redenen die Cheryl niet wist – hield een wel heel vreemde preek over zijn pratende hond, waaraan geen eind leek te komen. Daarna werd er Stille Nacht gezongen, werden de kaarsen aangestoken, en droegen wij de vrede met ons mee uit in de kille winternacht.

Toen de kinderen naar dromenland waren vertrokken, ging ik naar beneden en daar stond al een kop thee voor me klaar bij de haard.

'Hé, weet je nog hoe Andy en ik als kinderen erin kropen?' zei ik, om vooral het onderwerp van haar en mijn vader te omzeilen. 'Dan schreeuwde jij "kappen, of ik haal een mes", of liever nog "als jullie niet ophouden laat ik Service Master komen om de rotzooi op te ruimen".'

'Dat heb ik nooit gezegd. Ik weet niet eens wat Service Master is.' Ze zat op de bank en keek naar me.

'O jawel, dat weet je best, dat is die firma die je belt om op te ruimen na een moord of een zelfmoord – die het bloed van de kleden poetsen, en de stukjes hersenen van de muren.' Ik nam een slokje thee, verbrandde het puntje van mijn tong.

'Nietes, nooit van gehoord. Ik weet niet waar je die onzin vandaan haalt, maar ik moet zeggen, reuze lollig.' Ze bleef naar me kijken. We nipten in stilte van onze thee, ik kijkend naar het vuur en Cheryl naar mij.

'Je zult wel willen weten waarom,' zei Cheryl na even stilte. Haar lange grijze haar lag in een vlecht op haar schouder. Ze was altijd iets aan de dikke kant geweest, maar sinds kort wandelt ze veel en is ze van een wat bolle vijftiger veranderd in een heel aantrekkelijke zestigplusser.

'Waarom Eerwaarde Monk zijn arm in het gips heeft? Lijkt me niet mijn zaak, wel?' zeg ik, nog steeds ontwijkend.

'Leuk hoor. Jij was altijd al de slimste thuis.' We zaten nog een poosje, namen nog een slokje, keken naar de kerstboom en de pakjes eronder. 'Goed, het is niet vanwege de seks, als je dat soms dacht.'

'Nee, dat dacht ik niet.' Ik heb werkelijk nooit over mijn ouders nagedacht in relatie tot seks. 'Ik zat te denken dat er te veel pakjes onder de boom liggen. We moeten echt lootjes gaan trekken.'

'Want volgens mij is er sinds we getrouwd zijn geen week voorbijgegaan dat we geen seks hadden.'

'Hmm.'

'Die man heeft geheid het grootste libido dat er onder de zon bestaat. Maar weet je, het is niet echt de liefde bedrijven. Het is alleen de daad, het bevrijdende gevoel, en dan omdraaien, slaap lekker.' O, wat verlang ik terug naar de tijd dat we dit soort intimiteiten niet deelden, maar Cheryl wilde kennelijk dat ik consulent speelde voor haar als patiënt. En in plaats van naar de badkamer te rennen en te kotsen, besluit ik om de rol die me is toebedeeld te spelen.

'Hmm... en dat is niet wat jij wilt?'

'Begrijp me goed, het is fijn om begeerd te worden, maar ik word te oud. Ik weet dat jij je dat op jouw leeftijd niet kunt voorstellen, maar er komt een moment dat een vrouw er geen behoefte meer aan heeft om het hele sekscircus toegediend te krijgen door een man. Wij zijn niet geschapen om na een bepaalde leeftijd kinderen voort te brengen, en dus moeten we ook niet verwachten dat de daad blijft doorgaan alleen om de daad.' Dat had ze waarschijnlijk uit een van haar eigen boeken gehaald, maar die heb ik niet gelezen en dit was niet echt het moment om dat te bekennen.

'Kan zijn, jij bent de expert.' Ik paste mijn toon aan die van haar aan, althans zo goed als ik kon, gezien het feit dat ik in de bloei van mijn leven ben, en luisterde naar de vrouw die me had grootgebracht en me nu voorspiegelde welk een trieste seksuele toekomst ik tegemoet ging, en daarbij die van haar met mijn vader als belangrijkste bewijsstuk aanvoerde. 'Wil je wat rum in je thee?'

'Ik haal het wel even.' Ze liep naar de keuken. Ik gebruikte het moment van stilte om te luisteren of er geen kind huilde, en om te bedenken hoe ik deze discussie kon ombuigen zonder van onderwerp te veranderen. Ze kwam terug en goot een flinke scheut in onze theekoppen. Ze bereidde me voor op nog iets groters, iets ergers, zoveel was duidelijk.

'Hij heeft nog geen andere vrouw, maar ik heb hem gevraagd om vast rond te kijken.' Dit was niet bepaald de wending waarop ik had gehoopt, maar gelukkig ging het nu nog maar over een van hen en seks.

'En denk je dat hij dat zal doen?' Mijn vader heeft voorzover ik weet maar met twee vrouwen geslapen, mijn moeder en Cheryl. Goed, dat waren zusters, maar dat doet er niet toe. 'Ik bedoel, oude honden leren pootjes geven?'

'Ik hoop het. Zoals ik al zei, hij is erg viriel, en een man voelt zich nu eenmaal graag potent.' Gadverdamme. 'Maak je geen zorgen, schat, ik heb wat geld voor hem opzijgezet als aanvulling op zijn pensioen, en hij mag zo lang als hij wil in het gastenverblijf boven de garage blijven wonen, voor altijd desnoods. Zijn drankgebruik is onder controle en hij heeft, God zegene hem, waarschijnlijk nog maar een tiental goede jaren te leven voordat zijn hart zich bewust wordt hoeveel drank en nicotine het door zijn lichaam heeft gepompt. Ik wil alleen maar dat hij gelukkig is.'

'Dus geen scheiding?'

'O nee, geen sprake van.' Ik ging wat meer op mijn gemak zitten. Ze deden maar wat ze niet laten konden, als ze van mij maar geen bastaard maakten. 'Ik houd van hem. Ik wil met hem getrouwd blijven. Maar ik wil niet langer de slaaf zijn van zijn behoeften. Ik wil reizen, mensen ontvangen, een leesclubje beginnen. Hij is zo weinig sociaal, hij heeft lang genoeg de wereld buitengesloten.' Er klonk geen spoor van bitterheid in haar stem. 'Soms kunnen we ervoor kiezen het onmogelijke te doen.'

'Dat schijnt.'

'We kunnen liefhebben en leven tegelijk.'

'Wie weet.' We zwegen, en ik dacht na over wat zij me probeerde te vertellen. Na een poosje haalde een licht gesnurk me uit mijn gepeins, en ik ging naar bed, liet haar op de bank liggen, waar ze al jaren sliep.

Net wanneer ik thuis op de bank wat lig te knikkebollen en te mijmeren over wat ik van dat niet-scheiden vind, klinkt er uit de babykamer een schreeuw van Max. Ik kijk op mijn horloge, hij heeft pas een halfuur geslapen, en we hoeven nog lang niet naar onze speelafspraak. Ik loop naar zijn kamer, zo te zien is er niets aan de hand, hij zit rechtop in zijn bedje en jammert monotoon en zonder tranen. Wanneer ik hem wil oppakken, gooit hij zich achterover op de matras, roffelend met zijn hielen. Zijn ogen zijn wijdopen, maar hij is niet wakker. Ik heb het niet meer, maar dat mag ik niet laten merken. Hij rolt op zijn buik en ik krabbel over zijn rug totdat hij ontspant en in een diepe slaap valt. Ik wacht een minuut of vijf om zeker te zijn dat hij echt vertrokken is, en dan ren ik naar de computer en tik 'baby schreeuw slaap' in bij Google. Even later ben ik verzeild op een plek die ik nog meer vrees dan de peutergym – een babbelbox voor thuisblijfmoeders. Na een paar keer op landmijnen als 'hoe ga ik verveling te lijf' en 'ik ben jaloers op mijn werkende vriendinnen' te zijn getrapt, vind ik wat ik zoek.

Het is mogelijk dat Max nachtmerries heeft, iets wat voor de ouders veel angstaanjagender is dan voor het kind. Ik moet precies doen wat ik heb gedaan. Dus afwachten of het weer gebeurt. Nadat mijn paniek een beetje is weggeëbd, doe ik iets onvoorstelbaars: ik klik op de babbelbox over verveling. Allerlei nuttige suggesties, zoals: schrijf een boek. Dat is nog eens een goed idee. Of doe wat yoga terwijl de baby slaapt, of begin aan een plakboek over de baby dat hij/zij dan kan afmaken als hij/zij ouder is. Goed idee, noteren. Maar die moeders zeggen niet dat de verveling het grootst is wanneer de baby wakker is. 's Morgens wanneer ik wakker word, vraag ik me vaak wanhopig af hoe ik de dag door moet komen. Maar voordat ik het weet is het alweer avond en is de dag omgevlogen.

De telefoon gaat, maar ik laat het antwoordapparaat het werk doen, want ik ben intussen verzeild geraakt in een babbelbox over beginnen met zelf eten.

'Ha kind, met pa. Hmm. Hallo, Jennifer, met je vader. Ik bel om...'

'Hai pa, hoe staat het?' Mijn vader belt nooit. Ik ga nerveus rechterop zitten, verwacht half en half slecht nieuws.

'Alles kits, en bij jou?'

'Prima. En hoe is het verder met iedereen? Ook alles oké?' Ik probeer mijn bezorgdheid niet te laten merken, te doen alsof het doodgewoon is dat hij belt. Maar dat is het niet, en hij weet dat net zo goed als ik.

'Ja, alles prima hier. Ik bel alleen maar om hallo te zeggen en te horen hoe het met jou is. We zijn vorige week niet helemaal aan praten toegekomen.' Helemaal niet, bedoel je. Slechte Jenny.

'Ik weet het, sorry, het was zo kort, en we moesten naar Vera, en, nou ja, nu Thom er niet is, is het moeilijk om een momentje rust te vinden. En jij ging zo vroeg naar bed. Dus, ja, hier is alles kits. Dank je. En heb jij verder nog nieuws?' Anders dan zoeken naar een nieuwe vrouw.

'Je zult het wel niet gezien hebben, maar ik ben wat afgevallen. Debbie van de polikliniek heeft me op een vermageringspil gezet en het lijkt te werken.' Mijn vader heeft een negenmaands bierbuik. Of beter gezegd, biertafel, zoals wij het noemen, omdat hij zijn bierglas erop zet wanneer hij tv-kijkt.

'Wauw, pa, dat is geweldig. Maar weet je zeker dat dat kan in combinatie met je bloeddrukpillen en je cholesterolpillen? En met wat je verder zoal slikt?'

'Jawel, dat wordt gecontroleerd. Maar ik ben al vijf pond kwijt en ik zat juist een knoop te naaien aan een overhemd dat ik al een paar jaar niet meer heb gedragen omdat het te strak zat, en ik denk, nog even en ik kan het weer aan. Ik voel me geweldig.' Ik hoor het wieltje van zijn aansteker, en dan een gretige hijs. Er bekruipt me een moedeloos gevoel.

'En stoppen met roken, is dat de volgende stap?' We lachen allebei geforceerd bij dit refrein.

'Niet alles tegelijk, kind, dat komt nog. En nu we het er toch over hebben, ik moet je iets vertellen.' Hij neemt een lange luidruchtige haal van zijn sigaret en ik luister hoe hij de rook weer uitblaast.

'Ja?'

'Nou ja. Ik weet dat ik een heleboel dingen heb gemist. Toen jij klein was. Je weet wel. Toneel, concerten. Van die dingen. Wanneer ik weer op pad was. En weet ik veel.'

'Eh...' Ik krijg kippenvel, voel waar dit heen gaat, maar weiger om hem te helpen of te troosten totdat hij het zelf uitspreekt.

'Nou ja, ik. Hmm.' Hij schraapt zijn keel, neemt nog een hijs. 'Ik denk dat het moeilijk voor je is geweest. Maar ik wil dat je weet dat het voor mij ook moeilijk was.' Moeilijk voor hem om aan de bar te zitten terwijl ik stond te wachten om opgehaald te worden van een klasje dat hij volkomen was vergeten? Moeilijk voor hem om op avonden dat hij wel thuis was al voor het nieuws in slaap te vallen, met een hele trits lege bierflessen naast zijn stoel? Moeilijk voor hem om mij in een sneeuwstorm stomdronken naar huis te rijden, zonder de stille tranen te zien waarin ik bijna stikte van angst dat het dit keer onze dood zou worden?

'Wat bedoel je precies met moeilijk?' Mijn stem breekt onder de stortvloed van zorgvuldig weggestopte herinneringen, terwijl ik hem dwing om nog verder uit de kast te komen.

'Het spijt me, kind. Het spijt me. Ik wou dat ik een betere vader was geweest. Ik wou dat ik terug kon gaan in de tijd en jou zien in *Oklahoma*. Je dacht zeker dat ik niet eens meer wist welke voorstelling ik had gemist? Dat weet ik wel, en het spijt me. Hoorde dat je echt goed was.' Zijn stem slaat over.

'Eh, weet je, ik...' Verder kom ik niet, mijn keel zit dichtgeknepen.

'Zeg maar niets, Jenny, het is allemaal mijn schuld. Ik had niet moeten drinken. Ik heb geen excuus. Ik wil je alleen laten weten dat je heel belangrijk voor me bent en toen ook was. Ook al wekte ik niet bepaald die indruk.' Hij neemt nog een hijs, en ik zie voor me hoe de rook tegelijk uit zijn neus en zijn mond komt, zoals altijd. 'Dus, maatjes?'

'Hmm, ja, ik denk het.' Er klinkt een kreet van Max uit de andere kamer. 'Pa, ik moet Max uit bed halen. Oké? Kunnen we op een ander moment verder praten?'

'Goed, kind. Je weet me te vinden. Boven de garage!' Zijn luchtige kant is weer terug. 'Ik houd van je, kind.'

'Ik houd ook van jou, pa. En ik ben echt blij dat je je goed voelt.'

'Ik denk dat mijn vader naar de AA gaat,' vertel ik aan Sven en Penny, wanneer we de kinderen loslaten in de peutergym. Eigenlijk is het hier helemaal niet zo erg, meest matten en zachte dingen om op te klimmen: een plastic speelhuis, een paar glijbaantjes. In de hoek is een heel lage, heel echte evenwichtsbalk, voor toekomstige circusartiestjes.

'Het werd tijd!' schreeuwt Penny bijna. 'Fantastisch!'

'Waarom denk je dat?' vraagt Sven.

'Nou, hij heeft daarstraks stap negen gezet. Spijt betuigd. Bekend.'

'Hé, herinner je je nog die keer dat jij mij stap negen liet zetten?' vraagt Penny, terwijl ze Mikhail helpt met ballen terugleggen in een van de kleine boxen. Zo te zien zijn ze pas gewassen, het is hier niet half zo vies als ik had gedacht.

'Dat vergeet ik nooit. Jij zorgde ervoor dat ik mijn baantje bij de Limelight kwijtraakte, dook met mijn vriendje de koffer in, stal vijfhonderd dollar uit mijn appartement en gaf mijn kat geen eten toen ik een week weg was en jij hem zou voeren. Ben ik nog iets vergeten wat je nu graag zou delen?' Ik zie Max bij de deur van het speelhuis. Open. Dicht. Open. Dicht.

'Krankzinnige tijden waren dat.' Penny schudt haar hoofd, onder de indruk van haar eigen slechtheid. 'Ik snap niet hoe je me dat ooit hebt kunnen vergeven. Maar goed, je vader, niet te geloven. Het zal zijn leven veranderen, weet je. Wanneer is hij gestopt met drinken?'

'Niet.'

'Zeker weten?'

'Heb hem op kerstavond nog een glaasje advocaat zien lepelen.' Ik heb allang spijt dat ik hierover ben begonnen, probeer de aandacht af te leiden. 'Dat meisje daar in het speelhuis lijkt me wel erg groot voor peutergym.'

'Een jaar of veertien, denk ik,' zegt Sven, 'ik meen dat ik een behabandje zie.'

'Misschien doet hij het inderdaad, maar als afleidingsmanoeuvre. Sommige mensen doen dat om stiekem toch te kunnen blijven drinken. Wedden dat jouw vader er zo een is.' Penny rent achter Mikhail aan en zet hem op de evenwichtsbalk.

'Ik snap niet waarom je met haar bevriend bent,' fluistert Sven. 'Wat een stuk vergif.'

'Soms wel, daarom doseer ik haar laag.' Ik demp ook mijn stem. 'Het zit zo. Lang geleden heb ik haar van een overdosis gered en ik voel me verantwoordelijk, zoiets als haar beschermengel. En ze heeft een groot hart, ze denkt alleen niet na voor ze iets zegt. Daar wen je aan.'

'Weet je zeker dat je dit gedrag niet zelf uitlokt?' Hij is iets te kort in mijn leven om mij dit soort retorisch advies te mogen geven, maar ik vind zijn bezorgdheid wel heerlijk.

'Laat mij maar begaan, lieve,' zeg ik, zijn hand pakkend. 'Ik vind het leuk om met iemand van vroeger om te gaan, het herinnert me aan waar ik vandaan kom. Bovendien lijkt haar kind net een Howdy Doody-poppetje, straf genoeg, dunkt me.' Max probeert de deur dicht te doen, maar het 'grote' meisje – ze heet Violet en haar vader neemt het geheel op video op – duwt hem vanaf de andere kant op zijn achterste. Ik loop erheen en grijp in.

'Vooruit, Max, laat Violet nu even alleen met het huis en kom met Lily spelen.' Ik neem hem bij de hand en zie dat Violets vader me een blik toewerpt. 'Is er iets?'

'Violet hoeft het huis niet voor zich alleen te hebben, ze kan er samen met Max in, nietwaar Vi? Vi? Kom eens terug...' Het kind staat bij de voordeur en gilt over haar schouder: 'Ik ga bowlen.' Ik zou hem kunnen vragen waarom ze niet bij de grotere kinderen op gym zit, maar hij is al achter haar aan, volgt haar via het schermpje van zijn camera. Hij denkt waarschijnlijk dat ze kleiner is, omdat ze op dat schermpje nog geen vijf centimeter groot is.

Lily komt ook naar het speelhuis en Max en zij kruipen er samen in. Sven en ik leunen tegen de muur en andere ouders kijken toe.

'Hé, daar heb je Joan Lunden met haar tweeling.' Ik stoot hem aan. 'Met echtgenoot en nanny.'

'Zeg maar gerust surrogaatmoeder. Werkt er dan niemand meer in deze stad?' vraagt Sven, alsof we net even pauze hebben van de beursvloer. 'En jij, hoe staat het met Dante?'

'Hannibal. Goed. Nog steeds dood. Wacht nog steeds tot ik hem tot leven roep, en voor hem doe wat die vent voor Da Vinci heeft gedaan. Laten we zo zeggen, ik heb een heleboel potloden gebroken.' Graag over iets anders. Want ik ben dan wel talloze malen naar de bibliotheek geweest, maar ik heb nog geen letter op papier gezet, en ben er ook nog lang niet aan toe om dat aan wie dan ook te bekennen. 'Twee uur, ontdooiing gaande.' Inderdaad. Violet is terug, gevolgd door de camera, en wil de voetbal niet delen met Mikhail. Dit kan leuk worden. We buigen wat naar voren wanneer Penny op de vader afstapt.

'Zeg, hoe oud is dat kind van jou eigenlijk?' zegt Penny, en ze slaat het schermpje plat tegen zijn camera. Hij stapt met een schok achteruit, verwachtte kennelijk niet dat haar hoofd levensgroot zou zijn.

'Geef, ik wil met Samantha spelen!' Violet rukt de bal uit Mikhails handen, en hij belandt op zijn achterste.

'Mmm, ze is net zevenendertig maanden. Geef de bal aan de baby, Vi, goed zo.' Hij pakt hem van haar af en zij gooit zich op de mat, wild om zich heen maaiend.

'Luister even, baas,' Penny laat haar stem zakken, 'misschien kun je die verlegen Violet van je beter meenemen naar de afdeling voor kinderen van drie. Deze hier is voor peuters, oftewel kleintjes die net leren lopen.'

'Wauw, hoorde je hoe ze "baas" zei?' zegt Sven.

'Ja, daarom trek ik met haar op. Om dat ongebreidelde van haar.' Violets vader, een kop groter dan Penny, tilt gauw zijn dochter op en loopt met haar het lokaal uit, doet zachtjes de deur achter zich dicht. Sven gaat achter Lily aan naar een grote stapel schuimrubber blokken, laat mijn flank onbeschermd tegen ongewenst mamacontact.

'Hai, ik ben Kate, hoe oud is jouw zoon?' vraagt een knappe brunette.

'Zestien maanden,' antwoord ik kort, in de hoop haar door mijn gebrek aan manieren duidelijk te maken dat ik niet in ben voor een speelafspraakje.

'Wauw, wat is hij groot. Jax is al negentien maanden en hij is toch een stuk kleiner. Maar daardoor is hij wel sneller. Hij liep al vroeg, maar praten dat wil nog niet echt. En nu ben ik weer zwanger, dus hij zal wel merken dat er het een en ander gaat veranderen. Ik ben Kate. Of zei ik dat al? Stom.' Ze is echt schattig om te zien, fijngebouwd en blank als sneeuw. Met haar rode sweater met capuchon ziet ze eruit als een schoolmeisje, zelfs met de lichte bolling onder de zakken.

'Ik ben Jen. En dat is Max. Twee kinderen is echt prima te doen. Maak je geen zorgen. Hoe heet hij ook weer? Jackson?'

'O nee, Jax, J-A-X. Ik wilde hem Max noemen – leuke naam – maar mijn man wilde Jack, dus dit was het compromis. Het heeft wel iets origineels, vind ik. Dus jij zit ook thuis?' Ik knik. 'Ik denk dat het komt doordat ik thuiszit dat Jax nog niet echt praat – voorzichtig, schatje, zal mama even helpen?' Ze is voortdurend in beweging, zelfs als ze stilstaat. 'Ik anticipeer altijd op alles, daardoor heeft hij niet geleerd om ergens om te vragen. Wat vind jij daarvan. Anticiperen?'

'Nou ja, Max...'

'Ik weet wat je wilt zeggen, Max praat ook niet, dus maak je geen zorgen, maar dat doe ik wel. Ik maak me echt zorgen. Wat zal Jax doen wanneer zijn zusje geboren is. Wat gaat er aan preverbaal vooraf? Hoe kan ik ervoor zorgen dat ze allebei alles krijgen wat ze nodig hebben? Kom eens, schat, laat die ladder maar, dan help ik je bij de glijbaan...' Zij gaat Jax helpen en ik ga met Max de andere kant op en geef Sven een stevige por.

'Hé, waaraan heb ik die verdiend?' roept hij uit.

'Had ik niet gezegd dat je niet van mijn zijde mocht wijken? Supermama heeft me bijna een paniekaanval bezorgd.' Max en Lily gooien schuimblokken naar elkaar.

'Hoezo, wat is er mis met haar?'

'Ze is gestoord, dat is er mis. Ze is hem in alles voor, geeft hem geen enkele ruimte. Noemt hem Jax.' Ik weet niet waarom ik die volslagen onschuldige vrouw zo verafschuw.

'Jax? Vind ik wel leuk. Klinkt gay. Ja, geinig.' Hij gooit een bal naar Lily, zij rolt hem naar Max, die kijkt ernaar.

'Dacht ik al. Jij zou haar waarschijnlijk ook leuk vinden.' Ik raap de bal op, mik hem naar Sven. 'Volgens mij verstikt ze dat kind.'

'Zou jij moeten weten, niet?' Natuurlijk maakt hij een grapje, maar dan dringt het ineens tot me door. Ik verafschuw niet haar, maar mezelf. Au.

'Denk van wel,' zeg ik. Hij mikt de bal naar mij, mijn armen hangen slap langs mijn lichaam, de bal ketst af op mijn borst.

'Kop op, joh, niet zo hard zijn voor jezelf. Je doet alsof Georgia een of ander vreselijk syndroom opgeplakt heeft gekregen. Wanneer komt Thom terug?' We zitten op een stapel matten en kijken hoe Penny probeert de kinderen een voor een te laten kopjeduikelen.

'Die is niet terug. Dat wil zeggen, hij was er eerste kerstdag, maar moest de volgende morgen meteen weer weg. Vind je dat ik onhebbelijk tegen haar was? Soms wilde ik dat hij helemaal niet terugkwam. Vreselijk, de gedachte dat hij voortdurend in het vliegtuig zit. Het zorgt ook voor onrust, van hem mogen de kinderen doen waar ze zin in hebben. Hij heeft voor Georgia een iPod gekocht, nota bene!' Ik kijk in de richting van Kate en Jax, en zij wendt haar hoofd af.

'En hoe was het met de Koningin van de Nacht?'

'O, Vera? Ze zou heel wat gezelliger zijn als ze dronk. Nadat ze Thom had bijgepraat over Gina, hoe succesvol ze is – ze is vorige maand partner geworden op haar kantoor – ging ze door met nieuwtjes vertellen over alle ex-vriendinnetjes die ze maar kon bedenken. Het ergste is dat hij haar liet begaan.' Sven klopt me op mijn knie. 'Zullen we gaan? Ik heb genoeg lol gehad voor vandaag.'

We nemen de kinderen mee naar de garderobe en terwijl we bezig zijn onze jassen aan te trekken en de kinderen warm in te pakken, neemt Penny me even ter zijde.

'Stond jij met Kate te praten? Ze is best eng, vind je niet? Ik vond het rot voor haar, ze leek zo eenzaam, alsof ze wel wat vrienden kan gebruiken.'

'Daar zeg je iets, wacht even, ik ben zo terug.' Ik loop de gymzaal weer binnen en nodig Kate en Jax uit om mee te gaan chocolademelk drinken bij City Bakery. Ze barst bijna in tranen uit, zo blij is ze dat ze iets gezelligs te doen heeft, en grote mensen om mee te praten. Ik weet precies hoe zij zich voelt.

Hoofdstuk Achtentwintig

Soms probeer ik me voor te stellen hoe het zou zijn om nog een kind te krijgen. Max begint er ineens uit te zien als een klein jongetje, en ik mis nu al dat heel kleine. Laten we hopen dat deze dwaze stemming van voorbijgaande aard is. Bij de laatste bevalling heb ik de kans gekregen om mijn eileiders te laten dichtbinden. Ze vroegen het pas toen Max eruit was – 'zeg, nu we hier toch bezig zijn' – en ik was duidelijk niet in een toestand om over mijn toekomstige vruchtbaarheid na te denken, dus zei ik nee, simpelweg nee. Maar was het zo simpel? Natuurlijk niet. Ik heb altijd twee kinderen gewild, en vind dat ik reuze bof met van elk een, en niet dat gevoel heb van moeten doorgaan... maar... ergens hangt er altijd dat 'maar'.

We hebben besproken of Thom zich zou laten steriliseren. Het is waar, de pil heeft vrouwen vrijheid gegeven, op vele punten, maar waar is ook dat daarmee onze gezondheid in het geding kan komen, op een wijze waar mannen nooit bij stil hoeven te staan. Is de kans op een beroerte groter? Kom ik vijf kilo aan? Verdwijnt mijn acne dan eindelijk? Zijn mijn eitjes niet meer vers? Word ik er gedurende een paar dagen per maand een volslagen idioot door? Ik ben ooit aan de 'minipil' gegaan en werd er zo suïcidaal van dat ik tegen de dokter heb gezegd dat ik hem zou vermoorden als hij hem niet meteen stopzette. Als het nut van de pil slikken is voorkomen dat je zwanger wordt, en een van de bijwerkingen is mannenhaat, dan werkt het perfect. Hoe dan ook, ik ben meer dan tien jaar aan de pil geweest, zonder enig probleem. Maar nu wil ik hem niet langer als anticonceptiemiddel, en ik wil ook niet dat Thom zich laat steriliseren.

Hoewel ik me dat destijds niet realiseerde, was zwanger zijn van Georgia de gelukkigste tijd van mijn leven. Ik vaar echt wel bij hoge doses oestrogenen. Mijn haar was dik en glanzend, mijn huid stralend. Ik verkeerde in een voortdurende staat van gelukzaligheid, mijn gewoonlijk scherpe kantjes waren afgestompt tot boterzachte warmte. Penny sprak zelfs een tijdlang niet meer tegen me; ze kon geen kant op met mijn totale gebrek aan sarcasme. Toen ik Max verwachtte, heb ik met volle teugen genoten van die roze wolk waarop ik dreef. Georgia was mijn immer aanwezige maatje, en samen lagen we elke dag opgerold op de bank boekjes te lezen of te kleuren. We waren zo onafscheidelijk dat ik soms het gevoel had dat ik haar had verzonnen, en dat alleen ik haar kon zien. Ik anticipeerde op elke behoefte van haar. Ze huilde nooit, had nooit een driftbui. Vroeg nooit om iets wat ze niet mocht hebben. We waren volmaakt tevreden met elkaar, het was een prachtige symbiose van wederzijdse afhankelijkheid. Grenzend aan het parasitaire, dat wel, maar die lijn werd niet overschreden dankzij het feit dat mijn groeiende buik naar een andere toekomst verwees.

Het grappige is dat er met de komst van Max niet veel is veranderd tussen Georgia en mij. Ze heeft onze belofte 'dit is ook jouw baby' zeer serieus opgevat. Ze gedroeg zich meer als een kind van vier dan van drie nadat hij geboren was, en ze zag zichzelf als zijn tweede mammie. Thom was elke week een paar dagen weg, en hoewel Cheryl en Vera me zo veel mogelijk bijstonden, realiseerde ik me dat ik misschien iets te veel op Georgia steunde, en in dat proces vergat dat zij ook nog maar een kind was.

Het was ergens rond haar vierde verjaardag dat Georgia voor het eerst een paniekaanval had. Cheryl nam haar voor een weekendje mee en op zaterdagmiddag stonden ze alweer op de stoep vanwege Georgia's vreemde gedrag. Niet dat ze schreeuwde; ze zat stilletjes bij het raam en de tranen biggelden over haar wangen. Cheryl probeerde haar uit die angsttoestand te krijgen, liet haar koekjes bakken voor mij en voor Max, liet haar spelen met haar nieuwe papieren aankleedpoppetjes, maar de tranen bleven stromen, zelfs wanneer Georgia af en toe door haar tranen heen probeerde te glimlachen. Uiteindelijk vroeg Cheryl haar wat er was, en Georgia fluisterde de eerste en enige woorden van die dag: 'Ze is weg.' Cheryl herkende de signalen en drong erop aan dat ik met Georgia naar de dokter zou gaan. Ik deed het niet. Het gebeurde een tweede keer toen ze met Thom in het park was. Weer deed ik niets. De waarheid is dat ik, wanneer zij weg was, ook alsmaar huilde, en toegeven dat er iets mis was met haar, betekende toegeven dat er iets mis was met mij. Maar op een dag, in de spreekkamer van mijn gynaecoloog, drong eindelijk tot me door hoe ver deze antiverlatingscampagne was gegaan, toen Georgies hoofd opdook tussen mijn gespreide benen en ze zei: 'Mama, mooi, roze.'

Ik ging met haar naar de kinderarts, en hij bevestigde Cheryls diagnose van panieksymptomen die voortkomen uit een intense verlatingsangst, en verwees ons naar een neuropsycholoog aan de universiteit van Columbia, Lillian Moore, die gespecialiseerd is in het niet-medicamenteus behandelen van jonge kinderen. Georgia reageerde fantastisch op de behandeling, met mij ging het wat minder, maar nu zijn we allebei redelijk genezen en we gaan alleen nog om de zes maanden voor controle naar Lillian.

Nog een wonder dat we ze niet helemaal naar de mallemoer helpen, we modderen tenslotte maar wat aan, met alleen ons eigen kompas om op te varen. Max is even afhankelijk van mij als Georgie was, en soms ben ik bang dat ik hem als een boemerang heb gedreven in de richting van vroegtijdig loslaten. Maar daar staat tegenover dat hij nou niet bepaald vroeg kroop. Wanneer ik soms eens rustig nadenk over wat ik goed doe en wat verkeerd, dan raken de twee kanten van mijn lieve tweetal verstrikt in een knoop die ik niet kan ontwarren. Zolang die eileiders open zijn, is er nog hoop, en misschien moet ik het nog een kans geven, en het dit keer goed doen. Er zijn, maar niet verstikken. Voeden, maar niet overvoeren. Koesteren, maar niet verpesten. Cheryl zegt dat zij de slag pas te pakken had bij Andy. Maar tel ik dan niet mee in haar viertal? Als ze het pas goed deed bij Andy, wat zegt dat dan over mij, nummer drie in de rij? Toen ik haar een keer vroeg hoe ik was als kind, zuchtte ze en zei: 'Ach, ik weet niet precies. Jij bent tussen wal en schip gevallen, er gebeurde zoveel, en jij... Maar ik kan je wel vertellen dat je snoezig was om te zien en dat we heel veel van je hielden.'

Hoofdstuk Negenentwintig

Ik struikel het appartement binnen, rijd Max in zijn kar naar zijn slaapkamer – laat hem ingepakt en te warm in zijn buggy liggen – trek mijn schoenen uit en plof neer op de bank. Georgia logeert een nachtje bij Ella, en ik kijk tegen het droeve vooruitzicht aan van macaroni met kaas, Nemo en een paracetamolsup. Max krijgt zes tanden tegelijk, en hij slaapt alleen de hele nacht door met behulp van een, gelukkig niet-verslavende, pijnstiller. Ik had hem al maanden geleden op die dingen moeten zetten. Vandaag was ik van plan met hem naar de kapper te gaan, maar in plaats daarvan zijn we van hot naar her gevlogen om de juiste spulletjes te vinden voor Georgia's verjaarstraktatie, voor elk kind een zakje met frutsels en tutsels. Nog maar een week, dan is de grote dag, en ik heb het gevoel dat ik er absoluut niet klaar voor ben. Toen ze in september haar partijtje plande, heeft ze niet bedacht dat ze hartje winter jarig is. We hebben een ruimte bij Chelsea Piers afgehuurd, in plaats van picknicken in Central Park, en maar goed ook, nu er tien centimeter sneeuw ligt. Ze is helemaal opgewonden over deze nieuwe vorm van trakteren, iets wat ik nog nooit had meegemaakt totdat kinderen van deze school hun intrede in ons leven deden. Wat we tot nu toe binnen hebben:

Matinka Sullivan: Twee minipoppetjes met stepje, ahornsuikersnoepjes in de vorm van een 'G', en handgebreide kasjmieren wantjes.

Emma (Shapiro): Een doos Payard-chocolaatjes, een presse-papier in de vorm van een 'G', en een heerlijk retroroze doosje met kindermake-up.

Emma (Jones): Bij elkaar passende moeder/dochter Kate Spadehandtasjes, een opvouwbaar parapluutje bedrukt met 'G's, en een flesje Tommy Girl-parfum.

Donavan Reilly: Een schaal 1 : 64 terreinautootje, merk Hummer, met afstandsbediening, en een kinderboek over Donavan, geschreven en geïllustreerd door zijn moeder. Zo te zien heeft zij ze ook zelf gedrukt en ingebonden.

De lat ligt hoog, en ik dank de hemel dat Chloë's verjaardag pas een maand na die van Georgia is. We hebben de uitnodiging al binnen, ergens in een zaak die American Girl Place heet. Iets met verantwoorde poppen en high tea, gevolgd door een minimusical, opgedragen aan Chloë, in het American Girl Theatre. Chloë's paps heeft het ver geschopt in de telecomsector of zo, en heeft veel invloed in de stad. Zijn foto staat regelmatig in het economische katern van de krant, dat gewoonlijk ongelezen eindigt in Peeves kattenbak. Hillary heeft me sinds nieuwjaar al drie keer gebeld om een eetafspraak te maken – het wil maar niet tot haar doordringen dat Thom niet in het land is, hoe vaak ik het ook zeg. En op mijn voorstel om dan maar samen te lunchen, zonder onze mannen, heeft ze niet gereageerd.

Net wanneer ik wegdommel in een hazenslaapje zie ik het rode lichtje van de telefoon knipperen. Er zijn vier berichten. Vier meer dan anders. Ik druk op play.

'Hai Jen, met Kate. Hoe is het? Dank je nog voor laatst. Het was echt heerlijk om er even uit te zijn en te praten met andere moeders. Ik hoop dat ik niet al te zot heb gedaan. En dat je, mmm... Kunnen we wat afspreken?'

'Oké Kate, prima, maar je zult nog een keer moeten bellen, ik heb je nummer niet,' zeg ik tegen de lege kamer. Ik druk op delete, play.

'Hai schat, met mij. Ik mis je. Hoi Georgie, hoi Maxabillion! Jen, bel me vanavond. Ik moet met je over volgende week praten. We zijn tegen een probleem aangelopen, maar ik kom zo gauw mogelijk naar huis.' Ik tik op replay. 'Hai schat, met mij...' tik op vooruit '... over volgende week...'tik weer 'Ik kom zo gauw...' terug, play '... zo gauw mogelijk.' Dol. Niet thuis op Georgia's verjaardag. Dat is verdomme echt te dol. Ik tik op delete, play.

'JP, met mij. Heeft even geduurd, zullen we eten?' Replay. 'JP, met mij...' wat is dat toch met kerels, altijd 'met mij' alsof je geen andere 'mij's' kent. '... even geduurd, zullen we eten.' Charmant als altijd, en zo verbaal. Play.

'Jennifer? Ik hoop dat ik het juiste nummer heb. Met Christy. Je bent toch niet verhuisd?' Ik ga rechterop zitten. 'Lijkt me gezellig om te gaan lunchen en bij te praten. Ik heb misschien iets interessants voor je. Morgen bij Takashimaya, twaalf uur precies. Niet terugbellen, zorg dat je er bent.' Terugspoelen, play: 'iets interessants voor je'. Terugspoelen, play: 'voor je'.

Ik kijk naar het notitieblok en probeer te bedenken in welke volgorde ik zal terugbellen. Het is rond vijf uur, dan is het dus bijna vijf uur 's ochtends in Singapore. Hij had me mobiel kunnen bellen, de lafaard. Laat ons verdomme gewoon barsten volgende week. Hij zou woensdag terugkomen en tot maandag blijven, en dan op 1 februari definitief naar huis komen. De telefoon gaat, ik laat het antwoordapparaat het werk doen, neem me voor Christy later te bellen.

'Hallo? Jennifer, met Kate, ik vergat...'

'Hai Kate, hoe is het?' Al krabbelend streep ik haar naam van het lijstje.

'Hai, o, hai. Ik vergat mijn nummer te geven. Sorry.'

'Weet ik, geen probleem. We zijn net terug van een rondje shoppen...' De zak.

'O, slecht moment dus. Zal ik straks bellen?' Haar stem slaat over bij 'straks', en dan hoor ik haar zachtjes snotteren.

'Kate, wat is er?'

'Niks. Nee. Ja. Niks. Echt niet.' Haar stem klinkt schril, ze doet zo haar best om niet te huilen.

'Kom je soms een hapje eten? Ik ben alleen thuis met Max en Nemo. Zou gezellig zijn.' Ja, en het zou mij ervan weerhouden om mijn kop tegen het beton te rammen van ellende, omdat ik voor de honderdste keer naar die stomme clownvis moet kijken. Het is de enige video die Max wil zien. Had ik maar een geheugen als een zeef.

'Ach, wat jammer nou. Kyle verwacht over een uur zijn avondeten, en Jax is panisch bang voor Nemo.' Op de achtergrond hoor ik Jax 'NIET NEMO!' schreeuwen, en Kate die hem troost. 'Sorry, ik was vergeten dat we N-e-m-o niet hardop mogen zeggen. Maar hij praat tenminste, dat wel. En Kyle, hij werkt zo hard om te zorgen dat ik kan thuisblijven, dan mag hij toch op zijn minst een warm maal verwachten aan het eind van de dag. En ik moet opruimen. Het is een bende, begrijp niet...' Nu snikt ze echt.

'Oké, rustig, rustig. Wil je praten? Max slaapt, ik heb minstens een kwartier, dus...?' Ik trek mijn benen onder me en leg mijn hoofd tegen de armleuning van de bank. Het is koud en winderig buiten en warm en bedompt hierbinnen. Het verschil in temperatuur heeft me slaperig gemaakt. Wat zou ik graag een dutje doen. Het blijft even stil aan de andere kant van de lijn. Ik wacht, geef Kate de tijd om haar kalmte te hervinden, en te besluiten hoeveel van haar innerlijke wereld ze wil prijsgeven. Ik hoor Baby Shakespeare-muziek op de achtergrond.

'Ik kan het niet nog eens,' is alles wat ze zegt.

'Wat niet?' mompel ik, en hoewel dat alleen maar is omdat ik de fut niet heb om luider te spreken, is het neveneffect dat het haar kalmeert.

'Een bevalling.'

'O, en nu?' Ik herinner me een opmerking uit Cheryls boek: bied niet veel woorden, wel veel medeleven.

'Ik weet dat het een beetje laat is om daarmee aan te komen, maar ik ben nog geen vier maanden, technisch gezien op een derde, ja toch? Ik bedoel, ze tellen er altijd een week bij op. Het is nog niet eens echt een foetus.' Kates stem klinkt nu scherp. Ik ga rechtop zitten, realiseer me ineens waarvoor ze mij het groene licht vraagt.

'Ho even, van het begin af aan, graag. Wilde je niet zwanger worden?'

'Nee, ik bedoel ja, ik wilde wel zwanger worden... ze zeggen dat je het vergeet. Dat zelfs als je het niet vergeet, de hormonen tijdens je volgende zwangerschap je helpen om de moed op te brengen. Maar ik kan het niet, Jen, ik kan het echt niet. En als ik iets aan deze situatie wil doen, dan moet dat nu.' De telefoon gaat, ik negeer het. 'Moet je niet opnemen?'

'Wat opnemen?'

'Ik hoorde dat holle geluid wanneer er een ander telefoontje binnenkomt. Neem maar, misschien is het belangrijk, dit kan wachten.' Kate heeft duidelijk behoefte aan betere raad dan ik kan geven.

'Kate, geeft niet, ze bellen wel weer. Zeker weer een enquête. Ga door.'

'Ik zeg altijd dat ik de oppas ben. Want dat ben ik. Ja, degene die de hele dag met de baby zit.' Ze probeert om haar eigen grap te lachen. 'Ik ben niet gek, weet je. Maar ik moet neerleggen. Kyle kan elk moment thuiskomen en ik moet Jax nog schoonpoetsen.' Het is alsof we bezig zijn aan een aflevering van *Law & Order*, alsof er iets ernstigs zou kunnen gebeuren als ik niet snel ingrijp.

'Ik weet hoe je je voelt.' Een gemeenplaats, maar een begin. 'Wil je vertellen over toen je Jax kreeg? Zou dat helpen?' Met mijn eigen ervaring van twee keer het hele circus rond een keizersnede, denk ik dat zij zich sterker zal voelen als ik eerst naar haar ervaring luister, en haar dan de mijne vertel.

'Ik denk van wel. Waar begin ik? Oké, mijn vliezen breken, er gebeurt tien uur lang helemaal niets, dus leiden ze de bevalling in. Ze gebruiken Cytotec om mijn spaarzame krampjes op te jagen tot echte weeën, en binnen vijf uur lig ik te creperen. Ik smeek om een ruggenprik, ook al had ik liever een natuurlijke bevalling, en ze zeggen dat het infuus eerst een halfuur moet lopen voordat ze die prik geven. Een halfuur later, lig ik, stervend van de pijn, als een garnaal vastgeklemd aan een zuster, terwijl de weeën door me heen blijven razen. Ik vloek nooit, maar toen wel. Ze hebben drie keer moeten prikken voordat ze de goede zenuw te pakken hadden, en ik kan alleen maar zeggen dat ik dacht dat ik doodging.'

'Wauw,' is het enige wat ik kan uitbrengen.

'Ja, wauw, zeg dat wel, maar het wordt nog veel leuker.' Haar woede komt nu in golven los, haar stem trilt een beetje. 'Dus ik maak ze uit voor klootzakken – sorry voor mijn Frans – en de vroedvrouw komt met Demerol, vast een verrukkelijke pijnstiller als je niet elke twee minuten door een stoomwals wordt overreden. Had ik al verteld dat ik op dat moment drie centimeter heb? Hele prestatie, niet? Dus zetten ze me op Pitocin en dan begint de pret pas goed. De Demerol werkt uit, en die naaldenknul komt terug, en dit keer lukt het hem met twee keer prikken. Het ergste hebben we gehad, denk ik, nu alleen nog verder ontsluiten. En dat doe ik, tot negen centimeter in twintig minuten. Eindelijk mag ik persen, denk ik, inkoppen, geen pijn meer, baby komt eruit. Een uur verstrijkt. Dan twee. Na vijf uur persen was Jax' schedel nog niet eens te zien. Ze stellen voor om het infuus langzamer te zetten, zodat ik beter kan "voelen" waar Jax zit. Lijkt een goed idee op dat moment. Wat ze er niet bij vertellen is dat ze het infuus, eenmaal langzamer gezet, niet weer sneller kunnen laten lopen. En toen gebeurde het.' Ze stopt met praten. Ik wacht. Zij zucht. 'Ik wenste hem dood, Jennifer. Ik wenste met alles wat ik in me had, dat hij zou doodgaan, zodat ze hem eruit zouden rukken en de pijn zou stoppen.'

'Maar dat deed hij niet.'

'Nee, dat deed hij niet. Het kostte nog een uur persen, een knip die uitscheurde tot veertien centimeter gerafelde huid – ze hebben echt *alles* moeten reconstrueren – en toen de vacuümextractor om hem eruit te krijgen. Ze legden hem in mijn armen, maar ik kon niet naar hem kijken, ik wilde alleen maar dat ze hem zo snel mogelijk meenamen. Vervolgens wilde een deel van de placenta niet loslaten en moesten ze me ijlings naar de OK rijden. Ik kreeg een Percosetverslaving die maanden heeft geduurd. Mijn dokter vertelde dat Jax in stuitligging lag, maar dat ze dat niet wisten tot hij eruit kwam. Ze zegt ook dat het de volgende keer veel makkelijker zal gaan omdat er al een scheur maatje-Jax in mijn vagina zit.'

'Zei ze dat echt?'

'Niet exact, maar ze is er reuze voor dat ik een keer de bevalling meemaak die ik "verdien," zoals ze zegt.'

'Maar dat wil je niet?'

'Zal ik je mijn verhaal vertellen?' Dit keer lachen we allebei.

'Waarom geen keizersnede? Ik heb er twee gehad, en het valt best mee.' Dat is niet helemaal eerlijk. Zoiets als een vrouw die de Kilimanjaro heeft beklommen vertellen dat ze geen moeite zou hebben met een mierenhoop.

'Kyle zegt dat we ons dat niet kunnen veroorloven. De verzekering betaalt alleen als er een indicatie is. En mijn arts vindt dat er al te veel sectio's worden gedaan. En het is gevaarlijker. Ze is ervan overtuigd dat ik het de volgende keer kan.' Ik voel dat Kate terugkeert naar de gedachte dat ze het kan, dat ze op dit moment geen abortus meer wil. 'Ik voel me stukken beter, Jennifer, dank voor het luisteren, maar Kyle kan nu echt elk moment thuiskomen, dus ik moet heus neerleggen.'

'Luister, Kate, ga voor een keizersnede. Kan niet gevaarlijker zijn dan wat je al hebt meegemaakt. Ik leen je het geld, als je wilt.' Ik heb geen idee waarom ik iemand die ik nog maar pas ken, geld zou lenen. En veel. Ik wil dat ze ja zegt en ook dat ze weigert.

'O, wauw, jemig, nee echt, kan ik niet, Jezus, ik bedoel. Dat is echt geweldig van je, maar dat kan ik niet. Dank voor je aanbod, maar ik red me wel, misschien moet ik in therapie gaan. Ik denk dat ik dit verhaal gewoon kwijt moest. Ik heb niemand ooit verteld wat ik over Jax dacht, ook Kyle niet. Ik heb gedaan wat ik kon om het goed te maken naar dat kleine mannetje toe. Ik weet eigenlijk niet eens waarom ik het jou heb verteld. Aan niemand vertellen, hè? Je bent echt *top*. Oeps, ik moet gaan, geniet van je avond!' Kate klinkt weer als haar gemaakt-vrolijke zelf. Ik leg de telefoon neer en er bekruipt me een gevoel van afschuw. Ik word heen en weer geslingerd tussen de wens haar te redden en de wens om zo veel en zo snel mogelijk afstand van haar te nemen.

Ik leg mijn hoofd tegen de rugleuning van de bank en laat mijn ogen dichtvallen. Vijf minuten maar. Alsjeblieft God, vijf minuten maar. Eigenlijk moet ik nog een was draaien nu ik even de tijd heb, maar dan gaat de telefoon. In een reflex druk ik op opnemen, houd de telefoon tegen mijn oor, zeg hallo.

'Hallo, met mevrouw Thomas Bradley?' vraagt een vrouw, haar stem klinkt ver weg en heeft een licht accent.

'Het spijt me, zij is er niet op het moment,' mompel ik.

'Het is nogal belangrijk, kunt u me zeggen wanneer zij terugkomt?' Een beetje Engels, met een vleugje Aziatisch.

'Hmm, ik ben de oppas, ze kan elk ogenblik terugkomen. Kan ik een boodschap aannemen of vragen of zij terugbelt?' Weer zo een die wat wil verkopen. Waarom nemen ze geen mensen met een minder hoorbaar accent?

'Nee, dat is niet nodig, ik probeer het later weer. Zeg alleen tegen haar dat zij wat vragen moet beantwoorden. Ze weet waarover ik het heb.' Ik probeer rechtop te gaan zitten, geïntrigeerd, maar mijn hoofd is te zwaar.

'Pardon? Wilt u dat nog eens zeggen?' Mijn stem zakt naar zijn normale toonhoogte, de ik-ben-niet-de-oppas-toon.

'Mevrouw Bradley?' vraagt ze nog eens, denkend dat ze me heeft ontmaskerd.

'Nee, dat heb ik u al gezegd, ik ben de oppas. En wat zijn uw vragen?'

'Mevrouw, ik weet niet wat voor spelletje u denkt dat dit is, maar tenzij u zich kunt legitimeren, zijn wij nu uitgepraat.' Oho, ze zei 'mevrouw'. Dit is geen telefoonmarketing, dit is de baas zelf. Maar één manier om dit aan te pakken. Ik leg neer. Toets dan Thoms voorgeprogrammeerde nummer in Singapore. Hij neemt meteen op.

'Hallo?' zegt hij, niet in het minst slaperig voor vijf uur in de ochtend.

'Hai, met mij, er is me net iets zots overkomen...'

'O, hallo, nee, we hebben niets nodig,' zegt hij. Ik hoor een vrouwenstem op de achtergrond, maar kan de woorden niet verstaan. 'Ja, we hebben voldoende vissaus, en zijn heel tevreden. Dank u.' De lijn valt dood. Misschien was het Thom niet. Ik draai opnieuw. Geen gehoor, niet eens het antwoordapparaat.

Ik ga languit op de bank liggen, luister naar de telefoon die overgaat aan de andere kant van de wereld. Uiteindelijk geef ik het op, en ik zak net weg in een verkwikkend dutje, als Max 'A-dah!' schreeuwt. Ik verroer geen vin, trek alleen even mijn linkerooglid op. Hij roept: 'A-dah-dah!' Ik doe of ik niets hoor. Hij heeft pas twintig minuten geslapen, en vanmorgen zijn ochtendslaapje overgeslagen. 'MA-MA!' Dwingend, niet hysterisch. Maar hysterisch is vast de volgende fase. Hij is weer stil. We staan quitte. Ik ben als van lood, en hij is gesponnen suiker, klaar om nog vier uur te tukken. Ik zak weg in een diepe slaap die overgaat in een droomtoestand – ik zit gevangen in een cirkel waaruit ik om de paar seconden wakker word, de telefoon neerleg en naar Max' wagentje loop om te kijken. Maar als ik daar kom, ligt

Jax in de wagen, blauw en koud. Elke keer dat ik in paniek raak, word ik weer 'wakker', en dan herhaalt zich deze verschrikking. Wanneer ik uiteindelijk echt wakker word, is er een uur voorbij, en baad ik in het zweet. Ik ren naar Max' kamer, maar hij ligt zachtjes te snurken, zijn te lange krullen tegen zijn wang geplakt. Vissaus? Heb ik dat telefoontje gedroomd? Ik ben kennelijk uitgeputter dan ik dacht. Ik rol me op de grond op bij het wagentje en kijk naar Max tot hij wakker wordt.

Hoofdstuk Dertig

Voordat ik de eerste keer zwanger werd, had ik eindeloze discussies met vriendinnen over intensiteit, duur en aard van barensweeën. Ik las een handjevol boeken over het onderwerp, volgde Naomi Wolf die waarschuwde voor de medicalisering van bevallen, maar ondertussen haar eigen gedachten erover, die nog veel erger waren dan haar bevallingsverhalen, niet prijsgaf. Ik dacht dat ik wel zo'n beetje alle walgelijke wildwestverhalen over bevallen had gehoord. Ik wikte en woog en besloot dat ik, wanneer het mijn beurt was, zo vroeg mogelijk aan de pijnstillers wilde. Leg me aan het infuus, zei ik, snijd me open als het moet. Bij al die gesprekken was er maar één vrouw die wat ik als een normale pijnloze bevalling beschouwde, had gehad.

Ik wist ook dat ik mijn vriendinnen binnen vierentwintig uur naar hun ervaring moest vragen, want veel vrouwen vergeten liever hoe het was. Cheryl beviel in de tijd dat ze je iets gaven wat ze 'sluimerslaap' noemden – een combinatie van morfine en scopolamine, een ware amnesiecocktail – je aan het bed vastbonden en je lieten hallucineren in je pijn, met de wrede belofte dat je je er niets van zou herinneren. Toen ze van Judy lag te bevallen, dacht Cheryl dat het kind al geboren was, terwijl ze nog niet eens volledige ontsluiting had, en dat de artsen de baby bij haar hadden weggehaald en dat ze die nooit meer zou zien. Ze meent zich te herinneren dat de vrouw in het bed naast haar steeds weer 'Houd op! Houd op! Houd op!' schreeuwde. Al met al kreeg Cheryl nog twee kinderen, en zij beweert dat bevallen het makkelijkste is wat ze ooit heeft gedaan. Niet zo verwonderlijk, gezien het feit dat de ervaring meermalen uit haar brein was gewist. Laatst zei ze zelfs dat ze best draagmoeder zou willen zijn, als ze jonger was en haar baarmoeder nog had.

Toen ik een paar weken zwanger was, bedacht ik dat ik een vroedvrouw wilde, waarom weet ik niet. Ik vond een prachtige praktijk met kamers die wel hotelsuites leken – kingsize bedden, whirlpools, baarstoelen – en een staf van jonge, sterke, intelligente vroedvrouwen. Bij mijn tweede bezoek had ik het gevoel dat ik mijn zwangerschap volledig onder controle had en ik begon me af te vragen hoe het zou zijn om op wilskracht en zelfbeheersing te bevallen. Ik heb brede heupen, zo redeneerde ik, en ik had gehoord dat mijn moeder minder dan tien uur over mij had gedaan, zonder complicaties – dat zij geen pijn had ervaren. Wat een troost is, gezien het feit dat zij een paar weken later overleed na een frontale botsing. Dus in maand zeven besloot ik dat er voor mij geen pijnstillers aan te pas zouden komen, dat het met een combinatie van yoga, massage, en concentreren op het drukpunt moest en kon lukken. Ik had video's gezien, Thom en ik waren samen naar zwangerschapsles geweest, en hadden nu onze eigen 'geboorteraadsvrouwe' die het allemaal langs de normale weg had gedaan – een 'onderwaterbevalling', om precies te zijn.

Maar zoals bekend, liep het toch een beetje anders, en binnen vijf minuten na mijn spoedsectio was mijn oestrogeengehalte zover gezakt dat ik me afvroeg waarom ik mezelf al die pijn had aangedaan, nog afgezien van de onverwachte en doodenge wending die het geheel nam. Tegen alle vrouwen die ik kende zei ik dat ze nooit, maar dan ook nooit zwanger moesten worden.

Een paar jaar en vele glaasjes Mai-Tai later stond ik in dezelfde schoenen als Kate nu – twee maten groter dan normaal, anders kreeg ik mijn opgezette voeten er niet in. Ik was kennelijk mijn eigen uitspraak vergeten. En dit is echt lachen – ik was er weer van overtuigd dat het allemaal natuurlijk zou verlopen. Oestrogeen is een merkwaardige drug; brengt je emotioneel in balans, maakt je wilskrachtig, en scherpt je zintuigen aan tot wolfachtige hoogte. Het zet je ook aan om het onmogelijke te doen, maar schakelt daarbij wel je vermogen uit om onderscheid te maken tussen heroïek en stompzinnigheid. Dit keer was ik gelukkig zo verstandig om het na een paar uur weeën zonder ontsluiting op te geven. Toen ik het geestje zag dwalen heb ik meteen om het mes geroepen. Niet dat een sectio een pretje is, bij lange na niet. Dit keer herstelde ik vrij snel, omdat ik niet was uitgeput door twintig uur weeën, maar er gebeurde toch nog iets vervelends – de incisie wilde niet helen. Dit is niet zo stuitend als het klinkt, maar het was wel verdomd irritant. Ze hebben me twee keer opnieuw dichtgenaaid, en daarna een smerig ruikend zalfje gesmeerd op het laatste stukje, dat er zes maanden over deed om te helen. Een litteken als een scheepskabel is mijn beloning.

Sommige vrouwen zien zwangerschap als een wonder, vinden dat het creëren van een nieuw menselijk wezen uit twee celletjes het toppunt van alchemie is. Volgens mij is het ware wonder het feit dat we de ervaring overleven – en vaak meteen weer de sprong in het duister, die baren is, wagen. Als ik denk aan al mijn vriendinnen die kinderen hebben, en de obstakels die ze op hun pad zijn tegengekomen, dan ben ik elke keer weer diep onder de indruk als ik me realiseer dat velen van die moeders en kinderen vandaag niet in leven zouden zijn als er niet was ingegrepen. Zo ook ik.

Hoofdstuk Eenendertig

De telefoon gaat. Ik kom boven uit een droomloze slaap, kijk op de klok – 10.00 n.m. – en pak de telefoon op.

'Mmm – hallo?'

'Hallo schoonheid, heb ik je wakker gemaakt?' vraagt Thom.

'Ja,' zeg ik, en ik ga zitten, even klaarwakker als ik een minuut tevoren nog vast in slaap was. 'Waar was je? Ik heb de hele nacht geprobeerd je te bereiken.'

'Ik ben aan het werk, schat,' zegt hij, zijn stem helder en vast. 'Luister, ik heb een probleem, ik word geacht vandaag op Georgia's school te zijn – ik bedoel morgenochtend – om een verhaal over het Oude Griekenland te houden.'

'Wat?'

'Ik heb juffrouw Cartwright al in september beloofd dat ik het zou doen, heb het in mijn notebook aangetekend en ben het vervolgens volkomen vergeten totdat daarnet mijn agenda-bel afging.' Hij zucht. 'Jij zult in mijn plaats moeten gaan.'

'Thom, nee, dit kun je niet maken. Bel Cartwright en zeg dat je niet kunt.' Ik duw mijn dekens weg, warm en boos. 'Kom je volgende week naar huis, of niet?'

'Ja, dat is waarom ik je al eerder belde. Ik kan hier nog niet weg,' zegt hij, terwijl op de achtergrond glasgerinkel klinkt.

'Waar ben je?' vraag ik.

'Singapore, waar anders?' antwoordt hij. 'Ik zit op kantoor. Een van de assistenten liet zojuist een koffiekop vallen.' Klonk meer als een wijnglas, als je het mij vraagt. Dit keer hoor ik duidelijk een vrouw giechelen, en Thom dekt volgens mij de hoorn af.

'Oké, maar toen ik daarstraks belde, deed je echt idioot, en toen verbrak je de verbinding,' zeg ik, terwijl mijn huid prikkelt van paranoia.

'Je hebt niet eerder gebeld. Ik bedoel, ik heb je niet eerder aan de lijn gehad. Kan zijn dat je gebeld hebt, maar ik heb niet opgenomen omdat de telefoon niet is gegaan... was vast een verkeerd nummer.' Hij zwijgt, en ik rol me om, blaas mijn adem uit in de telefoon.

'Je had het over vissaus.'

'Wauw, dat is idioot. Waarom zou ik het over vissaus hebben? Ik was niet eens thuis. Je had een bericht kunnen inspreken.'

'Dat kon niet, het antwoordapparaat stond niet aan. Hoe laat was je precies van huis vertrokken?' Als ik de waarheid niet uit hem kan krijgen, dan kan ik hem misschien betrappen op een leugen.

'Vanwaar dit kruisverhoor? Jen, ik zei dat ik er niet was, dus was ik er niet, oké? Geloof me, ik weet wanneer ik er ben en wanneer niet.' Zijn stem is zo ongewoon scherp dat ik een beetje nerveus word. 'En wil je nu alsjeblieft morgen om tien uur naar Georgia's school gaan en een verhaal houden over het Oude Griekenland?'

'Ik heb het niet voorbereid...'

'Het zijn kinderen, Jen, geen examencommissie. Je zou het zelfs slapend kunnen.' Hij blaast zijn adem uit. Ik probeer te bedenken wat ik morgen voor afspraken heb. O, shit, lunch met Christy.

'Maar wie past er dan op Max?' vraag ik. 'Ik heb Sven al gevraagd om hem 's middags op te vangen, vanwege mijn lunch met Christy, maar 's morgens werkt hij...'

'En Veronika?'

'Het is haar vrije dag. En ik ben niet van plan haar nu vanavond te bellen dat ze morgen moet werken. Zoiets doe je niet.'

'Oké, bel dan mijn moeder, die doet het maar al te graag.'

'Vera bellen midden in de nacht, ben je gek geworden?'

'Geen punt, ik bel haar wel. Weet je, Jen, er komt een dag dat je Vera nodig zult hebben. En het is ook niet echt midden in de nacht.' Nu is hij echt venijnig.

'Dat zeg jij,' kets ik terug. 'Jij hebt overal een antwoord op, hè Thom?'

'Zullen we hiermee ophouden,' zegt hij, op een toon die je bezigt tegen een kind dat zich misdraagt, niet tegen de vrouw met wie je al tien jaar getrouwd bent. Tenzij je iets verbergt, natuurlijk.

'Waarmee?' sis ik.

'Ruziën op afstand. Je weet dat ik me al zorgen genoeg om je maak.'

'Jij zorgen om mij? Jij zorgen om MIJ! Was dan verdomme niet naar de andere kant van de aardbol vertrokken, als je je zoveel zorgen maakte.' Ik moet me inhouden om de telefoon niet neer te smijten.

'Jen, kom op, wind je niet zo op,' zegt hij op sussende toon. 'Ik bedoelde niet dat ik je niet vertrouw, ik maak me alleen zorgen. Je neemt veel hooi op je vork en ik wou dat ik daar was om je te helpen. Maar alsjeblieft, zeg ja, voor deze ene keer, en ik beloof je, ik zal het goedmaken. Ik kan het niet over mijn hart verkrijgen om Georgia teleur te stellen.'

'Goed. Laat ik haar dan maar teleurstellen. Dat lijkt me redelijk. Heel attent van je, schat,' zeg ik. 'En red je het om volgend weekend thuis te zijn voor haar verjaardag of wil je dat ik haar ook daarin namens jou teleurstel?'

'Oké, even wapenstilstand. Ik vrees dat ik mijn planning niet haal, maar ik zal mijn best doen. Doe de groeten aan Christy.' De verbinding wordt verbroken. Heeft hij dat gedaan? Ik wacht of de telefoon weer gaat, of hij terugbelt en zijn excuses aanbiedt. Er gaat een uur voorbij, dan twee. Ik sta op en maak wat verveinethee, doe de afwas en ruim het huis op, in afwachting van Vera's inspectie. Ik kruip weer in bed en probeer in het tijdschrift *Yoga Times* te lezen hoe ik door diep adem te halen in slaap kan vallen, maar mijn hoofd suist zo hard dat niets werkt. Het Oude Griekenland voor kinderen van vier, vijf en zes. Hoe maak ik dat in 's hemelsnaam interessant? En hij was het wel, met die vissaus, en beide keren was er duidelijk hoorbaar een vrouw op de achtergrond. Ja dus, hij heeft een affaire. Het was leuk om erover te grappen, maar nu wordt het met de minuut smakelozer en verdrietiger. Ik geloof dat ik ben vergeten de was in de droger te stoppen, moet ik eigenlijk nog even doen. Mythologie, tragediën, democratie, welke invalshoek kies ik? Als ik me nu alleen maar kon herinneren hoe het allerheiligste deel van het Parthenon heet...

'Nee, ik wil niet opstaan,' zeg ik, wanneer een krachtige hand mijn schouder schudt. Ik spring uit bed, veeg mijn haren uit mijn ogen en zie dan Vera staan, met een bord toast voor mij. 'Hè? Hoe ben jij erin gekomen...'

'Thom heeft me een set sleutels gegeven, voor het geval dat, lieve, en zo te zien was dit een perfect moment om ze te gebruiken.' Hij heeft haar sleutels gegeven? De schoft. Overspel is één ding, maar Vera vrije toegang verschaffen tot mijn huis, is wel even wat anders. 'Hier, eet wat, je moet in beweging komen als je Georgia op tijd op school wilt afleveren.'

'Eerst moet ik Max uit bed halen,' zeg ik, als ik zie dat het acht ur is. 'Die is vast drijfnat.'

'Die is al in bad geweest, aangekleed, en heeft al gegeten.' Het bord zweeft tussen ons in. Ik pak het aan en loop naar de badkamer. 'O, en ik heb iets om aan te trekken voor je meegebracht, ik denk dat het je zal staan.' Ze legt een zak van de stomerij op het bed. 'Het was van Theta, vlak voordat ze Sela kreeg, dus dat moet je passen. Het is voor haar nu wat te wijd in de taille. Als je het leuk vindt, kun je het houden voor je volgende zwangerschap, moet goed zijn voor de eerste drie maanden.'

Ik voel, geloof ik, een tand barsten als ik 'stik jij' inslik. Hoe vaak ik ook zeg dat ik uitgebroed ben, Vera weigert haar ongewenste toespelingen voor zich te houden. Ik hoop dat mijn hoofd van een douche helder genoeg wordt om Vera te zeggen dat het mijn taak niet is om in te vallen voor haar overspelige zoon. Net wanneer ik mijn nachthemd op de grond heb gemikt, komt Georgia de badkamer binnenstormen.

'Mama, oma zegt dat jij papa gaat zijn! Dan kunnen de andere kinderen zien hoe mooi je bent.' Goed dat ze me nu niet kunnen zien.

'Weet je, Georgie,' zeg ik, terwijl ik me in mijn badjas wikkel. 'Ik denk dat ik vandaag niet papa kan zijn. Mama is heel heel erg moe, heeft vannacht bijna niet geslapen. Misschien kunnen ze wachten totdat papa volgende week thuis is?' Haar gezicht betrekt.

'Maar,' zegt ze, en ze kijkt omhoog naar de lamp om haar tranen tegen te houden, 'alsjeblieft? Een van de kinderen noemde mij een wees, zei dat ik een aangenomen wees ben.' Ik zet haar op de badrand.

'Welk kind heeft dat gezegd, schatje?'

'BJ. Zijn papa werkt met mijn papa en zijn papa heeft tegen hem gezegd dat ik vrijwel een wees was.' Ik moet echt wat meer voeling krijgen met de school van dit kind; ik was volkomen vergeten dat Bjorn jr. bij haar in de klas zit. Meestal zet ik Georgia zo vroeg mogelijk af om de koffietantes en de nanny's te ontlopen, en meestal lukt het me om ongezien weg te komen, dus ik heb Bjorn nooit zijn zoon zien afzetten. Trouwens, hij zal hem wel door zijn chauffeur laten wegbrengen.

'Onzin, jij bent geen wees en je bent ook niet geadopteerd, kijk, dit litteken, dat is het bewijs.' Ik doe mijn badjas een beetje open. 'En ga nu maar met oma spelen tot ik klaar ben om je naar school te brengen.'

Met hetzelfde sop overgoten, Thom en Bjorn. Ik had het moeten zien aankomen. Niet te vermijden dat Thoms omgang met die vent uiteindelijk consequenties zou hebben. Hoe kon ik zo stom zijn geweest? Ik draai de douche dicht, grijp een handdoek en realiseer me dan pas dat de shampoo nog in mijn haar zit.

Wanneer ik uit de badkamer kom, is mijn bed opgemaakt en ligt er een lange witte kasjmieren jurk op de sprei, samen met een ongeopend pak met een huidkleurige panty en een gloednieuwe witte beha en witte slip. Nou ja, als Vera beslist voor kamenier wil spelen, dan kan ik haar maar beter te vriend houden totdat ik haar zoon bij de scheiding een flinke poot uitdraai. Ik moet alleen wel zeker weten dat dit niet de Thom is met wie ik getrouwd ben. Of is hij het wel?

Ik trek de beha en de panty aan, maar niet de slip. Die is me iets te degelijk. Omdat het duidelijk een dag is waarop verkeerde dingen goed zullen gaan, is het geen verrassing dat de jurk als gegoten zit en me ook goed staat. Ik bekijk mezelf in de spiegel, ene kant, andere kant, zie nergens iets onflatteus. Het trieste is dat het niet eens een positiejurk is, Theta weigerde dat soort dingen te dragen. En eerlijk is eerlijk, als je het geld ervoor overhebt, is dat ook duidelijk te zien. Ik kom in de verleiding om me in deze kamer op te sluiten en Vera niet te laten zien hoe goed haar keuze was.

Nadat ik mijn haar in een keurige wrong heb gelegd en wat make-up heb opgedaan, kom ik toch maar te voorschijn en ik word begroet met een applausje.

Ik sta voor een klas vol kinderen die in toga zijn gekleed. Ook ik heb een wit katoenen laken om me heen gedrapeerd. Naast mij staat Bjorn Olson, die een paar seconden geleden is gearriveerd met zijn kleurloze zoon van zes – een bewijs dat mensen klonen al doodgewoon is. Thom, binnenkort mijn ex, de schoft, heeft niet gemeld dat ik niet de enige papa zou zijn. Links van ons staat een uiterst opgewonden juffrouw Cartwright. Een deel van de kinderen zit in een halve cirkel op zitzakken aan onze voeten, andere zitten in een hoekje te vingerverven, weer andere slaan met hun lauwerkrans in een grote blauwe teil met water die op een laag tafeltje staat. Mijn dochter bevindt zich in de verste uithoek van het lokaal, een schijfje van haar is zichtbaar tussen de papier-maché zuilen van het Parthenon. Een vruchtbaarheidsstier vol chocolade Griekse munten hangt aan een leiding van de blusinstallatie te wachten tot die kleine monsters zijn ingewanden leeghalen. Je zou verwachten dat ik nu 'en toen werd ik wakker' zei. Maar nee; duidelijk is dat ik hieruit niet zal ontwaken.

'Kinderen.' Juffrouw Cartwright klapt in haar handen. Ze is hooguit een kop groter dan het langste kind. 'Kinderen, luister, mag ik alsjeblieft heel even jullie aandacht?'

'Hé, Jen,' fluistert Bjorn, 'je ziet er fantastisch uit.' Dat kan ik van hem ook zeggen, hij kan zo op de foto met zijn donkerblauw met roze gestreepte pak en zijn kreukvaste glimlach, maar mooi dat ik dat niet zeg.

'Dank je,' zeg ik, zonder mijn hoofd naar hem om te draaien.

Een van de grotere kinderen loopt naar de watertafel en dompelt een kleiner kind onder. Ze schateren allebei, en de kleinste zegt 'nog een keer, nog een keer!'

'Simon!' brult juffrouw Cartwright, de hele kamer verstomt. 'Genoeg!' Ze draait zich naar ons. 'Sorry, ik verhef nooit mijn stem tegen de kinderen, maar soms moet ik wel.' Haar dunne blonde haar is zo strak naar achteren getrokken dat je de aderen op haar slapen ziet kloppen. Ze heeft een bril op met een dik zwart montuur, maar ik durf te wedden dat het ijdelheid is en niet omdat ze zonder niets ziet.

'En,' zegt ze, zich weer omdraaiend naar de kinderen terwijl ze haar blauwe trui glad trekt over haar boezem, 'wie wil er wat horen over het Oude Griekenland?'

'Ik! Ik! Ik!' schreeuwt het grootste meisje bijna. Het is een knappe brunette in een flamingokleurig Chanelstijl pakje. Als ik beter kijk, zie ik de in elkaar hakende C's op de knopen.

'Oké, Jennifer, ga zitten, leuk dat je zo enthousiast bent!' Ben ik echt al zo oud dat mijn naam een retro-appeal heeft voor een volgende generatie? Juffrouw Cartwright duwt de jonge Jen op een rode zitzak, geheel tegen de regel van geen rood met roze. Goed, en nu? 'Vandaag hebben we hier bij ons BJ's papa, meneer Olson, en in plaats van Georgia's papa, mevrouw Bradley. Georgia, BJ, komen jullie alsjeblieft hier vooraan zitten?' Ze beschrijft kringetjes met haar hand, probeert ze naar voren te dirigeren, hoewel BJ nog steeds naast zijn vader staat, en Georgia bij het horen van haar naam is weggeglipt in de donkere recessen van het opisthodomos. Zie je wel, ik wist dat dat woord vanzelf zou bovenkomen, als ik er maar niet te veel aan dacht.

'Zullen wij eens even samen naar Georgia's paleis toelopen?' zegt Bjorn, en in drie stappen legt hij de drie meter af. Het is me nooit eerder opgevallen, maar hij heeft mooie klassiek-Griekse trekken voor iemand van Scandinavische afkomst – zijn huid is goudbruin, zelfs midden in de winter, en zijn haar hangt in zwierige krullen naar beneden. Ik herinner me dat ik hem in Egypte een keer over zijn arm aaide en dat me opviel hoe glad en onbehaard die was. Hij betrapt me dat ik naar hem kijk, knipoogt en knikt dat ik naar hem toe moet komen. 'Het Parthenon – kunnen jullie Parthenon zeggen?' De kinderen proberen het, Bjorn glimlacht nog breder. 'Goed zo, nou luister, met de bouw van het Parthenon begonnen ze in 447 v.C. Wie weet wat v.C. betekent?' Geen van de kinderen beweegt. Ik steek mijn hand op. 'Ja, mevrouw Bradley?' zegt Bjorn, op een manier die het meer doet klinken als 'Mrs. Robinson'.

'Het betekent letterlijk "voor Christus", wat een simpele manier is om het te onthouden, maar beter zou zijn "voor het christelijk tijdperk", wat betekent voordat er christenen waren, of volgelingen van Christus.' Kleine oogjes kijken glinsterend links langs mij heen. 'Dat geeft het een wijdere en juistere betekenis, en zet het duidelijker tegenover A.D., of Anno Domini, wat betekent het jaar onzes Heren.' Kleine oogjes kijken glinsterend rechts langs mij heen. 'Zijn er vragen?' Ella steekt haar hand op. Altijd goed om een vriend in de zaal te hebben. 'Ja, Ella?'

'Mevrouw Bradley, mag ik even naar de wc, alstublieft?' vraagt ze. Duidelijk behoefte aan frisse lucht en een pauze.

'Ella, dat is onbeleefd,' zegt juffrouw Cartwright, 'je kunt toch wel wachten tot na het papa-uur?' Papa-*uur.* Er zijn nauwelijks vijf minuten voorbij. Wat te denken van een papahalfuurtje? We zijn tenslotte met zijn tweeën. Bjorn pakt me bij mijn elleboog en het is alsof ik in een vijver met kwallen ben beland. Ik ruk me los, wrijf over mijn arm.

'Zoals ik al zei,' vervolgt hij, 'zijn de werklieden heel lang geleden begonnen aan de bouw van het Parthenon, toen Athene op het toppunt van zijn macht was.' De hand van een klein jongetje gaat omhoog, terwijl hij met zijn andere hand een metalen brilletje goed op zijn neus duwt.

'Michael, het is niet beleefd om papa's te onderbreken, maar als je niet naar de wc hoeft, mag je je vraag stellen,' zegt juffrouw Cartwright, terwijl ze naar Bjorn kijkt met een blik van 'ben ik niet geweldig'. Ik ga in haar blikveld staan. Zij loopt naar de andere kant.

'Ja, oké, nou ja, eh… is Athene als Darth Vader, uit *Star Wars*?' zegt Michael, een beetje buiten adem voor iemand die zo stil staat. 'Want voor de eerste trilogie… wat eigenlijk de tweede trilogie is… was nadat hij de macht had gekregen… en ik dacht dat het misschien zo was.' Zijn gestreepte shirt ademt in en weer uit, zo opgewonden is hij dat hij dit verband heeft gelegd.

'Ja, precies zo,' grinnikt Bjorn. Ik wil hem verbeteren en hij houdt zijn hand voor mijn gezicht. Ik zou in die gespierde handpalm willen bijten. 'Maar één ding is anders, Athene is een plaats, en Darth Vader is een persoon. Maar hun macht was ongeveer gelijk, omdat de mensen van de Peloponnesus van plan waren om met zijn allen de duistere ster die Athene was, ten val te brengen.' Hij leunt tegen de muur. 'Zo, en wie wil er de grote Minotaurus openbreken en kijken wat erin zit?' De kinderen roepen allemaal 'Ik! Ik!' en gaan gauw in de rij staan om geblinddoekt te worden. Bjorn wil achter ze aan gaan, ik grijp hem bij zijn mouw.

'De duistere ster die Athene was? En dat is alles? Einde verhaal? We hebben nog vijfenveertig minuten te vullen, en er is zoveel meer om ze te vertellen. Trouwens, Piñatas zijn niet eens Grieken.'

'Luister, meissie, ze willen alleen maar chocola, ze willen helemaal niets horen over het christelijk tijdperk, of de tijd daarvoor.' Hij komt een stap dichterbij. Zijn adem ruikt naar drop, waarschijnlijk Sen-Sen. 'Ze hebben zich al tien minuten keurig gedragen. Kijk dan hoe uitgelaten ze zijn. En bovendien geeft het ons de kans om een kop koffie te halen voordat ik weer aan het werk moet.'

'Over mijn lijk.' Ik doe een stap achteruit.

'Aardig cliché.' Hij buigt zich naar mij toe. Hij is niet zozeer een groot spreker als wel een groot verleider. En dat om halfelf in de morgen, en waar onze kinderen bij zijn.

'Leuk pochet.' In mijn hoofd klonk het leuker, echt.

'Leuke echtgenoot,' zegt hij. Dus hij weet het ook.

'Luister eens, makker, jij bent degene die hem naar de andere kant van de wereld heeft gestuurd.'

'Kan zijn, kan zijn. Maar ik heb hem niet op het slechte pad gebracht.' Hij komt nog wat dichterbij, fluistert in mijn oor. Ik voel dat ik bloos. 'Zeg, ik ga een gooi doen naar die stier, mijn auto vertrekt over tien minuten. Ga je slip maar drogen.' Als dit gisteren was gebeurd, had ik geen seconde langer doorgebracht met deze wandelende penis, maar ik moet weten wat Bjorn over Thom weet, zelfs als dat betekent dat ik moet toegeven dat mijn onderbroek wat vochtig is.

'Mama?' Er wordt aan mijn toga getrokken, ik kijk naar beneden en zie Georgia, haar gezicht nat van tranen. Ik zak op mijn knieën en droog haar wangen met de punt van het laken.

'O, Geege, wat is er, schatje?' Heeft ze de spanning tussen Bjorn en mij gevoeld? Heb ik eindelijk de hoofdprijs voor slechte moeders gewonnen?

'Ik ben zo trots op je,' zegt ze tussen haar snikken door. 'Jij bent zo mooi en alle kinderen vinden je lief.'

'Waarom huil je dan, schattekind, ben je daar dan niet blij om?'

'Jawel, mama, dit zijn ik-houd-van-je-tranen.' Ik trek haar dicht tegen me aan en we knuffelen elkaar, onze lauwerkransen vallen op de grond.

'Jij bent mijn alles,' fluister ik, 'mijn alles.' Er klinkt ineens een holle dreun, gevolgd door een regen van munten, er rollen er een paar onze kant op. Ik raap er een op, pak hem uit en zet hem tussen mijn tanden, Georgia bijt de andere helft af en geeft me een kus. Dan laat ze me los en schuift achteruit in de richting van de Akropolis, en met een glimlach vormt haar mond geluidloos 'dááág'.

Wanneer ik ga staan en me omdraai is Bjorn verdwenen. Ik grijp mijn jas en schiet hem aan terwijl ik langs juffrouw Cartwrights kirrende bedankjes snel, beduid haar 'niets te danken' en ren de voordeur uit. Ik kijk naar rechts, naar links, geen auto, geen Bjorn, geen tastbaar bewijs van mijn echtgenoots wandaden. Ik stampvoet, hoor een zacht fluitje, en daar staat Bjorn, tegen de schoolmuur geleund, terwijl hij nog wat Sen-Sen in zijn mond kiept. Terwijl ik mijn kalmte probeer te herwinnen, loop ik naar hem toe, mijn hand uitgestrekt. Hij schudt een paar kleine zwarte snoepjes in mijn handpalm. Ik gooi ze op mijn tong.

'Die heb ik sinds Egypte niet meer gegeten,' zeg ik, mijn jas dichtknopend tegen de kou. We weten beiden wat ik bedoel. 'Ik heb om twaalf uur een afspraak op de hoek van Fifth en Fifty-Fifth, en ik loop erheen langs het park. Je kunt meelopen als je wilt, maar een lift sla ik dit keer af, dank je.' Je vooral niet laten inpakken, dat werkt het best bij Bjorn.

'Ik laat de auto achter ons aan rijden voor het geval je van gedachten verandert.' Hij wenkt naar een auto die vlak voor ons staat en die ik niet had gezien. We lopen een paar blokken zonder te praten, stappen flink door om warm te worden. Mijn jurk kruipt langzaam op tussen mijn benen. Ik trek hem onopvallend naar beneden, maar hij kruipt weer op.

'Waar heb je de laatste tijd toch gezeten, Jenjy?' vraagt hij, wanneer we bij Fifth Avenue komen, en hij pakt me bij mijn arm om over te steken. Weer voel ik een elektrische schok, maar dit keer geef ik de schuld aan het statische materiaal van mijn panty. 'Ik had verwacht dat we elkaar vaker zouden zien, nu Thom weg is.'

'Hoe is het eigenlijk met je vrouw, Bjorn? Escorteert ze nog steeds rijke stiekeme nichten naar liefdadigheidsbals, of moest ze van jou die baan opgeven toen jullie eenmaal getrouwd waren?'

'Lekker ad rem, dat vond ik altijd al zo leuk aan je.' Hij staat stil, draait me naar zich toe, de hak van mijn laars haakt achter een stoeptegel. Ik verwacht half dat hij me daar ten overstaan van heel New York City zal zoenen. Erger nog, meer dan half wil ik dat ook. 'Luister, Jen, ik was liever niet degene die je dit moet vertellen.' Hij kijkt langs me heen, over mijn hoofd. 'Maar Thom heeft zich in de nesten gewerkt.'

'Laat mijn arm los,' zeg ik, in staat om hem, indien nodig, een mep te verkopen.

'Rustig maar, het is niet wat je denkt. Kom.' Hij neemt me mee naar een bank aan de rand van het park, zet me neer en gaat voor me staan, terwijl hij een heupflacon te voorschijn haalt. 'Een slok?'

'Nee, dank je. Hij heeft een verhouding, is het niet?'

'Oké, het is wat je denkt, maar het is erger dan dat.' Hij kijkt het trottoir af, naar links, naar rechts, komt dan naast me zitten. De huid langs de hele zijkant van mijn lichaam wordt warm en ik schuif een eindje weg. 'Ze hebben antiquiteiten vervalst en die via mijn firma verhandeld. Ik heb een oogje dichtgeknepen, maar nu de FBI hen op het spoor is, kan ik hem waarschijnlijk niet meer helpen. Maar jou kan ik nog wel helpen.'

'Wacht, wacht, wacht. Je vergist je. "Ze" wie?' Dat mijn echtgenoot mij bedriegt is misschien denkbaar, maar hij zou nooit de kunstwereld bedriegen. Dat is te gevaarlijk en zo zit hij niet in elkaar. Of toch wel? Ik kijk naar Bjorn, wacht op zijn reactie. Hij kijkt naar een moeder die voorbij komt joggen achter een buggy, neemt een slok uit de flacon, stopt hem terug in de zak van zijn camel jas, en haalt tegelijkertijd een envelop te voorschijn. Ik begin te trillen.

'Jen, je weet, we hebben ooit iets gehad, samen. En misschien denk je dat ik nu mijn gram wil halen, maar dat is niet zo. Ik geef om jou en Georgia en Max. Ik wil je waarschuwen. Je moet jezelf en je kinderen beschermen.' Hij geeft me de envelop, staat dan op. 'Ik heb van Thom gehouden als van een broer en ik had niet verwacht dat hij ooit zoiets zou doen.'

'Maar hij is niet in staat om ons kwaad...' flap ik eruit, maar dan beduidt hij me, met een vinger op zijn lippen, te zwijgen.

'Niet nu bekijken. Wacht tot ik weg ben.' Hij buigt zich voorover en kust me teder op mijn mond. Ik ben te zeer in de war om te protesteren, en voordat ik me kan herstellen, is hij al in zijn auto gestapt en weggereden.

Het is tien over twaalf wanneer ik de trappen afren naar de Tea Room in de kelder van het Takashimaya-warenhuis. Het is er sereen en mooi, met kleine tafeltjes en gedempt licht. Ik hoop dat Christy niet zal zien hoe rood mijn ogen zijn van het turen naar twee fotootjes in Bjorns envelop.

Een gastvrouw komt op mij af, maar ik zie Christy al zitten, achter in de ruimte, nippend aan een kop thee. Ze kijkt op en wuift naar me. Ze is geen spat veranderd sinds ik haar vijf jaar geleden voor het laatst heb gezien. Nog steeds tenger, stralend en gekleed zoals haar schatrijke Texaanse vader graag zou hebben gezien als hij nog leefde. Ze staat op en geeft me een dikke knuffel en twee zoenen in de lucht.

'Jen, je ziet er fantastisch uit,' zegt ze, terwijl ik mijn jas uittrek, hem over de leuning van mijn stoel hang, mijn zenuwen de baas probeer te worden en te doen alsof deze ochtend niet heeft plaatsgevonden. 'En wat een leuke toga.' Ik volg haar blik. Shit.

'Oké, ik ben zo terug.' Ik snel naar het damestoilet. Gelukkig is Christy de enige vrouw in Manhattan die zo vroeg opstaat dat ze om twaalf uur alweer honger heeft, en het restaurant is vrijwel verlaten.

In het toilet is het een graad of tien warmer en dat voelt heerlijk op mijn koude ruwe wangen. Ik ruk de toga uit en probeer hem in de afvalbak te proppen, maar hij blijft er half uithangen, dus til ik een voet op om hem erin te stampen. Er komt een Japanse vrouw binnen, ze kijkt even. Ze denkt ongetwijfeld dat ik bezig ben bewijsmateriaal te vernietigen. Zwijgend gaat ze een toilet binnen. Ik trek het laken er weer uit, rol het op tot een bal en leg het voorzichtig onder de wastafel, achter een stapel toiletrollen, die vervolgens met een reeks doffe plofjes omvalt. Ik stapel ze weer op, merk dat mijn Japanse vriendin niet plast en laat de kraan lopen om haar verlegenheid te verhullen, terwijl ik mijn make-up wat bijwerk. Ik zie er belachelijk uit met mijn jurk opgekropen tot aan mijn kruis en doorgelopen mascara onder mijn ogen van het janken in het park. Ik rits mijn handtas los om een borstel te pakken en de foto's vallen in de wastafel. Ik pak ze snel en dep ze droog met een papieren handdoek. De Japanse vrouw spoelt door en komt naar de wastafel toe. Ik glimlach tegen haar alsof ik niet een of andere geschifte zwerfster ben die hier even een warme kattenwas komt halen. Ik maak mijn handen nat en haal ze langs mijn benen omdat die rotjurk zo aan mijn kousen plakt. Ze kijkt naar me en bloost.

'Statisch,' zeg ik, met een verontschuldigend glimlachje.

'Alstublieft, u nemen,' zegt zij, terwijl ze haar tas opendoet en er een klein busje Static Guard uithaalt. 'U houden.' Ze buigt beleefd en verlaat de toiletruimte.

Ik slaak een diepe zucht en pak de vochtige foto's op. Op de ene staat Thom in een omhelzing met een vrouw, voor The Inn op Irving Place, nota bene. Zij heeft steil zwart haar tot aan haar middel en is ongeveer net zo lang als ik. En het is beslist ook geen dank-je-voor-de-thee-knuffel; de losbandige seks straalt ervan af. De andere is nog erger. Hier staan ze samen bij het River Café, handen ineengestrengeld, hoofden heel intiem tegen elkaar. En de klap op de vuurpijl: zij heeft precies dezelfde tennisarmband om als hij aan mij heeft gegeven. Een nul voor originaliteit, een tien voor lef. Bjorn mag dan een schoft zijn, maar hij heeft gelijk, ik moet mezelf en mijn kinderen beschermen. Ik kan me maar beter op het allerergste voorbereiden. Shit, Christy. Ik stop alles terug in mijn handtas en wikkel de foto's elk in een papieren handdoek zodat ze niet aan elkaar vast kunnen plakken.

Wanneer ik terugkom bij ons tafeltje is de lunch al opgediend.

'Alles oké?' vraagt Christy. 'Ik heb ook vast voor jou besteld, hoop dat je het niet erg vindt.'

'Ja, alles is prima, sorry dat het even duurde. Vera past op Max en ik moest even zeker weten dat hij nog leeft.' Ik laat iets horen wat op een klaterlach moet lijken, maar ondertussen dringt de misselijkmakende realiteit van de foto's tot me door. Een haarlok is losgeraakt uit mijn wrong en plakt tegen mijn gezicht. Ik strijk hem naar achter, maar hij valt weer terug. 'Ik kwam regelrecht van Georgia's school waar ik een fascinerend praatje over het Oude Griekenland heb gehouden, vandaar de toga.'

'Ah, nu begrijp ik het,' zegt Christy, terwijl ze een paar eetstokjes losmaakt. 'En hoe is het met Thom? Singapore, is het niet?'

'Met Thom? Geweldig, echt geweldig.' Ik pak mijn vork en neem een hapje tonijnsashimi. En hoewel ik het gevoel heb dat ik elk moment kan instorten, gaat er van Christy's aanwezigheid iets rustgevends uit, iets heel vertrouwds, op deze verder zo absurde dag. Alle conversatietrucjes van zakenlunchen komen boven en behendig omzeil ik de heikele punten. 'In Singapore, inderdaad. Een vestiging opzetten van Universal Imports, maar dat wist je waarschijnlijk al. Dit is echt verrukkelijk.'

'Ja, natuurlijk. Bjorn weer met zijn sluwe streken, niet hierheen kijken – houdt het daar in de gaten. Maar dat is mooi, hij zal het niet zien aankomen.' Ze glundert helemaal, zo blij is ze met deze informatie.

'Sorry, dat volg ik even niet.' Er raakt een pluk haar aan de andere kant los. 'Wat zien aankomen?'

'Ik ga weg bij Christie's.' Ze legt haar stokjes neer, vouwt haar handen voor haar borst, een perfecte omlijsting van een veelkleurig snoer koudwaterparels die de tinten van haar coupe soleil herhalen. 'Volgende herfst wil ik mijn eigen kunsthandel op poten hebben, en de strijd aangaan met Bjorn en consorten. Ik ben prima gevaren bij Christie's, maar het is gewoon niet *Christy's*, als je begrijpt wat ik bedoel,' zegt ze, wijzend op zichzelf.

'Je eigendom.'

'Precies. Je was altijd al mijn slimste medewerkster. Jij snapt het meteen. Ik *wist* dat ik jou moest bellen.' Ze klapt in haar handen, net als Max. 'In de komende maanden moet ik mijn nieuwe onderneming van de grond krijgen, en ondertussen langzaam uit de veilingwereld verdwijnen. Maar om dat te kunnen doen heb ik jou nodig.'

'Wil je dat ik je kantoor opzet?' vraag ik, en ik knik, bedenkend dat dit precies is wat ik nodig heb, als waar is wat op Bjorns foto's staat, en bovendien een manier om mezelf te onderhouden, mocht het zover komen. Ik voel hoe het zweet in mijn oksels parelt, zal wel de voorbode van een opvlieger zijn. En ik wil dit ook gewoon voor mezelf. Dit is het 'wat verder', ik voel het in mijn botten. De beugel van mijn nieuwe beha prikt in mijn ribbenkast wanneer ik mijn arm achteloos over de leuning van de stoel naast me wil draperen. 'Dat zou geen probleem zijn. Zorgen dat er kopieerapparaten, computers en kantoorspullen komen. Niettangen, telefoons, noem maar op.'

'Nee, nee, Jennifer, ik ben niet op zoek naar een assistente.' Ze lacht en schudt haar hoofd. Zie je wel, ik heb het verknald. 'Wat ik nodig heb is een partner.'

'Een partner? Wil je dat ik je help om een partner te zoeken?' Nou ja, tijdelijk werk is beter dan geen werk, en het zou een opstapje kunnen betekenen.

'Ik verwacht niet van je dat je hier en nu ja zegt, je zult er vast met Thom over willen spreken en willen weten hoe we die associatie zouden opzetten, wat onder jouw verantwoordelijkheid zou vallen, en wat onder de mijne. Dus laten we het volgende doen,' zegt ze, met een blik op haar horloge en een gebaar naar de ober. Alle andere gedachten schuiven naar de achtergrond terwijl ik tracht te bevatten wat ze precies zegt. 'De rekening, graag – laten we volgende week woensdag weer samen lunchen en de details bespreken. En geef me dan je antwoord, wat naar ik aanneem ja zal zijn, en dan gaan we de week daarop van start. Ik laat je niet nog eens gaan, Jennifer. Je bent me te waardevol. Het is tijd om de volgende stap op de ladder te zetten. Oké, partner?' Dan dringt het tot me door, ze wil niet dat ik haar help zoeken naar een partner, ze wil mij als partner. Door de combinatie van lichaamsvocht en kasjmier krijg ik eerst kippenvel en dan kriebel. Het liefst zou ik die rotjurk hier en nu van mijn lijf rukken.

Maar ik houd het hoofd koel en tracht me te concentreren op wat Christy zojuist heeft gezegd. De klem die mijn haar op zijn plek hield, klettert op de grond.

'Christy, voordat we verdergaan, sorry nog dat ik zo laat was. Het was niet mijn schuld en het zal niet weer gebeuren.' Als ze serieus is – en Christy is altijd serieus – dan zal ik moeten dweilen voordat we kunnen gaan dansen. Ik raap de klem op en zet mijn haar in één draai weer vast. 'Ik wil graag weer voor je werken, en ik zal er alles aan doen om te zorgen dat het ook gebeurt.' Incluis verzwijgen dat mijn echtgenoot mogelijk een vuile kunstvervalser is. Althans tot ik het zeker weet.

'Oké. Laten we beginnen met je vocabulaire. Verontschuldig je nooit voor te laat komen. Jouw tijd is van jou en je bent mij geen uitleg verschuldigd – bovendien ben je nog nooit een dag in je leven te laat geweest. En dan nog iets, je werkt niet 'voor' mij maar 'met' mij. Dat is een heel belangrijk verschil. Je bent nu volwassen, lieve, en zo moet je ook klinken. Ik moet dadelijk weg om zaken voor een veiling te controleren, maar ik zal je even in het kort vertellen hoe ik het voor me zie.' We buigen ons naar elkaar toe. Onze lunch staat tussen ons in, vrijwel onaangeroerd. 'Ik zal de façade zijn, de seniorpartner, het gezicht naar buiten toe van een heel exclusieve besloten vennootschap. Jij zult de juniorpartner zijn, de staf aansturen, het bestand van cliënten en kunst opbouwen, en research en wat dies meer zij leiden. Het wordt tijd dat ik groot geld ga verdienen en ik wil dat jij profiteert van mijn expertise, zoals ik profiteer van jouw weergaloze talenten. Je bent briljant, Jennifer, absoluut geniaal. Doen we het? De wereld overnemen en er een fortuin mee verdienen?' Haar mobieltje gaat, ze steekt een vinger op en antwoordt. 'Ja, Bruno, ik ben klaar, ik kom er zo aan.' Ze klapt het ding weer dicht en haalt een bundeltje flappen uit haar handtas. 'Dat is mijn auto, hier is geld, en bewaar de bon zodat we het op de zaak kunnen zetten, wanneer we zover zijn. Capice?' Ze steekt haar hand naar me uit.

'Ja,' zeg ik, terwijl het zweet in mijn laarzen een plas rond mijn enkels vormt. Ik krab aan mijn rechterarm, stroop mijn mouw op, allemaal bultjes. Ik trek hem gauw weer naar beneden, doe alsof er niets is gebeurd. 'Ja. En ik zou je graag de hand schudden, maar mijn hand is nu zo vies klam. Zullen we dat volgende week doen?'

'Kom mee, dan kan Bruno je even thuisbrengen. Je bent jezelf niet vandaag, zeker weten dat alles oké is?' Ze staat op en helpt me in mijn jas. Zij heeft er nooit een aan omdat er altijd een auto is om haar naar haar volgende bestemming te brengen.

'Redelijk. Ik denk dat het een vroege menopauze is,' zeg ik, in een poging om luchtig te doen over mijn verschijning.

'Vertel mij wat.' Ze vist een pillendoosje uit haar tas. 'Neem er zo een, en je zweet nooit meer.'

Tegen de tijd dat Bruno me op de stoep voor mijn appartement afzet, heb ik overal kriebel en krab ik ongegeneerd. Door het hoge zoutgehalte van mijn zweet is de jurk sinds vanmorgen minstens een maat gekrompen. Ik sterf van de honger, en ik ben verdrietig en in de wolken en bang en razend en bang. Ik heb maar tien minuten de tijd gehad om de puinhoop die mijn leven plotseling is te overdenken, en het enige wat ik heb besloten is niets te besluiten voordat ik deze jurk uit heb.

Ik ga naar binnen en tref Vera dommelend aan op de bank, met de tv aan en het geluid uit, een *Reader's Digest* opengeslagen op haar borst. Ik mik mijn sleutels op het aanrecht.

'O, Jennifer, je bent er al,' zegt ze, terwijl ze zichzelf en haar bezittingen bijeenraapt. 'Mooi, dan kan ik met de trein van vijf over twee naar huis, op tijd voor canasta op de club.'

'Dank voor het inspringen,' zeg ik, terwijl ik mijn jas uittrek.

'Wat heb je met die jurk gedaan?' Ze huilt bijna, en probeert hem aan mijn lijf weer in model te trekken. Ik moet me beheersen om haar handen niet weg te meppen.

'Kasjmier is kennelijk allergisch voor transpiratie.' Ik stroop het ding uit waar ze bij staat. Mijn bovenlijf zit onder de rode bulten. Een geluk dat ik tenminste nog een panty aanheb. 'Je kunt beter vragen wat die jurk met mij heeft gedaan.'

'Had ik er niet een slip bij gedaan?'

'Hoe is het met Max?' Ik trek mijn laarzen uit en giet ze leeg in de gootsteen. 'Heeft hij gegeten?'

'Ja, en nu slaapt hij. We zijn vanmorgen op avontuur gegaan en hebben geluncht in een restaurantje. Hij mag nu alles eten, toch?' Ik loop naar mijn klerenkast om een trui te pakken en zij roept me na: 'Het kan geen kwaad om dat af en toe te proberen.'

'Geweldig. Goed, wat ben ik je schuldig?' We lachen allebei om deze oude grap, onze manier om niet echt met elkaar te hoeven praten.

Zodra de deur achter haar dichtvalt, ga ik gauw kijken hoe het is met de man die me nooit zal verraden, en ik zie een ventje van vier rustig liggen slapen in Max' bedje. Het dringt niet meteen tot me door wat er veranderd is, maar dan ineeens begrijp ik waar Vera's avontuur zich heeft afgespeeld. Kid's Cuts. Ze heeft mijn zoon kaal laten knippen. En op de aankleedtafel ligt de trofee – een prachtige blonde lok in een plastic zakje, met eraan vastgeniet een certificaat 'Baby's Eerste Knipbeurt', en een polaroidfoto van Max in een stoel in de vorm van een vliegtuig, en allemaal krullen rondom op de vloer. Het zien van mijn schattige kleine knul ontdaan van zijn babylokken is de druppel die de emmer doet overlopen en ik barst in snikken uit. Dat is het, ik wil mijn moeder.

'Mmm, hallo?' Cheryl neemt meteen op.

'Je zult niet geloven wat dat mens nu weer heeft gedaan.' Ik huil niet meer, ik schreeuw.

'Jenny, ben jij het?'

'ZE HEEFT ZIJN HAAR AFGEKNIPT! Ze heeft het niet gevraagd, heeft hem gewoon meegenomen naar een wildvreemde en hem laten kaalscheren als een lammetje.' Ik plof op de bank neer, de inhoud van mijn tas belandt op de grond.

'O, wat verschrikkelijk, schat. Walgelijk. Is dat net gebeurd?' Ze klinkt afgeleid, en naar mijn zin lang niet razend genoeg.

'Ja, vanmorgen, terwijl ik uit lunchen was. Toch niet te geloven dat je zoiets doet met het kind van een ander?' Ik kijk naar de in papier gewikkelde tijdbom, schuif hem een eindje weg.

'Was Vera er alweer? Is dat niet de derde keer in een week?' Nu heb ik haar aandacht.

'Ze heeft opgepast, ik moest plotseling ergens heen.'

'Nou ja, dat had ik toch ook best kunnen doen,' zegt Cheryl, behoorlijk geërgerd.

'Heb je dan geen cliënten?'

'Vandaag niet, het is mijn schrijfdag, dat weet je toch? Ik had je kunnen helpen, Jen, ik snap niet waarom je mij nooit vraagt,' zegt ze met een zucht.

'Het spijt me. Ik moest in plaats van Thom naar de school van Georgia, en het was laat gisteravond en hij stelde voor zijn moeder te vragen.' Ik haal de foto's uit het papier. Ze zijn droog maar een beetje verkreukeld. Een stille traan rolt over mijn wang.

'Het zou leuk zijn als je de kinderen hier bracht. Er is een snelweg naar het noorden, weet je.'

'Het spijt me, het is me op dit moment gewoon te veel om de kinderen in te pakken en te komen brengen. En we zijn tenslotte pas nog geweest.' Ik heb allang spijt dat ik Cheryl midden op de dag heb gebeld, midden in haar werk. Ik raap de envelop op en houd hem tegen mijn neus, snuif de geur van Bjorn in, vraag me af hoe en waarom hij dit bewijsmateriaal heeft verkregen.

'Ik weet het, heus, en ik ben blij dat je met kerst een dag bent geweest, echt waar.' Ze zwijgt, we laten allebei de stilte voortduren. 'Het zou gewoon leuk zijn als ik mijn kleinkinderen net zo vaak zou zien.'

'Oké, wat dacht je van dit weekend?' zeg ik, met de envelop tegen mijn gezicht gedrukt. 'Zaterdag zou ik je hulp best kunnen gebruiken, ik heb een vracht aan boodschappen te doen.'

'Komende zaterdag? Maar, schat, je weet toch dat op die zaterdag mijn seminar in Buffalo is, dat geef ik elk jaar.'

'En wat dacht je ervan om het hele volgende weekend te komen voor Georgia's verjaardag?' Ik onderdruk een snikje wanneer ik denk aan Thoms verraad tegenover Geege.

'Ik wilde je net vertellen dat ik niet op haar partij kan komen. Ik ben gevraagd voor een panel in Aspen, over huwelijksproblematiek. Misschien daarna?'

'Ja, dat zou geweldig zijn, zie maar – wat dacht je van vandaag over een week?' vraag ik, in een laatste poging om haar gelukkig te maken, ook al voel ik me door dit gesprek nog miserabeler. 'Dan heb ik een lunchafspraak en omdat het dan weer je schrijfdag is –'

'O, ik wou dat ik kon, maar nee, de dochter van de Niedemeyers is dan in de stad, met haar kind, hun jongste kleinkind, en ik heb hun een speciale sessie beloofd. En ik wil de baby zo graag zien! Ze zijn echt een eind gekomen samen.'

'Oké, laat maar weten wanneer het je schikt, ik moet nu echt gaan.' Ik stop de foto's weer in de envelop en een traan drupt van mijn hand.

'Is er iets, schat? Ik bedoel, los van die afgeknipte krullen – wat echt afschuwelijk is – is het wel goed met je? Je stem klinkt wat verdrietig.'

'Nee hoor, waarschijnlijk alleen maar een wat laag bloedsuikergehalte.' Ik snotter. 'Misschien een koutje gevat.'

'Oké, als het maar waar is. Ik moet weer aan het werk, maar aarzel niet om te bellen als je ergens over wilt praten. Ik houd van je,' zegt ze, evenzeer een vraag als een uitspraak.

'Ik ook van jou,' zeg ik, met de telefoon nog steeds in mijn hand nadat zij heeft neergelegd, en ik snik hardop, in de hoop dat ik Max wakker maak en kan beginnen aan de rest van mijn leven.

Hoofdstuk Tweeëndertig

Wat ik nog niet had verteld: twee weken voordat ik Thom ontmoette in Caïro, ontmoette ik Bjorn in Tunis. Het was een intense aantrekkingskracht, een uit-liefde-samen-doodgaan-in-een-grot-soort van emotie die, na jaren van Heath, een immense schok betekende voor mijn ziel en mijn lichaam. We zaten achter elkaar aan, plaagden elkaar, en eindigden ten slotte samen in bed, waar ik versteende, hysterisch werd en vertrok voordat er ook maar iets was gebeurd. Hij achtervolgde me, ik ging ervandoor, en tegen de tijd dat ik mijn gedachten een beetje op een rijtje had, had hij met alle vrouwen van de opgraving geslapen. Er lijkt een patroon in te zitten, mijn aantrekkingskracht voor mannen leidt tot ontrouw. Heath was een mannelijke versie van een hoer, zonder twijfel, en Bjorn, die waarschijnlijk jarenlang met me had kunnen rotzooien, was dat zelfs nog meer dan Heath. Maar Thom? Knappe, betrouwbare, en ja, soms zelfs saaie Thom?

De vraag waar het hier werkelijk om draait, is waar ik de laatste zes jaar in 's hemelsnaam heb gezeten. Hoe ben ik deze goedgelovige, afhankelijke huismus geworden, terwijl ik toch door de armoede vroeger bij ons thuis, en door mijn feministische inslag was getraind op overleven. Ik wil niet mijn kinderen, of mijn besluit om ze te krijgen, of mijn keuze om thuis te blijven de schuld geven van mijn eigen blindheid, mijn tekortkomingen die ertoe hebben geleid dat ik nu in de kuil zit die ik zelf heb gegraven. Nee, het komt niet door het moederschap, het komt doordat ik zo lichtvaardig alle andere dingen heb opgegeven. Hoe kon ik alles toch zo loslaten? Hoe kon ik mijn lichaam, mijn geest, mijn ambitie, mijn verlangens, mijn intellect zomaar laten wegroesten, terwijl ik eindeloos kinderspelletjes speelde. Had ik werkelijk nooit tijd om de krant te lezen, of verkoos ik om mezelf niet op te zadelen met de verantwoordelijkheid om een levend, denkend lid van het menselijk ras te zijn?

Ik voel me net Sneeuwwitje, en Bjorns kus heeft het bloed dat ik nog in me had, doen ontwaken, het vuur doen ontvlammen dat eens maakte dat ik werelden kon verzetten op zoek naar kennis en betekenis en avontuur. Het is een giftige kus, dat wel, maar nu ik weet waartoe Thom in staat is, niet alleen dat bedrog, maar het liegen, en het vervalsen, en de vissaus, nu moet ik beslissingen nemen die uitgaan van wat het beste is voor mij, voor Georgia en voor Max, in die volgorde.

Maar ja, misschien zijn alle mannen zo en zijn alle vrouwen stom. Of althans de meeste. Misschien moet ik ontrouw belonen met ontrouw, de score gelijktrekken, voor één keer toegeven aan mijn eigen verlangens.

Hoofdstuk Drieëndertig

Ik sta in een donkere portiek aan Broome Street, houd klappertandend mijn adem in. Ik heb sinds ik zwanger werd van Georgia geen hasj meer gerookt, maar vanavond voel ik me roekeloos, ontzettend uitgelaten na de week die achter me ligt, en ik hervind de energie van vroeger, met een Heath van vroeger. Ik heb talloze malen geprobeerd Thom te bellen, maar ik krijg alleen zijn voicemail of zijn huishoudster. Als zij tenminste is wie ze zegt te zijn. De mysterieuze dame belt voortdurend, maar ik wil niet met haar spreken voordat ik met Thom heb gepraat. Hij heeft maar één keer een berichtje achtergelaten – dat hij morgen niet naar huis komt. Georgia's verjaarspartij missen is de laatste druppel. Hij mag me verlaten als hij wil, maar haar pijn doen is gemeen. Ik voel me bedrogen en wellustig. Misschien niet de beste combinatie wanneer je op pad bent met een uiterst sexy exy. Sorry, de hasj gaat blijkbaar regelrecht naar mijn rijmcentrum.

'Dus zei ik tegen haar: "Ik geloof niet dat ik ooit een vrouw zal vinden die even lekker is als een pijpbeurt",' zegt Heath. 'Natuurlijk meende ik dat niet, ik wilde haar gewoon pesten, het was zo'n ijskoningin. Kom, zullen we naar Raoul's gaan, ze geven ons vast ons oude tafeltje.' Hij pakt mijn arm en voert me mee, langs Prince Street, een laan vol herinneringen, want hij heeft nog steeds de zolderverdieping op Broadway, waar we vijf jaar hebben samengewoond. Sinds we uit elkaar zijn, ben ik daar niet meer geweest, maar wie weet, straks?

Zwijgend lopen we verder, terwijl de pot langzaam inwerkt. Mijn geest dwaalt af. Het voelt goed om me weer lekker te voelen, mijn oude ik. Het postkantoor is verdwenen, het Dean en Deluca-café ook. Thom klonk bizar op de voicemail, zei dat hij niet naar huis kon komen vanwege een 'lopend onderzoek'. Ziet ernaar uit dat Bjorn gelijk heeft. Ik ben verbaasd wat een typisch Amerikaans winkelgebied mijn oude buurt is geworden. De kunstgalerie op West Broadway is naar Chelsea verhuisd, in plaats daarvan is er nu Victoria's Secret. Bjorn was weer een en al melodrama. Sinds Egypte is hij niet meer zo vervuld geweest van zijn eigen persoon, zijn eigen importantie. Milady's, met zijn goedkope drankjes, plakkerige tafeltjes en neon bierreclame, is er nog wel. Ik kan maar niet geloven dat Christy samen met mij een eigen firma wil beginnen. Ze gaat weg bij Christie's. Ik giechel. Christy gaat weg bij Christie's. Christy gaat weg bij Christie's. Christy gaat weg bij Christie's. Ik lach zo hard dat ik Heath bij de mouw moet pakken om niet van de stoep te rollen.

'Hé, hé, JP, wat is er zo grappig?' Hij schiet ook in de lach, koude tranen van de wind glinsteren op zijn hoge jukbeenderen. Ik bots tegen hem aan; hij vangt me op, zijn handen zenden een elektrische lading door mijn lichaam, en ik lig dubbel van het lachen. Ik probeer iets te zeggen, er komt niets uit. Alleen een luid gesnuif en wat snot, waar we nog harder om moeten lachen.

'Je,' ik haal diep adem, 'je zou het toch niet snappen. Het is een grap. Grap!' We duiken de schemerig verlichte warmte van Raoul's binnen, waar François ons begroet alsof we er vorige week vrijdag nog zijn geweest, en ons meevoert naar ons oude nisje – de enige plek die vrij is. Aan de bar staan de paren vier rijen diep, kerels proberen François geld toe te stoppen, vrouwen proberen zijn blik te vangen, zonder resultaat. Ik was vergeten wat het goudstof van de roem doet, gul uitgestrooid over het proletariaat. Ik zit kaarsrecht in het witzwarte nisje, zodat al die nieuwsgierige lieden goed zicht hebben op mijn pasgeknipte en geverfde haar en mijn vijf-kilo-lichtere lijf, en bestudeer het menu. Het is in het Frans, maar ik ben zo high dat ik het pas merk wanneer Heath me vraagt het te vertalen – waarschijnlijk de eerste keer dat ik Frans heb gelezen zonder dat van me werd verwacht dat ik begreep wat er stond.

'Ik vrees dat ik dat niet kan. Ik ben te ver heen,' fluister ik over de tafel. 'Maar dan ook echt.'

'Weet ik.'

'Zei je iets?' Hij antwoordt niet, staart alleen naar het menu. 'Zei ik iets?' Weer geen reactie. Ik sla een glas water achterover, het glijdt als ijskoude kwik over mijn tong. 'Luister eens, of ik zei niets, of jij hoorde niets, wat is het?'

'Allebei.' We grinniken. 'Martini?'

'Dirty. Flirty.' Ik rimpel mijn neus, zoals wanneer je een nies wilt tegenhouden.

'Typisch jij.' Ik voel iets langs mijn wang gaan en een warme gloed omhult me.

'Houd daarmee op, ik meen het.' Niet echt. Ik vind het heerlijk. Hij doet het weer. 'Ik meen het dubbel.' Helemaal niet, als ik eerlijk ben. Hij wil het een derde keer doen en ik sla zijn hand weg. 'Iemand een pinda?'

In de twintig minuten daarop flirten we, bestellen drank, flirten, bestellen eten, flirten, eten wat oesters, flirten. De pot begint uit te werken, maar intussen voel ik de kalmerende werking van de martini. Er is niet veel meer voor nodig om mij onder de tafel te krijgen. Ik heb één martini op, Heath drie en hij is nog lang niet onder de olie. Maar ik rijm godzijdank niet meer.

Tegen de tijd dat mijn steak arriveert, heb ik mijn hartslag weer onder controle, en als een getrainde diepzeeduiker kom ik naar de oppervlakte, zonder de gebruikelijke paranoiaverschijnselen. Heath is nog op weg naar beneden, wat mij onverwacht een voorsprong verschaft.

'En, heb je op het ogenblik iemand?' Ik doop een friet in de rodewijnsaus op mijn bord.

'Na de ijskoningin – en geloof het of niet, zij was profschaatsster – is er één meisje geweest, maar ik ontdekte dat ze Republikeins was en heb haar dus gedumpt.' Hij zet zijn mes in een driedubbeldikke varkenskarbonade, perfect roze vanbinnen.

'Ik heb, geloof ik, nog nooit zo'n honger gehad. En sinds wanneer heb jij iets met politiek?' Het zou me verbazen als hij ooit was gaan stemmen.

'Als de Republikeinse in kwestie ook nog zeventien is, en deed alsof ze twintig was. Het was de enige manier om er een eind aan te maken zonder voor preuts te worden uitgemaakt.' Of pervers.

'Twintig is oud genoeg?' De wind wordt me uit mijn drooggewaaide zeilen genomen. Ik was ooit jong genoeg voor Heath.

'Ze leek veel ouder, dat wel. We ontmoetten elkaar in een donkere club, en ze was zwaar opgemaakt. Ze had van jouw leeftijd kunnen zijn.' Hij kijkt op van zijn bord, zijn vork blijft in de lucht steken wanneer hij mijn gezicht ziet. 'Nou ja, negenentwintig, dertig, zoiets.' Ik blijf hem aankijken, dwing hem zijn vork op zijn bord te leggen. 'Oké, ik bedoelde het niet zoals het klinkt.'

'Hoe bedoelde je het dan wel?'

'Misschien wilde ik je een beetje plagen. Je ziet er zo geweldig uit en ik ben zo'n zak dat ik je heb laten gaan.' Ik speur zijn gezicht af naar spot, nooit zijn sterkste kant, maar zie daar geen zweem van. Hij is niet meer zo knap als vroeger, dat dient gezegd, en over een paar jaar staat hij ongetwijfeld in Vegas te croonen voor matrones uit Nebraska.

'Ho even, van "laten" was geen sprake, weet je nog, je hebt me vrijwel de deur uitgetrapt.' Grappig zoals geschiedenis soms herschreven wordt.

'Ja, maar ik dacht dat je hem op een kier zou laten staan, me de kans zou geven om er af en toe een voet of iets anders tussen te krijgen. Weet je, wat ik daarstraks over die pijpbeurt zei, dat sloeg eigenlijk op jou.' En na deze bekentenis doet hij alsof hij geen honger meer heeft, schuift zijn bord naar het midden van de tafel zodat hij wat dichter naar me toe kan buigen. 'Niemand doet het zo goed als jij, Jen.'

Goed, ik voel me misschien gevleid, maar op een kromme manier. Christy had iets dergelijks gezegd tijdens onze lunch van woensdag, had erg haar best gedaan om me te overtuigen van haar plan – hoewel ik al was ingestapt. Ze zei dat niemand informatie verzamelde en verwerkte zoals ik; niemand die die vaardigheid had aan de telefoon, die scherpe kennis van antiquiteiten, die flexibiliteit. Ik begin als junior, maar het is heel wat hoger dan ik bij Christie's was. Dat is denk ik een van de voordelen van werken voor een kleine firma, je wordt gewaardeerd om wat je kunt en uitgedaagd om meer verantwoordelijkheid op je te nemen. Natuurlijk is het wel riskanter, maar toch zijn de pluspunten nu al duidelijk. Christy vroeg me hoe ik stond tegenover rivaliseren met Thom, als hij tenminste mijn geheim voor Bjorn verborgen zou kunnen houden totdat we klaar zijn om van start te gaan. Ik zei haar dat Thom dan van alles mocht zijn, maar dat ik hem altijd had vertrouwd. Toen ben ik even naar het toilet gegaan, en heb nog een keer flink gejankt.

'JP? Hallo, ben je er nog? Ik weet dat het veel is om te bevatten, maar...' Hij tilt mijn kin op met zijn vinger.

'Sorry, wat zei je? Ik denk dat ik even in een koeiencoma was weggezakt.' Het was inderdaad de verrukkelijkste steak die ik ooit heb gegeten.

'Denk je dat we nog een kans hebben? Ik mis je soms echt, ik zou alles doen om je terug te krijgen. Met jou is alles zo in evenwicht, zo licht te dragen.' Hij klinkt oprecht. Of hallucineer ik soms? Nee, dat is met plaatjes, niet met woorden. Misschien ben ik door de hasj zo lucide, maar ik snap niet wat ik ooit in hem heb gezien. Ik bedoel, moet je hem nou zien, een opgepoetste potrokende kindacteur die een dikke getrouwde moeder van twee kinderen smeekt hem nog een kans te geven. En dan te bedenken dat ik overwoog om nog een keer met hem de koffer in te duiken.

'Hmm, waarom denk jij dat je mij waard bent?' Ik ga hem laten vallen als een baksteen, maar ik heb lang gewacht met deze bekentenis; hij komt er niet met één weesgegroetje van af.

'Goede vraag. Als we nu eens naar mijn appartement gingen en dat bespraken onder het genot van een kopje koffie?'

'Ik vind de koffie hier prima.' Geen denken aan dat ik me in het hol van de leeuw waag. Morgen moet ik een voetbalpartij geven voor mijn dochter, en dat ga ik niet stinkend naar Heath doen. Ik denk dat de pot nu echt is uitgewerkt. In gedachten doe ik een driedubbele Axel – Sven geeft me een 9.9, Penny een 9.4. Zij was altijd al het strengst.

'Oké, ja, ik wilde je niet opjagen of zo. Maar ik vind dat Thom je niet waard is. Hij is nooit thuis, hij heeft jou met de gebakken peren laten zitten en is domweg vertrokken, voor hoelang al?'

'Twee maanden...'

'Precies, twee maanden. Dat is belachelijk. Zomaar zijn biezen pakken en vertrekken, naar waar ook alweer?'

'Singapore...'

'Ja, Singapore, en jou in je eentje twee kinderen laten opvoeden? Ik weet dat we elkaar in geen tijden hebben gezien, en dit komt voor jou natuurlijk volkomen uit het niets, maar ik heb je gemeden omdat ik er niet tegen kan dat jij niet in mijn leven bent. Dus doe ik meestal maar alsof je dood bent.' Hij snijdt een stuk van zijn karbonade af, opgelucht dat hij zijn gevoelens weer om kan zetten in honger. We zwijgen even en ik probeer me Thom voor te stellen in zijn huurappartement aan de andere kant van de aardbol, foto's van mij en de kinderen op zijn bureau, en overal lege bakjes van afhaalvoer. Kwieke kleine Aziatische huishoudster-hoer die in sarong de boekenplank afstoft. Het is zo'n cliché: succesvolle, getrouwde man die de wereld intrekt om zijn kroost zekerheid te verschaffen, en het in dat proces verwaarloost en aan zijn lot overlaat. Niet het minst een beetje zoals mijn vader. Of Heath. Ben ik echt zo voorspelbaar?

'Heb je enig idee hoeveel dagen van onze relatie jij en route was?' Ik stop een koude friet in mijn mond, kauw er langzaam op, en wacht of hij het rekensommetje maakt.

'Oké, ik weet dat ik veel weg was...'

'Om precies te zijn, 884 dagen.'

'Ik weet dat dat veel lijkt...'

'Van de ongeveer 1887 dagen. Dat is 26 maanden. Bijna vijftig procent. De helft van ons leven samen was jij en route.' Ik ben niet zozeer kwaad als wel opgelucht dat ik deze getallen uitspreek tegen de enige persoon die ze moet horen. Shit, ik had Thom nooit weg moeten laten gaan. Wat dacht ik eigenlijk? 'Dus waag het niet om mij te vertellen dat Thom mij niet waard is. Niemand is mij waard. En dat is de naakte waarheid.' Behalve misschien Christy, die zich nog geen dag ziek heeft gemeld in alle jaren dat ik voor haar heb gewerkt. Geen man, geen kinderen, geen ouders, geen problemen. Zij is een eenmanseiland en ze wil dat ik haar maatje Vrijdag ben.

'Misschien heb je gelijk, misschien ben ik je niet waard, maar ik verdien wel de kans om te bewijzen of ik het kan zijn.' De ober komt langs en neemt onze borden mee. Ik vraag om de rekening.

'Oké, zullen we hiermee ophouden? We hadden het zo gezellig. En jij bent dronken. En ik heb twee kleine kinderen die een moeder en een vader nodig hebben.' De ober legt de rekening tussen ons in op tafel, en daar blijft ze liggen.

'Ik kan hun vader zijn. Echt. Ik vind spelen met kinderen enig.' Hij kijkt me aan met de ernstigste blik die ik ooit van hem heb gezien, oprechter nog dan wanneer hij 'ach nee' zou zeggen voor de tv-camera's. Ik vrees dat hij helemaal niet volwassen is geworden, dat het oude kindacteurcliché niet alleen waar is, maar hier ook tegenover me zit. Hij is niet echter dan zijn goedkope naam.

'Dat is lief, ik meen het. Maar nee.' Ik kijk naar de rekening, kijk naar hem, en excuseer me om even naar het toilet te gaan en hem de tijd te geven om te denken over betalen.

In een hoek van de overloop, boven aan de wenteltrap die naar de toiletten voert, zit een vrouw die tarotkaarten leest. Ze is hier al jaren, zelfde tafel, zelfde set kaarten, althans dat denk ik. Er zit niemand in de stoel tegenover haar dus ik glijd erin en leg tien dollar op het rode kleed. Ze neemt de tijd, mompelt wat, legt kaarten uit.

'Er is verwarring in je hart, er zijn kleine dingen en grotere problemen die je in vele richtingen trekken.'

'Ik heb maar een paar minuten, vertel me iets wat ik niet weet,' zeg ik, met een blik in de richting van de trap, en hopend dat Heath wat nuchterder wordt, ook al weet ik dat hij nu aan de tequila is.

'Je bent van plan op reis te gaan.' Haar ogen rollen naar boven in gespeelde alwetendheid. 'Een reis die je ver weg zal voeren zonder dat je ooit je huis verlaat. Ik voel een nieuw begin, een nieuw leven dat in je opbloeit. Een leven dat iemand van wie je heel veel houdt, zal verbazen.'

'Mooi, dat klinkt goed. En verder?' Ze bedoelt vast Christy. We hadden het erover gehad om de firma 'Bloomington Bradley' te noemen. Dit kan geen toeval zijn.

'Iemand die je heel na staat, heeft een geheim dat je moet weten, want het zal de manier waarop je over jezelf denkt, veranderen.' Haar ogen rollen naar beneden, ze pakt het biljet van tien en leunt achterover.

'Ah! En dat was het?' Ik weet dat je met tien dollar tegenwoordig niet veel meer kunt, maar er zijn grenzen.

'Dat was het. Het visioen is weg. Je moet erop vertrouwen dat je weet wat je weet.' Ze staat op en wast haar handen in een wasbak die zich vreemd genoeg buiten de toiletruimten bevindt. Ik loop de wenteltrap weer af, het konijnenhol in, en probeer elk woord dat ze heeft gezegd goed in mijn hoofd te prenten.

'Jen, wat is er? Je ziet eruit alsof je een geest hebt gezien.' Heath kijkt op van de bodem van een leeg glas, gedroogd zout op zijn hand. Hij schuift een vol glas over de tafel naar mij toe. 'Ik heb ook een glaasje voor jou besteld.'

'Gauw weer terug naar doen alsof ik dood ben, hè?' Ik schuif het glas naar hem terug. De rekening ligt er nog, ongewenst. Ik draai hem om.

'Zullen we sam-sam doen,' vraagt hij. Altijd galant, mijn exvriendje-miljonair.

'Nee, deze betaal ik.' Ik klets mijn creditcard op tafel en schuif hem met de rekening naar de rand van de tafel. 'Heb je gehoord dat Neil Patrick Harris de hoofdrol speelt in *The Assassins* wanneer dat eindelijk op Broadway van start gaat?'

'Hmm, ja, ik ben de rol aan hem kwijtgeraakt. Het is goed zo, ik vond altijd al dat hij te laag werd aangeslagen. Dank voor het etentje. En JP, het was eigenlijk een grapje, weet je, dat "je terug willen"-verhaal. Een manier om de avond spannender te maken.' Hij is niet langer de Heath op wie ik verliefd werd, degene die me van dichtbij en van veraf kon kwellen met zijn onvermogen om zich te binden. En het mooiste is dat het me eindelijk niets meer kan schelen.

'Een heel leuke manier, schat van me.' Ik teken voor ons etentje.

Na een zachte kus op de wang gaan we elk onze eigen weg. Het is nog vroeg en niet meer zo koud, en omdat mijn hoofd nog bonst van de martini en de pot, besluit ik naar huis te gaan lopen. En zodra ik thuis ben ga ik Thom bellen en hem zeggen dat hij als de donder naar huis moet komen, zodat we dit samen kunnen oplossen. En als dat Bjorn niet aanstaat, kan hij doodvallen. Daarna ga ik Christy bellen, die gaat nooit voor middernacht naar bed, en zeggen dat ik klaar ben voor wat dan ook. Dit is de laatste keer geweest dat een man me in de kou heeft laten staan.

Wanneer ik op Sixth Avenue loop, merk ik dat een auto gelijk met mij oprijdt. Bij Fourteenth Street stopt hij en er gaat een portier open. Ik verwacht half en half Mr. Big, maar helaas, het is Bjorn maar.

'Stap in,' zegt hij, over de bank geleund.

'Nee.' Het licht springt op rood, en ik loop door. Hij stapt uit en volgt me, op enige afstand.

'Jen, we moeten praten. Over Thom,' zegt hij, wanneer hij me inhaalt, en hij houdt me de heupflacon voor. Ik sta stil, pak hem aan, gooi mijn hoofd achterover en neem een slok. Ik draai de dop er weer op en breng mijn gezicht heel dicht bij dat van Bjorn. Goed dat ik hoge hakken aanheb.

'Luister,' zeg ik, een beetje onvast. 'Luister. Naar. Mij. Ik ben klaar met praten over Thom, er is niets meer wat ik wil weten.' Ik duik op hem af om hem te zoenen, hij houdt me tegen.

'Niet hier, stap in de auto,' zegt hij, en hij opent het portier van de nog steeds volgende Lincoln. Ik laat me op de bank glijden, hij stapt ook in. Het ruikt naar een bedwelmende combinatie van whisky, Bjorn, leer en een vleugje seks; ik ben dronken. We zouden het kunnen doen, hier en nu, met de rookglazen ramen en de zwijgende chauffeur, en geen haan die ernaar zou kraaien. Heath, Bjorn, kan het schelen, elke hoer in de storm. Ik schuif mijn lichaam zo dicht mogelijk tegen het zijne. Hij schuift een eindje op.

'Zo, en wat is het dit keer. Thom valt op kleine jongetjes? Hij heeft een Van Gogh geschilderd en hem verkocht op internet? Hij heeft de Eiffeltoren gestolen? Kom op, vertel maar, het kan me echt niets schelen?'

'Het is Stephanie, mijn vrouw. Ze zijn er samen vandoor. Zij is het op die foto's.' Hij probeert een sigaret aan te steken, de lucifer onthult wat mogelijk tranen in zijn ogen zijn, maar zijn hand trilt zo dat hij sigaret en lucifer uit het raampje mikt.

'Stephanie? Zo heet ze?' Ik weet niet wat alarmerender is, dat ik de naam van Bjorns vrouw nooit heb geweten, of dat zij ervandoor is met mijn echtgenoot. Door de drank en de schok van dit moment dringt nauwelijks tot me door dat ik Bjorns vrouw nooit heb gezien, alleen op die foto's.

'Dus je wist het toen je me die foto's gaf?'

'Ja, maar ik dacht dat jij me niet zou geloven. Ik wist niet eens of ik het zelf geloofde.'

'Is er verder enig bewijs? Hoe weet je dat ze ervandoor zijn?'

'Weet je wat zo grappig is, Jen?' vraagt hij, snotterend en lachend tegelijk. 'Zij was de eerste vrouw die ik ontmoette die me jou kon laten vergeten. Maar het bizarste komt nog. Ze kenden elkaar van de universiteit. Ze hebben ons allebei al jaren bedrogen.'

Ik speel meteen de hele Thom-video af in mijn hoofd, graaf in mijn geheugen of ik de naam Stephanie ooit heb gehoord, een foto van een ravenzwarte schoonheid heb gezien. Niets. Er klopt iets niet in dit hele verhaal. Ik ken Thoms verleden, ik heb de vrouwen met wie hij iets heeft gehad, ontmoet. Zijn moeder heeft het nooit over een Stephanie gehad, en dat zou ze zeker hebben gedaan. Bjorn geeft me de heupfles, en ik neem nog een slok. Wanneer ik hem teruggeef, pakt hij mijn pols vast.

'Wat moet ik doen? Ik houd van haar.' Hij begint te snikken, ik neem hem in mijn armen om hem te troosten.

'We zouden ze kunnen vermoorden,' zeg ik, en ik probeer te lachen over Bjorns hoofd heen, dat stevig genesteld ligt tussen mijn borsten. Als hij niet zo verdrietig was, zou ik zweren dat hij er misbruik van maakte. Ik til zijn hoofd op en kijk hem in de ogen. 'Laten we even afwachten wat er nu gaat gebeuren. Waarom slapen we er niet alle twee nog een nachtje over en praten we morgen verder?'

'Wil je dat echt voor me doen?'

'Ja, waarom niet.' We stoppen voor mijn appartement. Het is net alsof deze hele scène perfect geklokt is, en dat geeft me een onbehaaglijk gevoel. Hier schuilt een reuzenadder onder het gras. 'Bel me morgenmiddag, oké?' Ik stap uit de auto zonder op Bjorns antwoord te wachten.

In de lift speel ik de hele avond nog eens na in mijn hoofd, althans wat ik me ervan herinner, en steeds struikel ik over Bjorns bekentenis. Ik weet dat ik van mijn stuk zou moeten zijn, Thom vervloeken dat hij zo'n rotschoft is, maar iets in mij weigert om Bjorns kant te kiezen voordat ik met Thom kan praten. Is hij werkelijk in staat om zijn beste vriend te bedriegen en er met diens vrouw vandoor te gaan? De foto's liegen niet, en daar zit hem mijn probleem. Daar en in Bjorns eerste blijk van echte emotie om een vrouw. Dat kan zelfs hij niet faken.

Ik loop nog steeds te piekeren over wat er niet klopt wanneer ik de voordeur binnenga. De zurige stank van kots komt me meteen tegemoet en ik struikel bijna. Ik realiseer me dat ik minder nuchter ben dan ik dacht; vergeleken met Heath mag ik dan nuchter zijn geweest, maar naast mijn schoonmoeder ben ik stomdronken.

'Gelukkig, Jennifer, daar ben je eindelijk,' zegt Vera, terwijl ze haar handen afdroogt aan een theedoek. Ze heeft al een zijden pyjama aan met daarover een bijpassende crèmekleurige, gewatteerde zijden peignoir.

'Wie van de twee?' vraag ik, me uit mijn jas wurmend.

'Georgia. Het is al ruim een uur aan de gang. Geen hoge koorts, 38, toen ik het een kwartier geleden voor het laatst opnam. Max heeft erdoorheen geslapen, maar ik maak me zorgen om hem als hij hier blijft terwijl Georgia griep heeft.' Ze heeft misschien gelijk, maar ik weiger nog steeds om enige raad van deze vrouw aan te nemen, zelfs als de consequentie is dat we allemaal ziek worden.

'Geen probleem, ik neem haar bij mij in bed, en wil jij dan zo lief zijn om bij Max te gaan slapen voor het geval hij midden in de nacht gaat spugen.' Ik heb het gevoel dat Vera de pot kan ruiken aan mijn jas, de martini/tequila/whisky in mijn adem, de aftershave in mijn haar. Net die ene avond dat ik zonder de kinderen de deur uitga, moet Georgia ziek worden, pech gehad. Dit zet me terug in de werkelijkheid waarin ik het meest thuis ben – moederen.

'Weet je het zeker? Ik kan Skip bellen om Max te komen halen, dan blijf ik hier om jou te helpen met Georgia. Jij ziet trouwens ook wat pips, lieve.' Ze doet een stap in mijn richting, AA-bloedhond die naar sporen van bewijs snuffelt. Ik duik om haar heen.

'Laten we afwachten hoe ze zich morgen voelt.' Dan zie ik de rol cadeaupapier op het aanrecht liggen. 'O shit, haar verjaarspartij.'

'Ik vind dat we de dokter moeten bellen. Wie weet heeft ze die griep waaraan deze winter zoveel kinderen overlijden. Heeft ze een griepprik gehad?' Omdat wij het inentprogramma in minder hoog tempo afwerken, denkt Vera blijkbaar dat we ze helemaal niet laten inenten. Ze hebben allebei keurig al hun prikken gehad.

'Als ze spuugt heeft ze niet die griep, maar een maagvirus. En ja, ze heeft een griepprik gehad, en Max ook. Zullen we dan nu gaan slapen, want de nacht zou nog weleens onrustig kunnen worden.' Ik kijk naar Georgia's traktatie op de eetkamertafel, de glanzende roze en paarse zakjes, en ineens ben ik blij dat ik haar vader niet heb bedrogen. We hebben zelfs zwarte zakjes voor de jongens gemaakt – dat had Georgia ook nog bedacht.

Om twee uur in de nacht word ik wakker, vlieg overeind en kots mijn lunch en mijn diner uit in de emmer die ik voor Georgia naast het bed had gezet. Ze zeggen dat het geen kwaad kan om van heldere alcohol over te gaan op donkere. Nadat ik Georgia, kreunend en nog een laatste keer spugend, bij mij in bed had gelegd, koorts had opgenomen – nog steeds 38 – mijn gezicht gewassen, tandengepoetst en het licht uitgedaan, heb ik lange tijd naar het plafond liggen staren, denkend dat ik vanavond thuis had moeten zijn in plaats van high te worden met mijn ex, en stom te proberen Bjorn half en half te verleiden. En nu komt boontje om zijn loontje – ik heb de koude rillingen en ben drijfnat. Door de geur van mijn pas geverfde haren moet ik weer kotsen, en pas wanneer ik me in de badkamer heb gewassen en terugkom in de slaapkamer, zie ik dat Georgia niet meer in het bed ligt.

Ik trek een droog T-shirt aan en een legging, en daaroverheen Thoms flanellen kamerjas – bij de geur ervan krijg ik de neiging om te janken – en wankel naar de woonkamer, waar Georgia op de bank zit, met haar paarse Aigroeg T-shirt aan over haar nachtpon. Ze kijkt tv, met het geluid uit. Sheena Easton prijst haar collectie porseleinen poppen aan, die erg populair lijken te zijn bij nachtelijke kijkers. Stille tranen biggelen over haar wangen, en ik ga even naast haar zitten voordat ik een einde maak aan haar nachtwake.

'Schatteke, het is midden in de nacht, kom, dan gaan we weer naar bed.' Ik leg mijn hand op haar voorhoofd, maar mijn handpalm is warm en klam en ze trekt haar hoofd weg.

'Mama, waarom ben ik zo misselijk?' Ze leunt tegen me aan en ik mag mijn arm om haar heen leggen.

'Ik weet het niet, schatje, maar ik ben ook misselijk als dat je kan troosten.' Ze kijkt naar me op, ziet dat ik misselijk ben, en schudt haar hoofd. Ze kijkt naar haar shirt.

'En mijn partijtje, kan dat?' Haar stem is nauwelijks een fluistering.

'Ik denk het niet, Georgie, maar laten we wachten tot de ochtend.'

'Kan ik wel naar Ella's circus?' Ella's verjaardag is zondag, en het ziet ernaar uit van niet.

'Dat zien we wel wanneer het zover is, vind je niet?' Ik wieg haar even, een golf van duizeligheid overspoelt me. Ik heb een kater, mijn hoofd bonst van de drugs en de drank. Ik ben waarschijnlijk ook uitgedroogd. Ik hijs mezelf op van de bank om naar de keuken te gaan en Georgia pakt mijn arm. Ik til haar op en voel hoe ze haar dunne armpjes en beentjes als een aapje om me heen klemt, haar warme hoofdje rust zwaar op mijn schouder. Ik voel me eigenlijk te slap, maar mijn moederinstinct is sterk genoeg om haar naar het aanrecht te dragen, waar ik haar op het koele marmer neerzet en voor mezelf een cocktail mix van Alka-Seltzer en Pedialyte, en voor haar alleen Pedialyte. Op het moment dat ik de lege fles in de recyclingbak gooi, schiet het door me heen – Vera heeft ons vergiftigd.

Eerder op de dag had Vera Max meegenomen naar het park, terwijl Georgia en ik de traktatiezakjes vulden.

'Houdt papa meer van zijn werk dan van ons?' had Geege gevraagd, terwijl ze voorzichtig een E knipte uit een vel roze karton.

'Natuurlijk niet, Georgie, hij moet gewoon heel hard werken op het ogenblik, maar hij komt gauw weer naar huis.' Ik legde de cadeautjes voor de jongens apart van die voor de meisjes – Georgia was tevreden geweest met wat eenvoudiger spulletjes dan haar klasgenootjes, en we hadden in Chinatown voor weinig geld een heel cool plastic cameraatje gevonden.

'Houdt hij meer van Max dan van mij?' Ze deed alsof het haar niet kon schelen, alsof ze zomaar wat vroeg, terwijl ze me zijdelings aankeek, en wachtte op de retorische antwoorden.

'Nee. Hij houdt van jullie allebei evenveel.'

'Ik hoop dat hij niet naar huis komt.' Ze stopte met knippen, legde de schaar neer. 'Ik wil niet naar het verjaardagsfeest.' Ik trok haar stoel naast de mijne.

'Niet naar huis komt.' Ik was het met haar eens, op mijn eigen manier. 'Oké, schatje, ik weet dat je boos bent op papa, ik ben ook boos op hem. Maar we hebben ons toch al zo lang verheugd op je partijtje?'

'Zal wel.'

'En je weet toch dat papa hier zou zijn als hij kon.'

'Zal wel.'

'Zullen we dan nu wat limonade gaan maken?'

'Mama, limonade, dat kan niet, het is *winter*.'

'Oké, zullen we dan sneeuwhoorntjes maken van de storm?'

'Maar het *sneeuwt* niet.'

'Zullen we dan een zijden tasje maken van een biggenoor?'

'Mama, Max is een *hond*, geen varken.' Eindelijk klonk haar vertrouwde lachje, en ze ging verder met het uitknippen van de initialen van de namen en plakte die op de zakjes.

Vera kwam met Max terug uit het park, zwaaide met een gebaksdoos en hing de reservesleutels weer op.

'Waar is oma's kleine lekkerbek? Ik heb roomsoezen!' Georgia, die vanille al op mijlen afstand ruikt, sprong van haar stoel, alle gedachten over haar vader haten voor het moment uitgewist door de moeder van die vader. 'Jennifer, ik weet hoe je over suiker denkt, maar de kinderen zijn zo zoet geweest, dat we ze best een beetje mogen verwennen, vind je niet?' Ze hield me de doos voor, Georgia en Max op haar hielen.

'Ja voor Georgia, nee voor Max. Hij mag een paar berenkoekjes.' Beter het jongste kind teleurstellen dan het oudste, vind ik altijd. Hun geheugen is korter en de kans is kleiner dat ze blijven zeuren.

'Hoera!' schreeuwde Georgia.

'Ik snap echt niet waarom Max helemaal geen suiker mag. Belachelijk. Bovendien zit er in die koekjes ook suiker.' Ze zette de doos op het aanrecht, knipte het rood-witte lint door en gaf het aan Max om mee te spelen – als ik dat had gedaan had ze gezegd dat ik moest oppassen dat hij zich er niet mee opknoopte.

'Omdat hij geen suiker nodig heeft, en het verschil nog niet kent,' zei ik, en ik gaf Max zijn koekje, dat hij met een 'goekie!'-kreet aanpakte.

'Mama, *ik* vind suiker lekker,' zei Georgia, terwijl ze haar vinger in het gat stopte waardoor de vla in de soes was gespoten.

'Dat weet ik, schat. Eigenlijk ben je ook van suiker. Je mag ook niet in de regen, want dan smelt je misschien.' Ik gaf haar een kus op haar hoofd. 'Lief van je, Vera, dat je een taartje voor Georgia hebt meegebracht, lekkere trek heeft ze altijd wel.'

'Ik heb er ook een voor jou, lieve. Je bent de laatste tijd zo magertjes. Hier.' Ze overhandigde me een bordje. Ik mager? En nu moest ik dit opeten om het eerste indirecte compliment te vieren dat ze me sinds de geboorte van Max had gegeven. 'Jij weet echt hoe je een mooie Bradley moet bakken.' Ik meen dat dat haar woorden waren.

Natuurlijk deed Vera niet mee. 'Mijn diabetes, lieve.' Een ingebeelde kwaal waardoor zij kans ziet om zo slank als een schoolmeisje te blijven, terwijl ze de rest van ons vetmest. Ik nam één hap van de soes, vond dat die gek smaakte, maar uit beleefdheid nam ik nog een paar happen.

Bij de gedachte alleen al hang ik weer boven de gootsteen te kotsen, en Georgia doet hetzelfde. Peeve, die niet graag een lekkere hap kots mist, springt op het aanrecht en probeert bij de smurrie te komen. Ik mik haar op de grond en doe de kraan open om de bak schoon te spoelen. Laat dan Georgia nog wat Pedialyte drinken, wat ze alleen doet omdat ik het ook doe.

We kruipen weer in bed, dicht tegen elkaar aan, en ik beloof haar dat we haar partij op een andere dag zullen vieren, dat we naar het circus zullen gaan, en de zakjes met cadeautjes maandag mee naar school zullen nemen, dat we het hele weekend samen in bed zullen blijven, net als vroeger toen ik Max verwachtte.

De volgende ochtend voelen we ons slap en ellendig, en Georgia begint al te jammeren voordat ze goed en wel wakker is. Ik draai me om en zie dat haar kussen drijfnat is, ze kijkt me aan met holle oogjes.

'Mama, ik denk dat ik het partijtje wel kan houden, oké?' Ze wil gaan zitten, het lukt niet, ze rolt op haar zij, duwt zich op, en valt weer tegen me aan.

'Ach, mijn lieve schat, ik vind het vreselijk, maar ik denk dat we geen van beiden ergens naartoe gaan.' Ik leg haar neer op het kussen, ze accepteert stoïcijns de waarheid. 'En ik beloof je, dat partijtje komt er. En laten we nu proberen nog wat te slapen.'

Ik ga weer liggen, met een kater, bedroefd en nog steeds misselijk. Mijn ogen branden van al het huilen in de afgelopen week, en toch komen er weer nieuwe tranen. Is Thom er werkelijk vandoor? En wat betekent dat tegenwoordig? Nee, hij houdt te veel van zijn kinderen, hij zou nooit riskeren dat hij hun liefde verspeelde, zelfs als hij niet meer van mij zou houden. Snik.

Net wanneer ik weer in slaap val, komt Vera de kamer binnenstuiven, trekt de gordijnen open en opent een raam. Ze heeft al gedoucht en zich opgetut. Ik weet niet hoe laat het is, maar er valt geen daglicht naar binnen, dus het moet voor zevenen zijn. Wie maakt er nu voor zevenen een ziek mens wakker? Mijn woede sluimert zo dicht onder de oppervlakte dat ik die bijna kan proeven, en is even irrationeel als bitter. Ik kan hem onderdrukken. Dat kan ik.

'Nou nou, het ruikt hier knap muf.' Ze spuit wat pufjes Lysol in de lucht om zich in een antiseptische wolk te hullen voordat ze naar het bed toeloopt. 'Hoe gaat het vanmorgen met mijn kleine patiënt?' Ze legt haar hand op Georgia's voorhoofd. 'Dat voelt al beter.' Ze kijkt naar mij. 'Mijn god, wat zie jij eruit.' Ik krijg de neiging tegen haar te schreeuwen, maar dan gaan mijn haarwortels weer pijn doen, en ik realiseer me ook dat ik Vera nodig heb om de partij af te zeggen.

'Weet ik, ik heb hetzelfde. Slaapt Max nog?'

'Ja, hij heeft een rustige nacht doorgebracht met zijn oma en ligt godzijdank te pitten als een kleine bruine beer. En, Jennifer, ik heb het je al honderd keer gezegd, je moet die kinderen niet overal mee naartoe slepen in deze smerige stad, ze kunnen ik weet niet wat al oppikken in de metro, op straat, in het café.'

'Er wonen zoveel kinderen in de stad, Vera. En veel kinderen die niet in de stad wonen, worden ziek. Komt door de winter. Dan worden kinderen ziek.'

'Ik kan me niet herinneren dat Thom of Theta ooit een dag school heeft gemist.' Ze pakt mijn sieradendoosje op en zwiept met haar hand het stof weg voor ze het weer terugzet. 'Skip is onderweg om Max te halen voordat hij ook krijgt waar jij mijn kleinkinderen aan hebt bloot...'

'Soezen.'

'Wat zei je?'

'Ik heb ze blootgesteld aan *jouw* soezen. Ik zou Georgia's maag laten leegpompen als ze hem niet al had leeggekotst. En gelukkig zal dit mijn zoon bespaard blijven omdat ik niet wilde dat hij er ook een kreeg.' Mijn stem is een lage doorgerookte grom. 'Zullen we de discussie in de andere kamer voortzetten?' Zo te voelen heb ik nog steeds koorts, mijn gezicht gloeit. Ik doe de deur achter ons dicht, demp mijn stem.

'Vera, het spijt me heel erg dat ik je heb teleurgesteld als moeder voor jouw kleinkinderen, maar onder de gegeven omstandigheden doe ik wat ik kan.' Vera staat aan de ene kant van de kamer, ik aan de andere.

'Hoezo, Jennifer, je hebt me niet "teleurgesteld". Natuurlijk doe je wat je kunt. Jij kunt het toch niet helpen dat je zo bent opgevoed?' Ze kijkt de kamer rond, vermijdt angstvallig oogcontact. Zo doet ze dat wanneer ze me beoordeelt – ze kijkt niet zozeer op me neer, ze kijkt helemaal niet naar me.

'Dank voor je hulp van vannacht.' Ik klem mijn kaken op elkaar. 'Ik zou het op prijs stellen als je nu je spullen pakt en beneden in de hal wacht tot Skip er is. Ik laat mij en mijn familie niet in ons eigen huis beledigen, en zeker niet waar mijn dochter bij is. Is dat duidelijk?'

'Ik wilde je niet beledigen. Is het soms mijn schuld dat jij je waardeloze gemoeder zo nodig moet afschuiven op een onschuldig taartje?'

We staan nu in het midden van de kamer, allebei kokend van woede. Zij zou mij niet hebben gekozen voor Thom en ik haar nooit voor mijzelf. Ik sta op het punt om de andere helft van de soes uit de vuilnisbak te vissen en door haar strot te rammen, wanneer de deur opengaat en de man binnenwandelt die er de oorzaak van is dat we zo tegenover elkaar staan. Vera en ik kijken tegelijkertijd woedend naar Thom.

'Hallo! Hoe is het met mijn twee favoriete meisjes? En waar is de jarige?' vraagt Thom, zich niet bewust van de spanning in de lucht, terwijl hij zijn tas aan zijn voeten neerzet. Hij is onberispelijk gekleed in een driedelig pak; ik kan me niet voorstellen waar hij de afgelopen vierentwintig uur heeft uitgehangen, zo strak als hij eruitziet – beslist niet in een vliegtuig. Ik wil hem slaan en omhelzen, maar het liefst wilde ik dat hij er minstens even belazerd uitzag als ik op dit moment.

Ik voel me zo ellendig en uitgedroogd – maar goed ook, geen vocht meer om nog maar één traan te produceren – dat ik op de bank neerzak in plaats van naar mijn overwachte, mogelijke klootzak van een echtgenoot toe te rennen. Vera heeft een fractie van een seconde de tijd om een besluit te nemen, misschien zal het haar laatste zijn.

'Thomas. Goed. Wel, ik pak even mijn spullen en dan ga ik.' Wijs besluit. Gelukkig zijn haar spullen al ingepakt in een tas met wieltjes, en al pratend trekt ze haar bontjas aan. 'Max ligt te slapen, Jennifer en Georgia zijn ziek, en het partijtje gaat niet door. De nummers die gebeld moeten worden liggen op het aanrecht. Ik ben vannacht gebleven, maar...' de intercom gaat, 'en dat zal je vader zijn. Kom je volgende week eten? Ik wil graag alle verhalen over je reis horen.' Ze kijkt niet één keer naar mij tijdens deze monoloog, en geeft alleen haar zoon een aai over zijn wang wanneer ze de nog openstaande buitendeur uit zeilt, en die net hard genoeg achter zich dichttrekt om mij duidelijk te maken dat ze nog een appeltje met me te schillen heeft.

'Nou nou, wat is hier aan de hand?' Thom kijkt me onderzoekend aan.

'Zo, en wat voert jou hierheen? Moet jij er niet vandoor met de vrouw van je partner?' Al mijn trieste angstige woede keert zich tegen hem.

'Wat?' zegt hij snuivend. Snuivend! 'Jen, ik weet dat ik de laatste tijd wat geheimzinnig heb gedaan,' zegt hij, terwijl hij gaat zitten, een beetje te dichtbij voor een bedrogen zieke. Hij ruikt naar vliegtuig. Mijn maag draait om.

'Een beetje geheimzinnig? En dat is alles? Wat dacht je van: sorry dat ik je heb bedrogen, Jen, het was niet de bedoeling dat je erachter zou komen.' Mijn woordenstroom is niet meer te stuiten.

'Waar heb je het over?' vraagt hij, terwijl hij zijn arm om me heen slaat. Ik schud hem af met het laatste restje energie dat ik nog heb. Ik pak mijn boek, laat de foto's eruit glijden en duw ze hem onder de neus.

'Ik weet het, Thom.' Ik houd hem scherp in de gaten wanneer hij de foto's bekijkt, ze om en om draait, ongetwijfeld op zoek naar een nieuw excuus. Ik bid in stilte dat het waterdicht is. 'Ik weet alles, dus probeer je hier niet uit te liegen.' Hij buigt zich over de foto's en zijn schouders beginnen te schokken. Hij zal zich dus met tranen hieruit proberen te redden. Hij en Bjorn lijken meer op elkaar dan ik dacht. Tijd om over te schakelen naar Plan B. 'Het enige waarop we ons nu moeten concentreren is wat het beste is voor de kinderen. Ik ben niet van plan om gedwee het bedrogen vrouwtje te spelen, en ook niet om je nog een kans te geven, dus smeken helpt niet.' Hij schokschoudert helemaal van het huilen. Misschien kunnen we toch een manier vinden om dit op te lossen.

'Oké, luister,' zeg ik, nadat hij een poosje heeft zitten snikken met zijn gezicht in zijn handen. 'Kijk me aan en vertel de waarheid, vertel me alles zodat we verder kunnen.'

'Jen,' zegt hij happend naar adem, en hij kijkt me aan met een gezicht helemaal nat van tranen. 'Jen, lieverd, ik weet niet hoe ik je dit moet vertellen.' Hij snuift weer, en dan dringt het eindelijk tot me door dat hij niet huilt, maar lacht.

'Je LACHT? Op ZO'N moment?' Ik sta op, hij trekt me terug op de bank. Mijn hoofd tolt de ene kant op en dan de andere.

'Jennifer Bradley, liefde van mijn leven, moeder van mijn kinderen, ster van mijn heelal,' zegt hij, terwijl hij me in zijn armen sluit. Ik houd me stijf. Hij laat me los en geeft me de foto's terug. 'Dat ben *jij* op die foto's.'

Bij dit nieuws kom ik iets te snel overeind en omtollend zie ik de vloer op me afkomen.

Ik voel iets vochtigs op mijn voorhoofd, en wanneer ik mijn ogen opendoe, lig ik in bed. De gordijnen zijn dicht, maar Georgia is niet meer in de kamer. Heb ik deze hele morgen soms gedroomd? Ben ik bezig mijn gevoel voor realiteit te verliezen? En als dat zo is, hoe komt dit washandje dan op mijn gezicht? Ik ga zitten en moet meteen weer gaan liggen door de pijn die vanaf mijn voorhoofd doorstraalt naar mijn ruggengraat. Op het nachtkastje staat een kan water met een briefje ernaast. Ik knip het licht aan en zie de foto's naast Thoms krabbel.

'Ha, engel,' staat er, 'Georgia voelde zich al wat beter, dus zijn we met zijn allen naar *Peter Pan* om toch nog iets te vieren. We zijn om een uur of zes thuis. Er staat soep op het fornuis. Kletsen we later verder? Ik aanbid je, T.'

Ik kijk op de klok, het is bijna zes uur. Het is hierbinnen donker omdat de zon al onder is. De foto's zijn het bewijs dat dit allemaal echt is gebeurd, en wanneer ik ze bekijk met mijn migrainehoofd, wordt de vrouw meteen mijzelf – Bjorn had niet eens de moeite genomen om me met Photoshop andere kleren aan te trekken, zo overtuigd was hij dat ik alleen het haar zou zien, zou zien wat ik wilde zien. Waarschijnlijk was hij aanvankelijk niet eens van plan om het Stephanie te laten zijn, en gebruikte hij haar naam alleen om mij een laatste zetje te geven. Maar waarom?

Ik ben net klaar met plassen en mijn gezicht wassen wanneer ik mijn gezinnetje de deur hoor binnenstormen, geen kans meer om te douchen dus. Tot mijn stomme verbazing zie ik Vera als hekkensluiter binnenkomen.

'Mama, mama, mama,' roept Georgia, en ze stort zich op me en slaat met een grote rode boodschappentas tegen mijn schenen. 'Neverneverland is zo mooi!'

'Dat heb ik gehoord, ja,' zeg ik, en over haar hoofd heen kijk ik naar Thom, zie vaag een klein lachje in zijn ogen, en nog iets anders, maar misschien vergis ik me. Max hangt onderuitgezakt in zijn kar, zijn hoofdje bijna op zijn elleboog. Daar zal ik nooit aan wennen, die slappe babynekjes.

'Gigi, help jij soms oma even de soep opwarmen?' zegt Thom, terwijl hij Max naar zijn kamer rijdt.

'Ja, papa, maar eerst Amanda, alsjeblieft?' Ze huppelt achter hem aan, laat das, muts, wanten en jas achter zich op de grond vallen.

'Het spijt me,' zegt Vera, terwijl ze de boel achter Georgia aan opraapt. 'Ik ben over de schreef gegaan.'

'O,' zeg ik, bijna sprakeloos. 'Nou ja, ik had misschien niet moeten schreeuwen.'

'Je was ziek, dus dat begrijp ik wel.'

'Oké,' zeg ik, en ik loop naar de keuken om Advil te zoeken.

'Oké.' Ze volgt me, pakt een spons en maakt hem nat. 'Weet je, we waren Thom bijna kwijt geweest. Toen hij klein was,' vertrouwt ze me toe, terwijl ze het aanrecht afneemt.

'Je meent het, wat vreselijk voor jullie. Hij heeft het nooit verteld. Wat is er gebeurd?' Ik ga op een keukenkruk zitten. Ze kijkt me recht aan, voor het eerst in twee dagen.

'Thom weet het niet. Hij had dagenlang heel hoge koorts en we moesten hem op een gegeven moment zelfs helemaal in ijs inpakken. Ze zeiden dat hij, als hij het al haalde, waarschijnlijk achterlijk zou zijn.' Ze kijkt in de richting van de kinderkamer. 'Hij is ons godsgeschenk. Denk nooit lichtvaardig over een griepje, Jennifer. Nooit.'

'Oma, kijk eens, ze is nog mooier dan ik dacht!' Georgia komt naar ons toe rennen met een grote pop die precies dezelfde kleren aanheeft als zij.

'Kindje toch, wat prachtig!' roept Vera uit, blij met deze afleiding, na haar angstige verhaal. 'Ik red me hier wel, Jen, ga jij Thom maar helpen.'

Ik loop naar de kinderkamer. Thom heeft Max uitgekleed en verschoond, een hele prestatie gezien het feit dat het kind gewoon doorslaapt. Ik ga in de schommelstoel zitten en ben weer verbaasd hoe

Thom alles twee keer zo snel en drie keer zo goed kan als ik.

'Heeft Bjorn je die gegeven?' vraagt hij, terwijl hij Max in zijn bedje tilt en hem toedekt. Alle vrolijkheid is uit zijn stem verdwenen.

'Hij zei dat het Stephanie was. Dat jullie er samen vandoor waren.' De schommelstoel kraakt onder mijn gewicht.

'Stephanie,' lacht hij. 'Dat is een mooie. Ze is er inderdaad vandoor, met haar tandarts. Wat zei hij nog meer?'

'Dat je in de nesten zit. Dat je een vaas hebt vervalst.'

'Pablo heeft een gat gedicht,' zegt hij – jargon voor het opgeven van een foute datering. De vaas was dus niet zo oud als ze beweerden. Hij had hem aan mij moeten laten zien. 'Maar ze proberen mij ervoor te laten opdraaien. De FBI heeft in de afgelopen weken het kantoor in Singapore binnenstebuiten gekeerd. Ik wilde niets liever dan het je vertellen, maar kon de telefoon niet meer vertrouwen.'

'Vissaus?' vraag ik. Hij gaat aan mijn voeten zitten, leunt tegen mijn benen.

'Ja, vissaus. De rechercheur was er toen je belde en zij probeerde je te traceren. Ik wilde niet dat ze wist dat jij het was.'

'Het brekende glas?'

'Bjorn had een stel lieden gestuurd om bewijsmateriaal te verdonkeremanen, maar het was al te laat. Ik had de laatste maand braaf meegewerkt en de bewuste vaas er al tussenuit gehaald. Bjorn weet dat niet.'

'Moet ik hem soms proberen te verleiden, hem de waarheid laten vertellen, met een recordertje op zak?' We lachen alle twee bij deze gedachte, de lucht klaart wat verder op.

'Dat zou je wel willen,' zegt hij, terwijl hij zijn hoofd op de stoel legt en naar me opkijkt. 'Dank je, nog een keer,' zegt hij, tederder nu.

'Waarvoor?'

'Dat je voor mij hebt gekozen, toen.'

Het was te verwachten dat Bjorn hem zou vertellen over Tunis, pochen dat hij me eerst had gehad en me had gedumpt. Maar zeker is dat Thom nooit zou laten doorschemeren dat hij het wist. Ik knipper even flink met mijn ogen en pak dan de draad van ons gesprek weer op.

'Het was een kwestie van tijd,' zeg ik. 'Pablo staat bekend als vervalser. Maar waarom jij?'

'Het is de vaas die ik in Griekenland heb opgehaald en heb meegenomen naar Singapore.' Hij legt een arm over mijn knie. 'De officiële test toonde aan dat de vaas ruim driehonderd jaar minder oud was dan de cliënt verwachtte, dus heeft Pablo hem door een "expert" opnieuw laten dateren.'

'Hij wordt in iets van vijf landen gezocht, is dat niet genoeg?' vraag ik. Thom pakt mijn blote voet, speelt zwijgend met mijn tenen. 'Kun je niet gewoon zeggen dat je die vaas van hem hebt gekocht en daarmee uit?'

'Ze beschuldigen me van handel in vervalsingen of zoiets.'

'Of *zoiets*? En Bjorn?' Ik demp mijn stem, hoewel Max de laatste tijd van niets meer wakker wordt als hij eenmaal slaapt.

'Ze willen dat ik hun informatie over hem verschaf. Mijn strafblad schoonhouden als ik hun alles vertel wat ik weet.'

'Mooi. Hangen zal hij, de schoft.'

'Inderdaad.'

Ik leg mijn kin op zijn hoofd. Uit de keuken komt de geur van warme soep en ik heb ineens razende honger.

'Veel zullen ze van mij niet te weten komen. Bjorn heeft me altijd buiten aankooptransacties gehouden. Ik ben alleen maar zijn loopjongen geweest.' Hij draait zich om en kijkt naar me op, zijn handen om mijn enkels. 'Dit gaat even duren, en officieel zit ik zonder werk, dus ik wil graag dat je de baan bij Christy aanneemt.'

'Hoe weet jij dat?' vraag ik. Hij schudt zijn hoofd.

'Genoeg vragen voor het moment, we zijn allebei veel te bekaf. Zeg dat je het doet en regel dat je dinsdag begint.' Hij staat op en hijst mij uit de stoel.

'Maar Bjorn dan? Die laten we hier toch niet zomaar mee wegkomen?' zeg ik, en mijn woede bereikt het kookpunt wanneer ik me realiseer hoezeer Bjorn ons allemaal heeft belazerd.

'Laat die maar aan mij over, en zorg jij voor ons,' zegt Thom, het haar van mijn voorhoofd vegend. 'Voel je je al wat beter?'

'Geloof van wel,' zeg ik, 'ik ben niet meer duizelig en misselijk, dus dat is een begin.'

'Heb je het goedgemaakt met ma?'

'Denk van wel.'

'Fijn. Ze heeft er de hele dag vreselijk over ingezeten.'

'Echt?' vraag ik, en ik denk terug aan haar verhaal, hoe ze deze jongen bijna had verloren. 'Ik bedoel, zat ze er werkelijk mee?'

'Ja, je hebt haar de stuipen op het lijf gejaagd. Ik had het graag gezien.' We staan bij Max' bedje, Thoms arm om mijn schouder. 'Ze is soep gaan maken en is er speciaal voor jou mee teruggekomen. Je moest eens weten hoeveel macht je over haar hebt.'

'Weet ik niet.'

'Laat het niet naar je hoofd stijgen.'

'Ik doe mijn best. Maar beloven kan ik het niet. Je moeder zou me vaker moeten vergiftigen.'

'Hé, krijgen we praatjes?' Max beweegt even en we sluipen op onze tenen de kamer uit op zoek naar mijn nieuwe slaaf.

Hoofdstuk Vierendertig

Ik moet steeds denken aan dat cliché: 'Hoe meer de dingen veranderen, hoe meer ze hetzelfde blijven.' Zelfs de Franse versie ervan herinner ik me nog, omdat het een van de weinige volzinnen was die ik kon onthouden. Na alle waanzin ben ik weer terug waar ik een paar weken geleden was. Thom is weer een heilige, Bjorn is een duivel, en het enige grote verschil is dat ik niet meer zo goedgelovig ben als ik was. Mijn heiligverklaarde echtgenoot is nog steeds niet alles wat hij schijnt te zijn, nadat ik hem, door de omstandigheden gedwongen, ook eens heb bekeken door de ogen van een bedrogen geliefde. De onwaarheid van zijn bedrog heeft me even hard geraakt als de waarheid zou hebben gedaan, en als gevolg daarvan kijk ik vanuit een ander perspectief naar de wereld. Als ik me zo makkelijk liet verleiden om van een man die ik nooit heb vertrouwd, iets te geloven over een man die ik altijd heb vertrouwd, betekent dat dan dat ik stiekem hoopte dat dit zou gebeuren? Of erger nog, betekent het dat ik inderdaad geloof dat Thom in staat is tot wandaden? Hij mag dan niet zelf met de datering gesjoemeld hebben, maar wij weten beiden dat hij kan zien wanneer er met een kunstobject is geknoeid, en hij moet dus verkozen hebben om een oogje dicht te knijpen. Potentieel heeft hij het in zich om een misdadiger, een bedrieger, een vervalser te zijn. Dat hebben we allemaal.

Ik zou graag zeggen dat ik nooit iets slechts heb gedaan, maar ik heb dronken achter het stuur gezeten, ik heb drugs gekocht, ik heb cocaïne verstopt voor Penny, en geld aangenomen voor seks. Eén keertje. Op de universiteit. Van een vriendje. Oké, hij gaf me twintig dollar voor een keer pijpen, maar het was een grapje tussen ons tweeën, niet echt een misdrijf. Ik heb vele snelheidslimieten overschreden, en geparkeerd op een plek voor invaliden. Ik heb nooit een bon voor iets gekregen, ben nooit voor een rechter verschenen, ben nooit op heterdaad betrapt.

Drugs behoorden niet tot mijn middelbareschoolervaringen, maar alcohol zeker wel. Portia en ik kochten dan een sixpack Lite van Johnny Clarke, een jongen uit onze klas, die zo vaak was blijven zitten dat hij legaal drank kon kopen. We legden er vier in een greppel om ze koel te houden, gingen dan wat rondrijden, pakten de volgende twee, weer een rondje, en zo hadden we er elk drie op tegen de tijd dat we richting huis gingen. Deze activiteit ontging onze vaders, die meestal 's avonds rond dezelfde tijd in de kroeg om de hoek zaten. Eén keer heeft Portia zelfs wat sterkedrank uit de drankkast van haar vader gepikt, en overgegoten in een lege shampoofles, die niet al te best was omgespoeld. We mixten de drank met orange soda en dronken die zeperige godendrank tot de laatste druppel op.

Als ik bedenk hoe vaak ik mijn auto in die dagen wel niet in een greppel heb gereden, hoe vaak ik niet bijna ben geslipt op ijzige landweggetjes, dan geeft dat me een sensatie alsof ik een van die keren ben doodgegaan en nu in het hiernamaals leef. Denken dat je onsterfelijk bent is één ding, maar denken dat je geen ongeluk kunt krijgen is wel wat anders. Het was opwindend om te weten dat ik 'la vida papi' leefde, door met mijn gedrag te imiteren wat ik zo verwerpelijk vond aan het zijne. Grote lantaarn, klein licht.

Maar als ik mijn ervaringen afzet tegen die van bijna ieder ander, dan was ik vrijwel geheelonthouder. Ik zag mezelf graag als een eenzame ziel, een rebel, maar ik was gewoon een doorsneetiener in provinciaal Amerika.

Als ik ooit hun geheime bergplaats vind, kan ik tenminste tegen Max en Georgia zeggen dat ik tot mijn twintigste geen pot heb gerookt. En dan zullen ze eerst nog wel tien keer nadenken. Hoewel er tegen die tijd waarschijnlijk allerlei dodelijke drugs op de markt zullen zijn, of iets wat ze bij scheikundeles maken. Iets waardoor je vanbuiten niets aan ze merkt, iets wat je niet meteen ruikt, maar wat ze vanbinnen helemaal kapotmaakt. Ouders van grotere kinderen hebben me gewaarschuwd dat New York een waar paradijs is voor tieners. Ik heb de film *Kids* gezien, mijn eigen versie van *Party Monster* beleefd – ik heb genoeg verloederde tieners van nabij meegemaakt. Penny was minderjarig toen ik haar voor het eerst ontmoette, en ik heb haar hand meer dan eens vastgehouden wanneer haar maag werd leeggepompt. Ik heb thuisonderwijs serieus overwogen, heel serieus, en ik ben van plan daar, als het moet, mee te dreigen. Natuurlijk zou ik het nooit doen, want van beide kinderen verwacht ik dat ze wijzer zijn dan hun ouders – zo wijs dat ze niet betrapt zullen worden op het doen van dingen die uitlopen op thuisonderwijs.

En toch voel ik me bezoedeld door Thoms uitglijer, hoezeer hij die ook bagatelliseert. Ik hoop dat ik de kinderen kan uitleggen waarom papa ineens thuiszit, in plaats van mama, en dat ik aannemelijk kan maken dat het omdraaien van de rollen een normale fase is in de ontwikkeling van een gezin. Wat hun moeilijker is uit te leggen, en misschien zal ik het ook nooit doen, is dat ik deze baan nodig heb, deze nieuwe realiteit, om mezelf en hen te beschermen tegen de dag dat onze wereld harder verandert dan dit keer. Wanneer de barbaren hun bommen laten vallen, wanneer de psychopaten terugkeren en brullen voor je deur. Hoe leer je een kind dat de wereld veilig is als je niet eens weet in welke wereld je leeft?

Hoofdstuk Vijfendertig

Ik kijk vanaf de tweede verdieping van Christy's appartement naar een sleepboot die een lading afval over de Hudsonrivier vervoert. We zijn net klaar met lunchen en zij is aan de telefoon om haar chauffeur te zeggen dat hij over een halfuur hier moet zijn om haar terug te brengen naar kantoor. Ik blijf nog een paar uur om de nieuwe database op te zetten. Vanaf mijn appartement kan ik met lijn 1/9 van de metro regelrecht naar ons tijdelijke kantoor dat in Tribeca ligt. We hebben de trein al de 'Bloomington-Bradley-expres' gedoopt. Niet dat Christy er ooit mee zal gaan – die moet ons imago tenslotte hooghouden. Ik kijk in het raam naar haar vlekkeloze spiegelbeeld terwijl ze over het kelimtapijt loopt – hoogblond kort kapsel dat haar scherp getekende jukbeenderen omlijst, gekleed in de natuurtinten van Jill Sanders, die perfect aansluiten bij de kleurstelling van haar enorme appartement.

Ik wacht nog steeds op het juiste moment om Christy over Thom te vertellen, maar ik ben er voor mezelf nog niet uit, en hoewel hij zegt dat hij onschuldig is, voel ik toch nog iets van schuld. Is er iets wat hij me niet heeft verteld?

Christy is klaar met de chauffeur en schakelt over op een andere lijn.

'Hallo Peter! Dat is lang geleden. Ja, Marc heeft me verteld dat je zou bellen. Ik denk dat Jennifer en ik je kunnen helpen. Natuurlijk. Dat begrijpen we. Het ligt erg gevoelig. Geen mens buiten deze muren. We zullen in de komende weken een plan maken en dat ergens in de lente in gang zetten, oké? Jennifer neemt aan het eind van de maand contact met je op, want ik kan tot mei geen rol naar buiten toe spelen, maar weet dat ik elke stap volg.' Ze legt een arm rond haar middel en gaat achter op de hak van een van haar pumps staan. 'Ja, opzeggen was een van de moeilijkste dingen die ik ooit heb gedaan. Dertig jaar. Hmm. Ze willen mijn gezicht beslist in de catalogus totdat we de Faun van Urpigi hebben verkocht. Alles in der minne geschikt. Oké, fantastisch. Op mijn woord van eer. Ciao.' Ze werpt me een glimlach toe. 'Onze eerste cliënt. Peter Jacobs. Impressionisten met een korte omlooptijd, ongeveer zes van de twintig uit zijn collectie. Hij zit krap bij kas, moet geld vrijmaken. Maar geen verkoop aan musea binnen de tien jaar. Tegen die tijd hoopt hij ze te kunnen terugkopen en zelf te schenken. Ik heb je nodig om een lijst van potentiële kopers samen te stellen.'

'Ik ben niet zo bekend met verzamelaars van impressionisten,' zeg ik, waarop haar glimlach overgaat in een grinnik.

'Ga nou, Jennifer, als we ze kenden, wat zou dan de lol zijn? Wees niet bang, die duiken heus op voor je het weet.' Ze wappert enthousiast met haar handen om te benadrukken hoe leuk het zal zijn. 'We hoeven alleen maar te laten weten dat we in de markt zijn voor handel, dan komen de kopers vanzelf.'

'Maar hoe kunnen we dat laten weten als jij nog aan je contract vastzit?'

'Hé schat, word eens wakker. We hoeven niets te laten weten, iedereen weet het al, ze doen alleen maar alsof ze het niet weten totdat ik het groene licht geef. Je bent een slimme meid, dat lukt je heus wel. Nu moet ik terug naar kantoor. Kijk maar wat je vanmiddag boven water kunt krijgen. En pieker niet te veel over Thom; die komt heus op zijn pootjes terecht.'

En weg is ze, in een werveling van beige tinten, en ik blijf verstijfd staan. Ze weet het van Thom. En iedereen weet van Bloomington Bradley. Zo wist Thom het dus van mij.

Ik trek mijn bureaustoel naar mijn nieuwe werkplek en begin de map door te nemen die Christy me heeft gegeven, in de hoop iets impressionistisch te ontdekken. Er zitten profielschetsen in van potentiële cliënten, en ik blader erdoorheen tot ik Peter Jacobs vind. Hij is best knap, een beetje bankierslook, kort peper-en-zoutkleurig haar, kraaienpootjes, lichte ogen. Geboortedatum 3-4-45. Heeft fortuin gemaakt in de bonthandel van zijn familie, maar heeft recentelijk het grootste deel verloren in een mislukte telecomonderneming. Vrouw Hillary, dochter Chloë. Vrouw Hillary, dochter Chloë. Wel heb je ooit. De informatie is niet compleet, dus ik zoek hem op met Google en noteer wat ik verder over hem vind. Binnen een paar minuten loop ik vast. Ik slijp mijn potlood. Neem een slok water. Heb de neiging om te janken. Realiseer me dan wie ik nodig heb om deze klus tot een goed einde te brengen. Penny. Zij heeft ooit het nieuwe vriendje van de vriendin van haar ex via internet achtervolgd, omdat ze dat kon.

Ik pak mijn mobieltje om Penny te bellen en zie dat ik een bericht heb. Ik had het op trillen gezet, maar heb het niet gevoeld. Het is Thom.

'Hai, Jen, met mij, ik heb GG en alles is oké, dus geen paniek. Bel me.'

Georgia hoort op school te zijn. En ik moet niet panieken. Ik haal een paar keer diep adem en bel dan terug. Hij zit pas twee dagen thuis met de kinderen.

'Wat is er gebeurd?' Ik loop naar het raam, probeer Christy's nonchalante gang na te bootsen, blijf met mijn hak in het kleed haken en verdraai bijna mijn enkel.

'Je zult het niet geloven,' zegt hij. Ik kan niet uitmaken of hij geamuseerd is of iets van woede onderdrukt.

'Goed, laat het voorspel maar zitten en kom ter zake.'

'Juffrouw Cartwright is door het lint gegaan.'

'Wat bedoel je?' Mijn hart bonst in mijn keel terwijl ik mentaal de lijst check; ze is niet het type dat met een pistool rondloopt, ik heb nog nooit meegemaakt dat ze de kinderen iets verkeerds...

'Alles was normaal vanmorgen, en toen heeft ze na de lunch de kinderen in een kring gezet, ze met springtouwen aan elkaar vastgebonden en hun monden dichtgeplakt met tape. Hoe ze het voor elkaar heeft gekregen om ze lang genoeg stil te laten zitten, is me een raadsel, ik krijg Max' schoenen al nauwelijks aan.'

'Ze heeft wat?' Ik krijg een waas voor mijn ogen en dan zie ik weer scherp. Ik zie Vera's gezicht voor me, hoor haar zeggen wat een goede school het is, wat een perfecte juf – dochter van de nieuwe echtgenoot van haar vriendin. 'Ik vermoord haar.'

'Kalm nu maar, alles is oké, het kind van Bjorn heeft zich losgewurmd nadat Cartwright in de hal was flauwgevallen. Het gerucht gaat dat ze haar medicijnen verkeerd heeft gecombineerd. Of ze is in een psychose geraakt.'

'Het is niet oké, allesbehalve. Hoe is het met Georgie?' Niet te voorspellen wat voor terugslag het kind hierdoor krijgt.

'Prima. Ik heb haar opgehaald nadat de politie ons had ondervraagd, en ik heb Ella ook mee naar huis genomen, zodat Angie op school kon blijven om het een en ander uit te zoeken. Ze hebben een ijsje en kijken tv. Hoor maar.' Hij houdt de telefoon in de ruimte en ik hoor hen meezingen met *Little Mermaid.*

'IJs en tv?' Spaar de echtgenoot niet, verwen het kind.

'Lieverd, ze hebben tenslotte een rotdag achter de rug.' Hij heeft gelijk, dat wel, maar toch.

'En Max?' Ik zie zijn snoet voor me, onder de chocoladesmeer.

'Die slaapt. Hij is in slaap gevallen op weg naar huis. Wat een gevoel voor humor heeft dat mannetje. Hij is echt erg leuk nu.' Ja, dat is hij. Perfecte timing. Precies op de dag dat ik weer aan het werk ga, verandert Max in John Stewart.

'Luister, ik ga naar de school om te zorgen dat Angie de boel niet kort en klein slaat.' Ik zet de computer uit en pak mijn sleutels. 'Ik ben om etenstijd thuis. Kun jij wat bestellen?'

'Wordt geregeld. Ga nu maar.'

Het kost me eindeloos veel tijd om de school te bereiken, en wanneer de taxi in Park Street stopt, staat Angie daar op de stoep, Miles met loom bungelende voetjes, diep in slaap, in de Baby Bjorn met zijn rug naar haar toe.

'Niet uitstappen, schuif even op,' zegt ze. 'Hoek Ninetieth Street en First, alstublieft,' zegt ze tegen de chauffeur, terwijl ze haar gordel vastmaakt. 'Doe je gordel om, deze dingen zijn niet veilig. Mooi dat je net aankwam, er waren al vijf taxi's langsgekomen, allemaal bezet.'

'Waar gaan we heen?' Ik wil mijn gordel vastmaken, maar kan de sluiting niet vinden, en ik denk er niet over om er tussen de zitting en de leuning van een taxi naar te graaien. Ik houd de riem met mijn hand op zijn plek.

'Openbare school 18, Progressive Science Kindergarten. Ik heb al gebeld en een afspraak gemaakt. Als wij het eerst zijn, zullen ze ons moeten toelaten.'

'Maar hoe...'

'Je dacht toch niet dat ik mijn dochter ooit nog een voet over de drempel van die school laat zetten. Als ze het schoolgeld niet terugbetalen, sleep ik ze voor de rechter. Ik heb onze advocaat al gebeld.'

'Ty is toch jouw advocaat?'

'Klopt, ik heb mijn echtgenoot gebeld. Komt op hetzelfde neer.' Ze lacht voor het eerst weer, en ik ontspan een beetje. 'Maar het is geen overreactie van me, of hij dat nu vindt of niet. We krijgen maar één echt goede kans in deze wereld. Heel veel kansen, maar slechts één werkelijke kans. Ik laat Ella en Miles niet door een of andere idioot aan hun schoolbank vastbinden. Van mijn leven niet.' Miles beweegt en kijkt op naar zijn moeder, zijn hoofdje achterover tegen haar borstbeen.

'Trouwens, Angie, hoe zal ik het zeggen... zie ik het goed dat je je baby bij je hebt?' We zitten vast in het verkeer. Ik zou wel lopend verder willen gaan, maar ik heb van die schoenen aan die Christy altijd draagt – van die blijf-van-mijn-lijf-pumps – en ik heb al twee blaren en een beginnende eeltbobbel.

'Klopt, is hij niet schattig? Ik heb gehoord dat sommige baby's maar een paar keer per week poepen als je ze borstvoeding geeft. Miles heeft vrijdag voor het laatst gepoept. Is hij niet geweldig?' Ze aait met de top van haar wijsvinger over zijn bolletje.

'Zei je "gepoept"?'

'Van mijn moeder mag ik in de buurt van de baby niet vloeken. Nu ze me 's middags helpt, heb ik maar te doen wat zij zegt. En omdat ik niet werk, wil ze geen geld, dus het minste wat ik kan doen is naar haar luisteren. En "poepen" kan voor haar net door de beugel.'

'En "borstvoeding", zei je?'

'Ja, sinds ik niet meer werk heb ik weer ruim genoeg. Ik vind het wel cool.' Miles begint te sputteren en Angie schuift haar pink in zijn mondje. Ze is net de Zwarte Madonna. 'Dat hele thuiszitten is niet half zo erg als ik dacht. Het freelance werk komt me mijn, mmm, oren uit, en ik kan voeden wanneer het kind erom vraagt.'

'Je gaat dus niet weer aan het werk?' Dit is nieuw voor mij. Ik had verwacht dat Angie me zou steunen in mijn keuze, dat we samen zouden lunchen in The Four Seasons.

'En Miles' eerste woordje missen, de eerste keer dat hij op zijn buik rolt? Ik begin me te realiseren hoeveel ik bij Ella heb gemist – ik weet niet hoe ik dat mezelf ooit kan vergeven.' Miles knort tevreden. 'Ah, we zijn er – hier links, graag,' zegt ze tegen de chauffeur.

Wanneer we het kantoor van het schoolhoofd hebben gevonden, wordt ons verzocht te wachten op een bank in de hal. De school is al uit en de stilte is neergedaald over het gebouw. De vloeren zijn smetteloos, Italiaanse tegels, de muren zijn behangen met uitingen van kunst en andere activiteiten. Op één prikbord is een afbeelding te zien van Venus die uit haar schelp stapt, op een ander foto's van een recente uitvoering van *West Side Story* – jongetjes met naar achter geplakte haren en stoere jacks met grote letters erop, die voorovergebogen met hun vingers naar hun enkels staan te knippen, meisjes met van die wijde rokjes met een poedel aan een lijntje erop geborduurd, dansend op een van karton gemaakt dak.

'Deze school is echt te gek,' fluistert Angie, terwijl ze Miles losmaakt en hem onder haar shirt nestelt. Ik wend mijn hoofd af. 'Een van de beste vijf openbare scholen in Manhattan. Je moet echt wel aan wat touwtjes trekken om erin te komen, maar we wonen beiden in dit district en het is een noodgeval, dat helpt.'

'Vast beter dan openbare school 33,' zeg ik, doelend op de lagere school bij ons in de buurt, een bouwval onder de rook van een elektriciteitscentrale. Het gezoem van de turbines – of wat zich er ook in dat massieve stenen gebouw mag bevinden – is genoeg om de melkbekertjes van de schoolbanken te trillen. 'Toen we er gingen kijken – voordat Vera haar "geschenk" verklapte – vertelden ze dat de school op de nominatie stond voor de sloop, binnen vijf jaar, en dat er in de tussentijd geen nieuw lesmateriaal meer werd aangeschaft. Een van de nooduitgangen hing met tape aan elkaar. Geen optie dus.'

'Ty heeft op school gezeten met het hoofd van dit district. Als we deze school willen, komen we erin.' Ze legt Miles, die in een melkig comateuze toestand verkeert, tegen haar schouder, en maakt onderwijl geroutineerd haar beha weer vast. 'Goed, genoeg eromheen gedraaid. Hoe staat het met de echtgenoot?'

'Thom?' Ik houd me van de domme, ben er nog niet aan toe om over mijn eigen goedgelovigheid en de beroepsethiek van mijn echtgenoot te praten. 'Hoezo?'

'Waarom zit hij ineens thuis en ben jij aan het werk? Wat is er gebeurd?' Ze houdt mijn blik vast en ik sta net op het punt alle kwalijke details op te biechten, wanneer de deur van het kantoor opengaat en een jonge zwarte vrouw, in een wapperende groen met blauwe rok, verschijnt en mijn vriendin omhelst met een kus op beide wangen.

'Angie! Kom binnen, dat is lang geleden.' Wanneer zij ons voorgaat, zie ik dat haar prachtig gesneden rok van achteren in een kleine queue is gedrapeerd, en een toch al perfect achterwerk en smalle taille accentueert. Haar haar is opgebonden met een band van ruwe blauwe zijde, en haar Pepsodent-witte boothals-T-shirt laat nog net iets zien van een schildpadtatoeage die een tint donkerder is dan haar gitzwarte huid. Ik moet me beheersen om die schildpad niet even aan te raken.

'Nichelle, dit is Jennifer, de moeder van Georgia, over wie ik je vertelde.' Nichelle gebaart naar twee kleurig geverfde houten stoelen en gaat zelf achter een laag metalen bureau zitten.

'Ik sta werkelijk versteld van wat er is gebeurd,' zegt ze, terwijl ze me indringend aankijkt. 'Hoewel het niet onze gewoonte is om vraagtekens te zetten bij de methoden van andere scholen, moet ik wel bekennen dat ik niet volledig verrast ben door deze ontwikkeling. Juffrouw Cartwright heeft een paar jaar geleden bij ons gesolliciteerd en ik herinner me dat ze toen ook al een wat onstabiele indruk maakte. Ik had gehoopt dat ik het fout had.' Ze gaat achterover in haar stoel zitten, zonder met haar ogen te knipperen. Ik heb het gevoel dat Nichelle het slechts zelden mis heeft.

'Ik heb ook nooit veel vertrouwen in haar gehad. Maar mijn

schoonmoeder meende dat Park Street de beste school was voor Georgia.' Angie snuift even. 'Dus ik wil graag alles weten over deze school.'

'Hier op Science streven we drie dingen na – respect, routine en discipline – maar we gebruiken geen springtouwen om dat de kinderen bij te brengen. Wij zijn van mening dat kinderen floreren in een gecontroleerde omgeving, als ze weten waar ze moeten zitten, weten dat ze hun vinger moeten opsteken als ze iets willen zeggen, dat ze op hun beurt moeten wachten, en weten wat ze van de leerkrachten kunnen verwachten – dat maakt de weg vrij naar zelfexpressie. Wij gaan te werk met een combinatie van verschillende filosofieën, en onderwijzen in de lagere klassen door middel van spel. Deze week, bijvoorbeeld, ligt de aandacht op de kleuterschool op schoon. We hebben liedjes en spelletjes waarmee we de kinderen een duidelijk gevoel voor eigen verantwoordelijkheid bijbrengen, maar dit wordt nooit in een negatieve omgeving gedaan. Op de kleuterschool hebben we twee leerkrachten per vijftien kinderen, er zijn vier groepen, in totaal zestig kinderen. De lokalen worden via loting ingedeeld, zodat de kinderen steeds nieuwe vrienden kunnen maken.' Ze leunt achterover, knippert met haar ogen.

'Waar moeten we tekenen?' Ik probeer niet al te opgewonden te doen, niet te laten merken dat mij dit de meest perfecte school lijkt waarvan ik ooit heb gehoord. Angie draait zich naar mij, legt een hand op mijn arm, en kijkt dan naar Nichelle.

'Wat Jennifer wil vragen, is of jij ervoor kunt zorgen dat Ella en Georgia hier binnenkomen. Ik weet hoe gewild de school is.' Haar hand blijft op mijn arm liggen, en als het iemand anders was geweest die me het zwijgen oplegde, zou ik hem wegslaan, maar ik vertrouw Angie, zal haar volgen, waarheen dan ook.

'Ik weet dat je niet in geluk gelooft, Angie, maar heel toevallig verhuist de Michaelson-tweeling naar Frankrijk en is er in de Groene Klas van juffrouw Daily vanaf aanstaande maandag plaats. Wij gaan met een urgentiegeval als dit anders om dan met de gewone wachtlijst, dus Ella en Georgia kunnen hier op proef tot de voorjaarsvakantie, en tegen die tijd krijgen jullie de aanvraagformulieren voor de eerste klas in de herfst.' Haar glimlach is tot op dit moment vriendelijk geweest en gaat nu over in een verblindende zonnestraal. 'Het zal ons een eer zijn jullie kinderen hier welkom te heten.' Ik kijk naar Angie, die niets laat blijken. Een eer? Wie is Angela Little dat het hoofd van een openbare school vereerd is haar dochter op de leerlingenlijst te hebben?

'Doe niet zo mal,' zegt ze, en ze knijpt even in mijn arm, zo van 'vertel ik je later wel', en laat weer los. 'Heel veel dank. Zouden we het lesprogramma van juffrouw Daily kunnen krijgen zodat we de kinderen vast kunnen bijwerken nu ze deze week thuis zijn?'

'Dat ligt hier voor me.' Nichelle schuift twee groene plastic mappen over haar bureau. 'Hoe staat het met je lokken?' vraagt ze aan Angie.

'Nog een paar centimeter en ik kan ze vlechten,' zegt ze, en haar hand gaat naar de zwarte sjaal die ze om haar hoofd heeft gewonden. 'Ik krijg allerlei oudere kerels achter me aan, die denken dat ik een non ben.' Ze lachen allebei. Ik werp Angie een vragende blik toe.

'Ik ga aan een rastakapsel,' zegt ze tegen mij. 'Dat heb ik altijd al gewild, maar dat kan gewoon niet als je voor een Amerikaanse maatschappij werkt. Dat ontslag blijkt het beste te zijn wat me ooit is overkomen. Even mijn buik inspecteren...' Ze overhandigt Miles aan mij en tilt haar shirt op, een en al plooien en kwabben. Ik voel de rol boven mijn eigen tailleband, span mijn spieren aan en zet Max voor me op schoot.

'Meid, je ziet er puik uit. Het is dat ik al getrouwd ben...' Ze giechelen samen om wat kennelijk een heel oud grapje tussen hen is, en eindelijk zie ik de gelijkenis – als ze geen zusjes zijn, dan zeker nichtjes. Nichelle begeleidt ons naar de buitendeur, kletst met Angie over familie. Dat is nou typisch Angie, beweren dat Ty de connecties heeft, terwijl het haar kennis van het universum is die de deuren opent voor onze dochters. En zij is mijn vriendin. Mijn vriendin. Hoewel ik niets heb gedaan om dat te verdienen, is het zonneklaar dat ze uit haar voegen is gegaan om mij en mijn kind te helpen. Terwijl ik kijk hoe ze lacht en haar hoofd schudt om iets wat Nichelle zegt, realiseer ik me dat het niet is omdat ik speciaal ben, maar omdat

Angie dat is. Ik loop een eindje van hen af met Miles in mijn armen, en wanneer ik zijn babygeur insnuif, besluit ik dat ik in geluk geloof, ook al doet zij dat niet.

De taxi zet me af op de hoek en terwijl ik naar ons appartement loop, zie ik een vrouw het gebouw verlaten. Ze is ongeveer even lang als ik en heeft lang zwart haar dat in een dubbele vlecht op haar rug hangt. Ik ren achter haar aan, geschokt dat ze het lef heeft om naar mijn huis te gaan, mijn echtgenoot te bezoeken waar de kinderen bij zijn. Ze versnelt haar pas bij het geluid van mijn hakken en vliegt de trappen van de metro af. Wanneer ik haar inhaal, is ze al door het draaihek en stapt in een wachtende trein. Ik knal met mijn dij tegen de metalen spijl die me belet haar te volgen.

'Wacht – hé, jij daar!' schreeuw ik tegen haar rug. Ze draait zich om en ik zie een volle baard. Mijn god. Wat een idioot.

Wanneer ik bovenkom heeft Ty Ella al opgehaald, en heeft Thom de kinderen in bad gedaan en eten gegeven. Die zitten nu op de bank, kijken alweer een video. Ik ben te moe om in discussie te gaan, en daarbij komt dat ik met hem moet praten, onder vier ogen.

'Thom, we moeten praten,' zeg ik, en ik ga aan de keukentafel zitten. Hij schijnt alweer helemaal gewend te zijn aan de tijdzone, en heel wat fitter dan ik.

'Hoe wist je van die baan?'

'Ik heb je aanbevolen.' Ik weet wel zeker dat hij het zo zei.

'Zeg dat nog eens.' Ik reik naar de keukenkraan en laat wat water over mijn pols lopen om af te koelen, en ook om me te concentreren, om een paar van de demonen te verjagen waardoor ik nog steeds spoken zie waar er geen zijn.

'Christy belde me een aantal maanden geleden en vroeg of ik iemand wist die heel goed was, en ik zei ja, Jennifer Bradley.' Hij pakt mijn andere hand. 'Jij bent de beste, Jennifer, je moet er alleen voor gaan en het bewijzen. Je bent er klaar voor.'

'Dat weet ik zo net nog niet,' zeg ik, terwijl een lichtzure smaak opborrelt in mijn keel. Ik kauw op een pretzel, vul een glas met water, drink het leeg.

'Ik wel. En luister. Ik moet je iets vertellen.' Hij draait mijn palm naar boven, traceert de lijnen. 'Deze hele affaire gaat enige tijd duren. Er wordt een onderzoeksjury benoemd, en wanneer die een aanklacht indient, als dat al gebeurt, dan wordt Bjorn gearresteerd. Tot het zover is, moet ik me gedeisd houden.' Ik wil niets liever dan mijn hand terugtrekken. Zijn aanraking is onverdraaglijk.

'Ik hoop dat ze die schoft aanklagen. Hij heeft jou erin geluisd.' Het water borrelt op in mijn keel, een stukje pretzel drijft mijn mond in.

'Daar ziet het wel naar uit. Ik kan alleen niet bedenken waarom. Althans nog niet. Ik weet dat je hem niet mag, maar hij is echt goed voor ons geweest, hij is een van mijn beste vrienden. Ik ben er zelfs niet van overtuigd dat Pablo met die vaas heeft geknoeid. Best mogelijk dat hij hem zo heeft gekocht.'

'Doe niet zo onnozel, Thom. Bjorn is keihard en onbetrouwbaar. Hij heeft je jaren geleden al uit die deal om dat beeld gemendeld, en je sindsdien kortgehouden, terwijl hij geld verdiende aan jouw ambitie. O ja, en hij wilde je vrouw wijsmaken dat jij een affaire had.'

'Hé, zachtjes, stel dat Georgia je hoort.'

'Hij is een oplichter, Thom,' zeg ik, bijna fluisterend. 'Een oplichter die alles zal doen om te krijgen wat hij wil, inclusief zijn beste vriend verraden.'

'Ik heb hem vandaag gesproken,' zegt hij, zijn stem teder en droef, de toon van een afgewezen minnaar. 'Hij vertelde dat je vorige week hebt geprobeerd hem te verleiden, dat je je aan hem hebt opgedrongen toen hij je over mij vertelde. Zei dat hij je met die foto's op de proef wilde stellen, voor mij. Dat hij degene is die werkelijk van mij houdt, en niet jij.'

'Die vuile...' begin ik, maar ik voel me verstrikt in een web dat ik zelf heb gesponnen. De enige uitweg is de waarheid. 'Oké, ik heb hem geprobeerd te verleiden, *zoiets* althans. Maar je moet de omstandigheden begrijpen. Ik stond onder vreselijke druk en hij had me dronken gevoerd.'

'Hij voorspelde al dat je dat zou zeggen.' Zijn mond wordt een strakke lijn, hij worstelt met de informatie, en besluit dan dit onderwerp verder te laten rusten.

'Zoals ik al zei, we gaan moeilijke tijden tegemoet en we moeten zien dat we aan geld komen. We zitten echt krap, Jen, en ik wil Skip niet om geld vragen. Wat gaat Christy je betalen?'

'Weet ik niet precies,' zeg ik. Ik wil mijn bijna-slippertje niet onuitgelegd laten, maar ik wil ook dat Thom nu even het voortouw neemt. 'Ik bedoel, ik weet het niet. We hebben de voorwaarden van onze samenwerking nog niet besproken.'

'Dan kan dat maar beter gauw gebeuren. Bel haar, ik luister mee op het andere toestel.'

'Vanavond kan ik haar niet bellen, ze is gastvrouw op een partij voor de een of andere ambassadeur. Ik zal morgen met haar praten.'

'Mooi,' zegt hij. We laten de stilte tussen ons vallen terwijl *Circle of Life* op de achtergrond speelt.

'Ik ga in bad,' zeg ik, om de impasse te doorbreken. Ik strijk over zijn hand – hij trekt hem niet weg, deinst ook niet achteruit – en loop naar de badkamer, aai in het voorbijgaan de kinderen over hun bol. Wanneer ik over de badrand buig om de stop erin te doen, kots ik de heleboel onder. Blijkbaar ben ik dat virus toch nog niet kwijt. Ik besluit het bad over te slaan en ga even liggen. Het bed voelt koud en ik vraag me af wat ervoor nodig zal zijn om ons weer tot elkaar te brengen, en hoe lang het zal duren, en of dat werkelijk is wat ik wil.

Hoofdstuk Zesendertig

Er is nog iets wat ik moet vertellen: ik ben al bij de eerste examenronde van de universiteit weggestuurd. Ik zette me niet in, presteerde niet. Mijn geld raakte op en ik ben naar Manhattan verhuisd, ervan overtuigd dat ik te stom was voor iets anders dan kaartjes controleren bij de deur van een nachtclub. Kennelijk was dat een misvatting, want ik werd uit mijn eerste baan ontslagen vanwege het foutief tellen van de recettes. Tot op heden was ik me niet bewust wat een gezegend leven ik leidde voor de affaire-Singapore, me niet bewust hoe makkelijk de dingen je kunnen ontglippen. Juffrouw Cartwright zag haar zenuwinzinking waarschijnlijk niet eens aankomen, zij is niet het type dat stomweg afknapt, ook al was ze, denk ik, wel heel erg gespannen.

Een goede opleiding wordt overschat, althans dat meende ik. Onze lerares in de zesde klas gaf ons een keer een dictee waarin de zin 'De indiaan kwam aanrijden op zijn palomino' voorkwam. Alleen zij zei: 'De Injun kwam aanrijden op zijn palomino.' Bij het woord 'injun' stopten alle potloden met krabbelen en hoofden gingen omhoog als prairiehonden. Ze moest de zin vijf keer herhalen. We zaten allemaal met dat 'injun', en we kregen op ons kop dat we zo hardleers waren. En nee, zei ze, ze was niet Engels, zo sprak je dat uit. Halverwege dat jaar kreeg zij een zenuwinstorting, maar die zat er al jaren aan te komen, en het gebeurde tijdens de voorjaarsvakantie, toen wij kinderen niet op school waren. We wisten het niet eens, totdat we terugkwamen en een vervangster kregen, die in de la van juffrouw Mongens lessenaar keurige stapeltjes foto's van leerlingen aantrof. En in een andere la een verzameling van allerlei snoepgoed, speeltjes en alle katapulten die ze in de tien jaar dat ze lesgaf van de kinderen had afgepakt.

Voor mij was er geen school zoals die aan Park Street, geen katholiek onderwijs om mijn intelligentie te redden. In feite was mijn hele opleiding zo minimaal dat ik niet eens wist dat ik slim was tot een paar jaar geleden, toen ik laat op een avond met Cheryl aan de telefoon hing en haar vroeg of ik vroeger een slim kind was. Ze zei dat ze zich niet precies herinnerde wat ik allemaal kon, maar wel dat ik inderdaad de slimste van haar kinderen was, altijd was geweest. Altijd was geweest? Hoe komt het dan dat ik daarover nooit iets heb gehoord tot ik in de dertig was? Zou ik succesvoller zijn geweest als iemand mijn vaardigheden eerder had opgemerkt en meer van me had gevraagd, me had aangezet tot enig hoger doel? Ik herinner me dat in mijn eerste jaar, nadat de uitslagen van de examens bekend waren geworden, mijn mentor me bij zich riep en zei dat 'ik niet naar kunnen presteerde'. Maar dat hadden ze me al sinds de tweede klas gezegd, en het had nooit consequenties, werd nooit vertaald in harde feiten. Totdat ik Christy ontmoette, had ik geen idee wat het woord 'mentor' kon inhouden. In plaats van tegen me zeggen dat ik potentieel had, gaf ze me een hardere schop onder mijn kont dan de andere medewerkers, liet me langer blijven, gaf me sneller een promotie.

Georgia is slim, echt slim. Ze kende het alfabet eerder dan de andere kinderen, zonder dat ik het erin stampte. Ik moedig haar aan en ik houd een dagboek bij van al haar prestaties, zodat zij op een dag zelf kan lezen hoe ver vooruit ze was, en hoezeer ik me daarmee bezighield. Ze past zich sinds ik haar laat gaan zo snel aan de echte wereld aan dat ik enerzijds trots op haar ben en anderzijds bang ben om haar te verliezen. Wie houd ik nu eigenlijk voor de gek, ze is al weg. Alleen wanneer ze ziek is, heb ik het gevoel dat ze nog weet hoe het eerst was. Best begrijpelijk dat er vrouwen zijn die ziekte veinzen om aandacht te krijgen. De manier waarop kinderen van je houden en je nodig hebben als ze zich niet lekker voelen, werkt als drugs. Misschien is het net zo met man en vrouw. We zeggen in slechte tijden dat we van elkaar houden, nemen goede tijden voor lief en zien niet dat beide zo snel voorbijgaan, dat we niet zoveel tijd zouden moeten verdoen om de zin van slechte tijden te achterhalen, of de goede te vieren. Wat ik wel weet, is dat ik wijs genoeg ben om dit alles in het juiste perspectief te zetten en de weg terug te vinden.

Hoofdstuk Zevenendertig

Vandaag wisselen we elkaar af met de kinderen, en vanmorgen heb ik Georgia terwijl Thom en Max naar het natuurhistorisch museum zijn. Max is nog te jong voor dinosaurussen, maar Thom kennelijk niet. We Praten officieel niet over Het, in de hoop dat door zwijgen deze ellende vanzelf overgaat. Ik heb net mijn eerste volle week werken achter de rug, en Georgia Praat officieel niet tegen Mij. Om haar liefde terug te winnen heb ik ingestemd met een theepartij, iets waaraan ik als kind al de pest had. Het is al erg genoeg dat we over een paar weken naar een echte theepartij moeten voor Chloë's verjaardag, maar aan een speeltafel zitten met Georgia, Amanda, Mr. Bear en Barbie en doen alsof we theedrinken uit lege kopjes is iets waarbij ik de neiging krijg om te gaan gillen.

'Barbie, wil jij nog wat thee?' vraagt Georgia aan de kleine blondine.

'Ja graag, lekker,' antwoordt Georgia voor haar.

'Amanda, zou jij Jenfur willen inschenken?' Georgia pakt het theepotje uit Amanda's handen en schenkt thee voor mij in. Die pop was een verjaarscadeau van Vera, en lijkt akelig veel op mijn dochter. Ik zie haar nooit meer zonder.

'Jennifer, wil je melk of citroen?' vraagt Georgia, in de hoedanigheid van Amanda.

'Melk graag,' antwoord ik aan Amanda, die daarna Mr. Bear inschenkt.

'Georgia, zal ik thee voor jou inschenken?' vraag ik aan mijn dochter.

'Amanda, wil je tegen Jenfur zeggen dat ik al thee heb.' Georgia vertikt het om mijn kant op te kijken. Ben benieuwd waar ze dat kunstje heeft geleerd.

'Jenfur, Georgia heeft al thee,' zegt Amanda.

'Barbie,' zegt Mr. Bear, 'wat een weer, hè?'

'Zeg dat wel, Mr. Bear, het is akelig koud, maar de thee is gelukkig warm.' Barbie wendt zich tot Amanda. 'En hoe bevalt je nieuwe thuis, Amanda?'

'Heel goed en ik houd heel veel van Georgia,' zegt Amanda.

'En ik houd ook van jou.' Georgia geeft de pop een kus. 'Ik denk dat ik het meest van jou houd. Eerst jij, dan papa, dan Barbie en Mr. Bear. En dan de Baby.' Ik voel me erg onbemind en krijg ook geen enkele kans om aan het gesprek deel te nemen met al die koude krengen. Nou ja, een ervan heeft een bontvacht. Maar aangezien ik duidelijk de oudste ben, is het mijn taak om dit te doorbreken.

'En, Georgia, hoe bevalt je nieuwe school?' Ik doe alsof ik op een plastic cakeje knabbel.

'Mr. Bear, wil je tegen Jenfur zeggen dat de school prima is?' Ze houdt haar hoofd schuin op een verbazingwekkend neerbuigende manier. Mijn ogen prikken van tranen.

'Jenfur,' zegt Mr. Bear met zijn bromstem, 'de school is prima.'

'Wil jij soms een cakeje, Amanda?' vraagt mijn dochter aan haar pop. Ik pak een keramiekcatalogus van de salontafel. Goed moment om die even door te nemen.

'Ja graag, Georgia, heb je ze zelf gebakken?' vraagt Amanda.

'Ja, helaas wel.' Georgia zucht. 'Mijn moeder bakte ze altijd voor me, maar nu moet ze werken.' Aha, nu komen we ergens. Ik kijk niet op van mijn catalogus.

'Ach, wat naar,' zegt Amanda. 'Ben je er erg verdrietig over?'

'Ja, lief dat je dat vraagt.' Georgia legt een hand op haar voorhoofd. 'Zo vreselijk verdrietig. Barbie, werkt jouw moeder?'

'Hè ja, Barbie, vertel eens wat jouw moeder doet, ze ontwerpt toch poppen en runt een miljoenenbedrijf, is het niet?' Georgia's ogen boren zich in de mijne en gaan dan snel weer naar Barbie.

'Maar ze kookt toch wel voor je?' Georgia schenkt nog eens 'thee' in om te camoufleren dat ze de pop haar eigen woorden in de mond legt.

'Ja natuurlijk, en deze jurk heeft ze ook gemaakt, net als de moeder van Caran,' zegt Barbie, ook al heeft ze geen jurk aan, maar haar doktersjas. Want zij is Dokter Barbie, onderdeel van Barbies voorbeeldrol, om goed te maken dat ze een keer had gezegd: 'Rekenen is moeilijk, laten we gaan shoppen.'

'En, Mr. Bear,' vraag ik, een ander onderwerp aansnijdend, 'hoe staat het met de Knicks, hebben ze gewonnen?'

'Gi Gi vond het fantastisch om met Lieve Mama naar die wedstrijd te gaan,' zegt Mr. Bear. Ja, Lieve Mama, het nieuwe koosnaampje van Georgia voor haar vader. 'Lieve Mama is de beste mama van allemaal.'

'Lieve Mama doet nog maar net mee aan dit mama-spel, Geege, en als je even een week terugdenkt, zul je je herinneren dat Lieve Mama drie maanden lang niet eens in het land was.' Ik klets de catalogus neer op de tafel, de kopjes, bordjes en lepeltjes rinkelen. 'Er zat niets anders op dan weer te gaan werken. Einde verhaal. Jij gaat naar school, ik naar mijn werk, wat kan het jou schelen waar ik de hele dag zit? Je bent bijna nooit thuis wanneer ik thuiskom, met al je afspraakjes, gymnastiekklasjes en Suzukilessen.' Ik schreeuw niet, maar aan de uitdrukking op Georgia's gezicht zou het net zo goed wel zo kunnen zijn. Ze legt kalm haar handen op de tafel, schuift haar stoel achteruit en pakt haar drie poppen op.

'Ik *haat* je,' zegt ze, met trillende stem. Zonder nog een woord te zeggen gaat ze naar haar kamer. Ik steek mijn tong uit naar haar rug. Mooi. Nu kan ik rustig mijn catalogi lezen. Nou ja, misschien reageerde ik wel erg fel, maar ik heb hard gewerkt voor de bijnaam mama en die laat ik me niet zomaar ontnemen. Ik pak de hele stapel tijdschriften en nestel me op de bank. Het is lang geleden dat ik iets behoorlijks heb kunnen lezen. Ik laat me door haar niet deze portie dubbele maatstaven serveren. En ik ben ook niet van plan om mijn dag te laten verpesten door deze kleine woede-uitbarsting. Ik hoor Georgia tegen Amanda praten, maar weiger om mijn dochter af te luisteren. Ze praat op normale toon. Mijn god, ben ik soms degene die een scène heeft getrapt? Degene die zich achtergesteld voelt? Goed, eerst maar even een kop koffie halen.

Ik pak net een verdwaald stuk Lego Duplo op bij haar kamerdeur, wanneer ik haar 'Ella's mama blijft thuis, Daisy's mama blijft thuis, Daltons mama blijft thuis...' hoor zingen, steeds maar weer, op haar monotone manier. Een hele litanie van lieve mama's. Het is bijna alsof ik nooit in woede ben uitgebarsten. Geeft ze echt zo weinig om mij dat ze gewoon naar haar kamer kan gaan en een liedje verzinnen alsof ik niet besta?

Ik pak Peeve op – de enige die echt van me houdt – loop terug naar de bank, en componeer mijn eigen liedje. 'Ella's mama werkte, Daisy's mama werkte, Daltons mama werkte, maar toen werden ze allemaal ontslagen.' Stilte uit de andere kamer. Ze denkt na wat 'ontslagen' betekent, vraagt aan Amanda of de mama's klappen hebben gekregen. Aha. Ze hoort me dus, ik wist het. Oké, dit spelletje heeft lang genoeg geduurd, en in plaats van mezelf een schuldgevoel aan te praten – wat ik heel goed zou kunnen doen – loop ik naar de keukenkast en pak een doos met mix voor brownies van de plank. Ik doe de koelkast open, pak boter en eieren en zet de cakevorm net hard genoeg op het aanrecht om de indruk te wekken dat ik aan het bakken ben. In mijn perifere gezichtsveld zie ik iets van kleur verschijnen, maar als ik als eerste haar aanwezigheid erken, verlies ik. Ik ga aan de gang met de boter. Ze schuift langs de bank. Ik zet de oven aan. Ze legt Amanda op de speeltafel. Ik giet de mix van meel en boter in de kom en grijp naar een ei.

'Mama, ik mag de eieren breken, weet je nog?' Ze kijkt naar me op met die grote bruine ogen van haar.

'Wil je dat echt?'

'Ja, alsjeblieft.'

'Goed, pak je trapje.' Ze schuift haar trapje naast me en breekt de eieren een voor een, vist de stukjes eierschaal uit het deeg.

'Ik mis jou ook, weet je,' zeg ik tegen haar. Ze knikt, hoofd een keer omhoog, een keer omlaag.

'Ik haat je niet,' fluistert ze. Ik kus haar op haar zoetgeurende hoofdje. We pakken elk een lepel, roeren zwijgend, en gieten dan het deeg in de vorm. Ze doopt haar vinger in de kleverige bruine massa en stopt hem in haar mond, doopt hem nog een keer in en stopt hem in mijn mond. Ik glimlach rond haar vinger en zij glimlacht terug.

Zij giechelt. Ik giechel. Zij smeert deeg op mijn neus, ik smeer deeg op de hare. Ik zet de vorm in de oven en we nestelen ons samen op de bank en likken de deegkom uit.

Tegen de tijd dat Thom en Max terugkomen, hebben we bijna alle brownies op. We liggen samen op de bank, met bruine chocoladesnorren en volle buiken. Als we schapen waren, zouden ze ons moeten afmaken, in onze magen moeten prikken om de gassen die zich daar hebben opgehoopt, eruit te laten.

'Zo, en wat is hier in 's hemelsnaam gebeurd?' zegt Thom als groet. Max scheurt door de kamer, dada roepend – naar mij – en gooit zich met zijn volle vijftien kilo boven op me. Ik kan het niet helpen, ik laat een wind. Nou ja, het is tenslotte familie. Max wuift met zijn hand voor zijn gezicht langs en zegt 'ooo, stink', precies zoals ik hem heb geleerd. Mijn trots, mijn vreugde.

'Papa papa papa waar ben je zo lang geweest?' zeurt Georgia. 'We hebben een theepartij gehad met Mr. Bear en Amanda en Barbie en cakejes en toen ben ik boos geworden en is mama boos geworden en toen ben ik naar mijn kamer gegaan en heb liedjes gezongen en toen hebben we brownies gebakken en toen zijn we op de bank gaan zitten en toen kwam jij thuis en toen heb ik je een verhaal verteld.' Ze vat bijna vlam zo straalt ze naar haar vader.

'En wat hebben jullie in de brownies gedaan?' vraagt Thom aan mij.

'Suiker, zuivere witte basterdsuiker, pure natuursuiker, o zo.' Ik rol Max van me af, zet hem op de grond. 'Ze is helemaal voor jou. Ik zou zeggen, neem haar mee en plug haar ergens in, geladen genoeg om half Manhattan van stroom te voorzien. En mijn kleine man, toe aan een dutje?'

'We hebben een echte pastalunch op, met verse groenten, vers, weet je nog wat dat is, Jen?' Hij wil eigenlijk boos op me zijn, want hij heeft geleden onder Georgia's koufront, waardoor hij mij dingen moest vertellen waarvan zij wilde dat ik ze wist. Dit is een welkome verandering voor ons allemaal, voor het eerst weer een beetje normaal sinds Thom weer thuis is. 'Die is zo echt wel aan een slaapje toe.'

'Heus, grote jongen? Ben jij mama's kleine pastaman? Mijn lekkere dikkerdje?' Max klimt weer boven op me en bijt in mijn arm, wat weer een paar blauwe plekken oplevert.

Nadat Thom Georgia heeft beloofd om haar voor de vijfde keer mee te nemen naar *Peter Pan*, blijven Max en ik achter in de stilte die valt na Georgia's onafgebroken gekwebbel. Ik lig op de bank en kijk naar hem. Hij brengt me speeltjes en boekjes; we kijken plaatjes en woorden. Om de paar minuten zeg ik 'slapie, slapie?' in afwachting van het moment dat hij naar bed gaat en ik mijn suikerroes kan uitslapen.

'En Max, wat gaan we nu doen?' Thom heeft hem pas een week onder zijn hoede en ik heb al geen idee meer hoe ik hem moet vermaken. Maar vermaken moet, elke minuut dat ik bij hem ben, moet voortaan *kwaliteit* zijn. Misschien is wakker blijven kwaliteit. 'Slapie, slapie?' Hij kijkt naar me en lacht. Ik pak een pen en een notitieblok en begin mijn lijstjes voor de komende week te maken. Thom heeft geen notie van organiseren en als ik niet alles voor hem opschrijf, vergeet hij zelfs om luiers te kopen tot we de zak moeten omkeren om te zien of er echt niet nog eentje in zit. 'Slapen, slapen, Maxie?' Waarom wil hij toch niet slapen? Hij sliep altijd goed. Hij heeft zijn buikje rondgegeten, zijn melk opgedronken, en nu zou hij moeten willen slapen. Ik wil slapen. Ik zou voor hem kunnen zingen, maar het enige liedje waarvan hij in slaap valt, is 'White Christmas', en ik zou me belachelijk voelen als ik dat half januari midden op de dag zou zingen. Hij komt aanzetten met een grote paarse plastic rups met letters op zijn vele poten. Wat heb ik de pest aan dat beest. Je kunt hem instellen – letters, klanken, muziek – en als je aan het koord trekt zingt het ding het alfabet. Wat haat ik dat alfabetlied. Had ik maar een kwartje gekregen voor elke keer dat ik dat verdomde alfabet heb gezongen.

'A B C D E F G, H I J K, LMNOP. Q R S, T U V. W XY EN Z. Nu ik mijn ABC ken, zing je dan de volgende keer soms met me mee? Ja Max, ja, goed zo!' Er bestaat een versie van dit liedje die eindigt met: 'vertel me wat je van me denkt'. Welke masochist heeft dat bedacht? Hij trekt weer aan het koord. We zingen weer. Hij heeft het nog niet helemaal onder de knie, maar T U V lukt al aardig. Zijn krullen beginnen weer aan te groeien en ik moet toegeven dat hij er nog leuker uitziet met dit korte haar. Hij trekt weer aan het koord.

'Slapen, slapen?' Dit keer hapt hij en rent naar zijn kamer. Ik hijs mezelf van de bank en ga achter hem aan. Ik til hem in zijn bed, hij pakt zijn dekentje en zijn speen en gaat liggen. Ik loop weg, trek de deur dicht. Hij schreeuwt. En schreeuwt. Alsof hij wordt vermoord. Ik weer naar binnen; hij stopt met schreeuwen en schenkt me een glimlach om een oscar mee te winnen, en zegt 'Op blief?' Ik wil weer weglopen; hij gooit zijn speen naar me toe en begint weer te schreeuwen. Ik schreeuw mee, zelfde aantal decibels. Hij houdt op, in verwarring. Hij begint weer, ik ook, maar dit keer maak ik van de schreeuw een schaterlach, probeer hem mee te krijgen. Hij trapt er niet in, dus neem ik hem weer mee naar de woonkamer.

Een slopend uur van meezingen later is Max eindelijk in slaap gevallen en wil ik niets liever dan hem uit bed halen en het goedmaken dat ik niet bij hem wilde zijn, dat ik niet van zijn gezelschap kon genieten toen ik de kans kreeg. Intussen ben ik klaarwakker en heb behoefte aan afleiding. Mijn vijf lijstjes zijn klaar, vier voor Thom, een voor mij.

1. Wat te doen met Max op welke dag
2. Wanneer Georgia ophalen en waarheen daarna brengen
3. Wat inkopen en waar
4. Waarheen als je het gevoel hebt dat je gek wordt
5. Te Doen

Terwijl ik mijn Te Doen-lijst nog een keer doorneem, bedenk ik dat ik op kantoor iemand nodig heb die organisatorisch beter is dan ik. Ik bel Kate, zij weet misschien iemand.

'Hallo?' Zij klinkt ook een beetje doezelig.

'Hai Kate, met Jennifer.' Ze reageert niet. 'Jennifer Bradley.'

'O, hallo, ik ken wel twintig Jennifers, sorry!' Misschien had ik haar niet moeten bellen. Ik wist niet dat ik zoveel competitie had. Ik bedoel, aan hoeveel van *hen* heeft ze haar bevallingsverhaal verteld?

'Geen punt, dat gebeurt zo vaak. Hoe staat het?' Ik pak het nageltangetje van Max en knip al pratend mijn nagels.

'Helemaal geweldig, Kyle is met Jax naar zijn moeder, en ik heb even rust en stilte. Ik heb net een schoonheidsmasker opgesmeerd – heerlijk om die dingen eraf te pellen.'

'Dat klinkt goed.' Ik ben klaar met mijn handen en begin aan mijn tenen. 'Ik was van plan naar de pedicure te gaan, maar bedacht toen dat ik alleen thuis was met de baby.'

'Jeetje, dat is mij ooit één keer overkomen toen Jax nog heel klein was. Ik ging gauw even wat koffie en een bagel halen en ik had zo'n slaaptekort dat ik volkomen vergat dat hij thuis lag te slapen. Kun je je dat voorstellen?' Niet echt, maar dat zeg ik niet.

'Wauw, je bent je vast rotgeschrokken.'

'Ja, helemaal te pletter...' Ze maakt de zin niet af, beleeft vast weer die dag. We doen het talloze keren goed en herinneren ons dat niet, maar één keer falen en je vergeet het nooit meer. 'Zeg, Jen, ik ben blij dat je belt. Ik denk dat ik je aanbod graag aanneem.'

'Mijn aanbod?'

'Weet je wel, die keizersnede. Maar ik dacht dat ik misschien wat voor je kon oppassen en het geld van tevoren verdienen. Je zei toch dat je een oppas nodig had nu je parttime werkt?' Ik kan me niet herinneren dat ik dat tegen haar heb gezegd, maar ja, ik praat veel.

'Ja, klopt, dat was ook zo, maar Thom is op het ogenblik thuis, heeft een poosje vrij genomen om, nou ja, wat tijd met Max door te brengen. Hij is erg modern wat dat betreft.'

'Bof jij even, Kyle zou door de week nooit vrij nemen. Geweldig voor Max.' Ze zwijgt, en ik weet niet hoe ik de stilte moet invullen. 'Nou ja, ik snap het, vergeet dat ik het heb gevraagd.'

'Weet je wat,' zeg ik, voordat ik nadenk, 'ik zoek iemand voor mijn nieuwe kantoor...'

'Ik doe alles, wat dan ook.'

'Je zou met Penny werken...'

'Ik ben dol op Penny.'

'En nogal eenvoudig administratief werk doen...'

'Ik kan heel goed typen, en ik ken het alfabet op mijn duimpje.'

'Wij allemaal toch?' We lachen samen en dit lijkt het juiste telefoontje te zijn geweest. 'Kun je maandag beginnen? Parttime. En je kunt Jax bij Thom laten.'

'Ja, ja, alsjeblieft. Ik bedoel, ik moet het aan Kyle vragen, maar ik denk dat hij geen bezwaar zal hebben, als ik maar op tijd thuis ben om te koken. We kunnen best wat extra inkomsten gebruiken.' Ik hoor haar sniffen.

'Kom op, niet grienen. Daar zijn we toch te groot voor?'

'Ik ben gewoon zo blij, dat is alles, ik ben in lange tijd niet gelukkig geweest, denk ik. Niet echt gelukkig. Nu ga ik dat spul maar van mijn gezicht pellen. Ik bel je morgen, nadat ik met Kyle heb gepraat, om verder af te spreken, en dan hoop ik je maandag te zien.'

'Afgesproken. Heb een fijn weekend.' Ik heb haar gelukkig gemaakt. Ik heb Georgia gelukkig gemaakt. Wanneer Max wakker wordt, zal ik hem ook gelukkig maken. En misschien vind ik zelfs wel een beginnetje om Thom weer gelukkig te maken. Ik zou al die andere Jennifers weleens zoveel vreugde willen zien rondstrooien zonder de deur uit te gaan.

Hoofdstuk Achtendertig

Ze zeggen dat je, als je eenmaal kinderen hebt, vergeet hoe het leven daarvoor was, dat je je de wereld niet kunt voorstellen zonder hen. Maar ik merk dat ik obsessief bezig ben met alles wat ik vroeger deed, hoe mijn lijf eruitzag, op stel en sprong op reis kunnen gaan. We zijn een keer voor een lang weekend naar Venetië gegaan. Vorig jaar november was de eerste keer dat we de kinderen voor een nacht hebben ondergebracht. En niet omdat we andere mensen niet vertrouwen, maar omdat we gestoord zijn.

Voordat Georgia werd geboren, was me herhaaldelijk verteld dat mijn leven 'zou veranderen'. 'Nee, heus, het verandert echt.' Thom kreeg het nog minstens twee keer zo vaak te horen als ik. Maar is verandering dan niet de essentie van kinderen krijgen? Ik was toe aan een nieuwe uitdaging, een ander perspectief. Ik dreigde cynisch te worden, en ik wilde weg uit die hypernarcistische cultuur. Kinderen hebben vertraagt de geest, leert hem opnieuw wat hij al zo goed denkt te weten.

Vervolgens werd me verteld dat ik nooit meer een nacht aan één stuk door zou kunnen slapen. Dat klopte aardig, hoewel er tussen Georgie en Max een paar jaar zat waarin ik die schade kon inhalen. En nu Thom thuis is, laat hij me elke morgen tot 8 uur slapen. Misschien omdat we dan niet hoeven te praten, maar misschien ook wel omdat hij echt van me houdt. Ik mag dan wat problemen hebben met Vera, maar één blik op Skip, vele jaren geleden, leerde me dat de Bradley-mannen hun maatje kiezen voor het leven. Zelfs wanneer Vera op Skip moppert om iets wat hij wel of niet heeft gedaan, heeft hij een blik van pure adoratie in zijn ogen. Hij zegt 'ja schat' en lost het probleem op.

Ergens in een sigarendoos vond ik een stel trouwfoto's. Ze zijn gemaakt door een vriend die ik in geen jaren heb gesproken. Ik was er helemaal verbaasd over hoe jong Thom en ik waren, ook al was het toch niet zó lang geleden, en hoe gelukkig we waren voordat de kinderen kwamen. Het valt niet te ontkennen dat ze ons leven hebben veranderd, en absoluut honderd procent ten goede. Maar ik weet nog precies hoe het was om je zo zorgeloos te voelen, hoe ongecompliceerd het leven was. Het is misschien in retrospectie een sterker gevoel dan het toen ooit was. Ik begin me te realiseren dat ik het verleden niet moet romantiseren, of proberen mijn glorietijd terug te halen door op mijn leeftijd een vent die ik veracht schijnbaar te verleiden. Wat ik moet doen, is mijn gekrenkte trots aan de kant schoppen, en ook mijn schaamtegevoel.

Hoofdstuk Negenendertig

Georgie mag dan beweren van niet, maar volgens mij is ze heel gelukkig en tevreden op haar nieuwe school. En ik kan mijn extra energie besteden aan Bloomington Bradley in plaats van aan een buiksprekerstheepartij. Ons kantoor is verhuisd naar een perceel in een voormalige bontfabriek in Chelsea, het kost me vijf minuten om naar mijn werk te gaan en verschaft me de luxe van lunchen met de jongens. Penny maakt inmiddels deel uit van onze staf en houdt zich bezig met het opstellen van cliëntenprofielen. En gelukkig was Kyle het met Kate eens dat het goed voor hen beiden zou zijn als Kate wat administratief werk ging doen – haar zorgzame natuur komt goed van pas bij het opzetten van een kantoor.

'Hé jongens, vinden jullie dat ik mijn haar moet laten ontkrullen?' vraagt Penny, zonder van haar computer op te kijken.

'Het schijnt erg slecht voor je haar te zijn,' zegt Kate, hoewel haar haar even steil is als het mijne.

'Alle kinderen van vijf doen het tegenwoordig,' zeg ik, verbaasd dat mijn dagen eigenlijk zo weinig zijn veranderd. Ik kijk naar de foto's van Max en Georgia op mijn bureau, weeg hoe hard ik ze mis, besluit net genoeg, en ga weer verder met informatie vastleggen in Power Point.

Sinds mijn avontuur met de roomsoes voel ik me niet helemaal lekker, misselijk vooral, maar ook moe tot in mijn botten. Toen ik vanmorgen wakker werd, deden mijn borsten helse pijn, dus misschien het maandelijkse gedoe. Of misschien een fibroompje en gewoon, weet ik veel, misschien een beetje stress. Maar ik heb wel een afspraak gemaakt met mijn gynaecologe, dokter Sarah, voor het geval er toch iets aan de hand mocht zijn. Het zou wel vreselijk pech zijn als de boel in het honderd liep, juist nu alles weer lekker begint te draaien.

'Zeg, heb ik jullie al verteld dat Mikhail gisteren "pirouette" zei?' vraagt Penny, met haar mond vol cake. 'Echt geweldig. En toen maakte hij er bijna een. Ik zei al tegen Madeline dat hij perfect zou zijn voor het Joffrey Ballet.' En denk nu vooral niet dat we via onze kinderen leven.

'Zeg, waarom heb ik die Madeline eigenlijk nooit ontmoet?' vraag ik.

'Jullie zouden het vast niet al te best kunnen vinden samen,' zegt ze, doortikkend. 'Zij is voor besnijdenis én ook voor je kind bij je in bed laten slapen.'

'Is dat net zo erg als lid zijn van de IRA of de ETA?' vraagt Kate. Ik ben zo trots op haar.

'Nee, want dat heeft wel zin,' zegt Penny. Kate en ik stoppen met wat we aan het doen zijn en kijken haar aan. 'Wat? Heb ik iets verkeerds gezegd?'

'Jij vindt dat mensen geweren moeten hebben om andere mensen dood te schieten?' vraag ik.

'Ik niet, anderen wel, en als je erover nadenkt kan het zinnig zijn.' We laten dit onderwerp rusten en gaan verder met ons werk. Ik kijk naar Christy's werkcompartiment dat er net zo uitziet als de rest van het kantoor – alles heel smaakvol, maar wel in dezelfde kantoortuin. Ze heeft een opmerkelijk gevoel voor wat fair is.

Toen ik Christy vroeg naar de voorwaarden van ons partnerschap, overhandigde ze mij een envelop en zei: 'Ik denk dat je het hier naar je zin zult hebben.' Ik was zo nerveus over wat erin zat dat ik hem pas 's avonds thuis samen met Thom heb opengemaakt. Ze had mijn vroegere salaris bijna verdubbeld, betaalde me een kleine bonus voor het contract, en bood me een standaard- maar wel genereuze commissie op kunst waarvoor ik persoonlijk een koper vond. Het is fantastisch om te werken voor een onafhankelijke rijke vrouw die jou waardeert en weet dat je geen kapitaal hebt waarvan zij misbruik kan maken. Thom was nog meer onder de indruk dan ik. Als we voor het einde van het jaar genoeg cliënten krijgen, zou het moeten lukken om het huishouden draaiend te houden zonder een lening aan te gaan. Het ziet ernaar uit dat althans dit deel van mijn leven weer op de rails staat.

Penny doorbreekt mijn gemijmer met een kreet. 'Ah-ha! Trek dit even na, Jen.' Ze tikt op een toets van haar computer en er begint papier uit de printer te rollen. Ze pakt de papieren op en geeft ze aan mij. 'Hier, lees dit. Nee, laat maar, ik zal je vertellen wat erin staat. Er staat dat een zekere Mr. Peter Jacobs, president-directeur van Wide World Telecommunications, wordt nagetrokken wegens belastingfraude – ik heb ingebroken in de computer van de onderzoeksjury – wat een cliché.' Het is bijna even erg als een kunsthandelaar die van fraude wordt verdacht, maar dat vertel ik haar maar niet. 'En hier staat dat zijn vrouw, Hillary Jacobs, hem heeft geholpen om belangrijke documenten zijn kantoor uit te smokkelen, in haar handtas. Ze wordt ervan verdacht ze te hebben versnipperd en weggegooid.'

'Wauw,' zeg ik. Kate kijkt op van haar werk, gekleurde labels aan mappen bevestigen. Haar buik is nu echt bol, en ze ziet er schattig uit en zo parmantig zwanger, met een nauwsluitende lichtblauwe Polojurk – ik kan zien dat ze zich lekkerder voelt nu ze er weer sexy uitziet. Dat viermaandenpunt is gewoon een rotpunt, wie je ook bent.

'Wauw, zeg dat wel.' Penny wenkt Kate. 'En dit dan – een jaar geleden werd hun lidmaatschap van de Country Club ingetrokken nadat Peter had geprobeerd een medelid om te kopen. Zijn dochter was afgewezen voor de kleuterschool waarop het kind van die ander zit, en Peter probeerde een plek voor haar te kopen.'

'Chloë?'

'Niemand anders. Schijnt dat ze de toelatingstest niet heeft gehaald. Iets van een spraakgebrek.'

'Staat er hoe oud ze is?'

Penny bladert even.

'Zes, dit weekend.'

'Mag ik even?' Ik pak het papier uit haar hand. Het zijn Chloë's geboortegegevens. Verdomd, Penny is echt goed. 'Ik wist het! Wat heb je nog meer?' Dit moet Angie horen.

'Hmm, jongens, de opdracht was toch zoeken naar lieden die kunst kunnen kopen?' merkt Kate op. 'Moeten we dan onze neus in zijn privé-problemen steken?'

'Houd je mond,' zeggen Penny en ik tegelijk. Ik plak een glimlach op.

'Ga door,' zeg ik tegen haar.

'Oké, hij komt oorspronkelijk uit Montville, NY. Heeft op een openbare school gezeten, deed als beste eindexamen en haalde op Harvard zijn BA en MBA. Vorig jaar zijn ze van Weehawken verhuisd naar een herenhuis in de buurt van Gracie Mansion. En van uitgavenpatroon gesproken, ze hebben een paardenfarm in de Hamptons, een helikopter die hij zelf vliegt en een jacht. Ik wist niet dat mensen nog jachten hadden.' Nadat ze al deze informatie heeft gespuid, loopt ze terug naar haar computer. 'Zeg, heb ik jullie al verteld dat ik de indruk heb dat Mikhail echt zelf begint te denken? Ik haat het idee dat hij eigen gedachten zou kunnen hebben.'

'Goed werk, Pen, blijf graven. En begin dan met invullen van een stel van deze hiaten.' Ik geef haar een diskette met Thoms elektronische rolodex. 'Zoek naar verzamelaars van impressionisten, maar met verwijzing naar nieuw geld. Nieuw geld houdt zijn kunst nooit langer dan een paar jaar. Dat geeft Peter voldoende tijd om ze terug te kopen, als hij kan, en levert ons mogelijk weer nieuwe cliënten op. Ik ben zo terug.' Ik loop door de hal naar de toiletruimte op de begane grond, ga een hokje binnen en doe het op slot. Ik buig voorover, wacht tot de misselijkheid voorbij is en stop ondertussen een maagzuurremmer in mijn mond. De buitendeur gaat open, en ik ga gauw met alles aan op de wc zitten.

'Jennifer, ben je daar?' Het is Kate.

'Ja, alles oké?' Ik scheur een stuk toiletpapier af, gooi het in de wc en trek door terwijl ik de rits van de Prada-broek die ik in november heb gekocht, open- en weer dichtdoe. Ik kan hem nu pas net aan. Ik bijt hard op het tablet en kom te voorschijn.

'Ja, maar met *jou* alles oké?' Ze kijkt naar me alsof er echt iets helemaal mis met mij is, en zij haar baantje dus niet lang meer zal hebben. Of misschien projecteer ik alleen maar mijn eigen zwartgallige gedachten.

'Ik denk dat ik nog steeds last heb van de naweeën van die griep,' zeg ik, maar we weten beiden dat dat al ruim een maand geleden is, en dus nu over zou moeten zijn.

'Je ziet een beetje bleek. Er dan anders. Denk ik. Maar ja, zo goed ken ik je ook weer niet. Ben je misschien altijd bleek? Er dan anderen?' Daar moet ze mee ophouden, met dat afbreken van een woord tussen twee zinnen. Die cadans, daar krijg ik het benauwd van.

'Ja, nogal bleek, dat klopt.' Ik probeer het weg te lachen, plens wat water over mijn gezicht. 'Kijk, de aderen schijnen door mijn huid heen.' Ik stroop mijn mouw op, laat mijn ivoorwitte pols zien en wil dan langs haar heen glippen. Ze houdt me tegen bij de deur.

'Inderdaad, maar nog één ding. Bedankt.' Haar blik is zo intens dat ik mijn hoofd afwend. We weten beiden wat ze bedoelt. Ik geef haar een aai over haar haren.

'Het is niets, echt niet.'

'Het is alles, *echt wel.*'

Tegen de tijd dat ik kantoor verlaat, hebben we met z'n drieën een presentatie van twintig pagina's voor Peter Jacobs gemaakt, compleet met een vergelijk van recente veilingprijzen voor de kunstenaars die hij wil verkopen, en een grondig onderzoek naar de antecedenten van de vijf potentiële kopers. Ben benieuwd of we morgen nog iets te doen hebben.

Wanneer ik de deur opendoe, komt me een doordringende kerriegeur tegemoet – gewoonlijk iets waarvoor ik op positieve manier op mijn knieën zou gaan, maar waardoor ik nu regelrecht naar de badkamer moet. Er is niemand thuis, maar ik zie dat het een ravage is. Groenteafval op het aanrecht, een leeggelopen sappak op de vloer, overal vuile vaat, en dat is alleen nog maar de keuken. Ik doe het licht in de woonkamer aan en meteen weer uit, werkelijk niets staat meer op zijn plek. Niet dat ik een opruimneuroot ben, maar na de dag die achter me ligt zou deze chaos me over de rand van de wanhoop heen kunnen drijven, als ik al energie overhad om aan de rand te geraken. Ik besluit even te douchen. In de badkamer tref ik Peeve aan, opgerold naast een weliswaar klein maar wel smerig haarbolletje. Net wanneer ik uit de stoom stap, vliegt de deur open en komen Max en Georgia binnenrennen, lopen me bijna omver.

'Mama, mama, papa en Sven hebben ons meegenomen naar

Kiehl's!' schreeuwt Georgia uit boven Max' 'mamamamamamama!'

Ik krijg nauwelijks de kans om een badjas om te slaan voordat Thom en Sven verschijnen. Sven blijft op de drempel staan, met Lily in zijn armen.

'Nog iemand in Manhattan die me naakt wil zien? Weg jullie, eruit. Eruit!' Ik duw ze allemaal naar buiten, behalve Max, die ik onder duizend kleine kusjes bedelf wanneer de deur weer dicht is.

'Heeft papa Maxie mee uit winkelen genomen?' Ik ga op de vloer zitten met Max op mijn schoot.

'Dada, MaxMax, MaMa,' zegt hij, en bij Max wijst hij naar zichzelf.

'Je vergeet GG,' zeg ik.

'GG kofû!' Zijn nieuwste lievelingswoord is koffer. Hij heeft een kleine groene waarin een hele familie rubber eendjes huist.

'Hé, laat eens kijken, die tandjes.' Max kiept zijn hoofd achterover en doet zijn mond wijd open. 'Een, twee, drie, vier, vijf, zes, zeven, acht, negen, bijna tien!' Wanneer zijn die doorgekomen? De laatste keer dat ik ze telde had hij er zes. Ik druk hem dichter tegen me aan terwijl hij probeert mijn badjas open te maken en bij mijn borsten te komen.

Er wordt op de deur geklopt en Sven kijkt om de hoek.

'Mag ik binnenkomen?' Max steekt zijn armpjes uit naar Sven, zegt 'ha' en blaast hem een kusje toe.

'Wat wou je, soms ook even gratis voelen?'

'Nee, alleen maar zeggen dat ik je erg mis. Thom is geweldig, maar het is geen Jen.'

'Dat zeg je alleen maar omdat je niet wilt dat ik je haat. Je haat het wanneer ik jou haat.' Ik trek een pruillip.

'Je hebt gelijk. Thom is geweldig. Waar had je die toch weggestopt?' Hij knijpt even in mijn neus. 'Goed, gauw naar huis, ik heb mijn Tom niet gezien sinds we terug zijn uit Athene. Bel je me?' Ik knik. Hij geeft me een kus op mijn voorhoofd en is verdwenen.

Wanneer Max en ik eindelijk de badkamer uitkomen – ik heb hem meteen ook maar in bad gedaan om nog even verschoond te blijven van die doordringende kerriegeur – is de woonkamer nog steeds een grote puinhoop. Maar de keuken ziet er al heel redelijk uit, bijna schoon.

'Zeg, die vriend van je, Sven, die is geweldig,' zegt Thom, terwijl hij iets kerrieachtigs opdient. 'Dit recept heb ik in Singapore gekregen, ik hoop dat je honger hebt.'

'Mama, dit heb ik vandaag op school gemaakt.' Georgia wijst naar de koelkast waarop een krabbeltekening hangt. Ze heeft Amanda in haar armen, natuurlijk. 'Zie je wat het is?'

'Umm, een familie?' gok ik, omdat dat altijd een van haar favoriete tekenonderwerpen is geweest.

'Het is papa met de kinderen.' We zijn terug op de straf-mamatoer. 'Waarom halen zwarte mama's hun kinderen af van school, en de blanke niet?' Het is een retorische vraag, en nog voor ik kan antwoorden loopt ze stampvoetend naar haar kamer.

'Net de inquisitie, vind je niet? En wauw, wat een temperament, vraag me af van wie ze dat heeft,' zegt Thom, terwijl hij de borden op tafel zet. Hij pakt Max van me aan en zet hem in zijn stoel aan het hoofd van de tafel. 'En hoe was jouw dag?' Hij kust me op mijn voorhoofd, doet zijn strookjesschort af. Waarom kust iedereen me toch op mijn voorhoofd?

'Het ging echt geweldig. We hebben een uiterst aanlokkelijke lijst van kopers samengesteld voor de Jacobs-collectie. Niet het minst dankzij jou.' Ik sprokkel het laatste restje energie bij elkaar om te laten zien hoe goed ik ben in mijn nieuwe baan, ook al heb ik mijn badjas nog aan en houd ik die misschien wel aan voor de rest van mijn leven.

'Dank u, mevrouw, dat is mijn werk.' We gaan aan tafel zitten, hij roept naar Georgia maar ze verschijnt niet. Max zit al sneller kerrierijst naar binnen te lepelen dan Thom het kan laten afkoelen. Ik probeer niet door mijn neus te ruiken, of liever, ik adem door mijn mond. Ik schuif de witte rijst weg van de bruine smurriesaus, hoop nog steeds dat het antimaagspul lang genoeg werkt om ten minste één hap naar binnen te krijgen.

'Wist je dat Sven heeft meegedaan aan de Olympische Spelen?' Thom heeft zijn bord al leeg. Ik schuif wat van mijn bord op dat van hem. 'Hé, is er iets?'

'Nee, ik heb gewoon geen zin in kruidig eten. Maar het ruikt verrukkelijk, en zo te zien zit Max te smullen. Dank je voor het klaarmaken. Ik zal de restjes morgen meenemen naar kantoor.' Georgia komt haar kamer uit, loopt de keuken in en haalt een zakje instantmacaroni met kaas uit de voorraadkast. 'Ik heb honger,' zegt ze tegen haar vader, zwaaiend met het zakje. Ze zet Amanda op het aanrecht, haar synthetische haar is gevlochten sinds ik haar voor het laatst heb gezien.

'Waarom proef je niet een hapje van wat papa heeft gekookt, GG. Ik heb het speciaal voor jou gemaakt – hier is je bord. Wil je het proberen?' Dit gaat hij verliezen, maar je kunt ze toch niets leren wat ze niet willen weten, dus houd ik mijn mond.

'Misschien,' zegt ze, haar schouders optrekkend tot aan haar oren. Dit betekent: nee, maar ik zal het doen als ik daardoor sneller krijg wat ik wil, dan door me op de grond te gooien. Ze klimt op haar stoel – wat lastig is door het zakje macaroni waar zij haar zinnen op heeft gezet – pakt haar vork en doet er een minihapje op, hooguit één rijstkorrel. Het is nauwelijks over haar lippen of de vork gaat weer naar het bord, waar hij zeker zal blijven liggen. Ze steunt haar voorhoofd in haar hand, zucht diep, en legt behoedzaam het zakje macaroni op Amanda's schoot. De pop kijkt naar Thom.

'En wat vind je – lekker hè?' Liefde is dus toch blind.

'Misschien,' fluistert ze, een traantje rolt over haar gezicht en belandt op de blauwe letters van haar favoriete menu.

'Wil je iets anders eten?' vraagt hij. Ik neem een hap witte rijst, slik hem door, en voel elke korrel plakkerig naar beneden gaan. Die macaroni met kaas lijkt mij toch ook niet zo gek.

'Ik weet het niet,' zegt ze geluidloos. Ze is bezig aan haar laatste zet, haalt nog één keer adem.

'O, in 's hemelsnaam, Thom, maak die verdomde pasta voor haar.' Georgia krimpt ineen, ze weet hoezeer ik haar vertolking van Camille haat. 'Denk je dat je tussen het kopen van te dure schoonheidsproducten met mijn vriendinnen en het in elkaar flansen van gourmetdiners door nog tijd hebt om Max' luier van de bank af te halen? Het ruikt hier naar een zwijnenstal.' Ik schuif weg van tafel en haal een pot yoghurt uit de koelkast. 'Ik ga tv-kijken.'

Op het moment dat mijn achterste neerkomt op de bank voel ik hoe de stilte uit de keuken mij volgt; je kunt de schrik bijna ruiken. De enige die niet beter weet, roept: 'Dada, don.' Max waggelt de woonkamer binnen met blote billen en zijn snoet besmeurd met kerrie. Hij leunt tegen de salontafel en plast op de grond. Ik til hem op schoot, met zijn fles melk, en hij zegt 'Nemomamablief?' In de keuken klinkt de zoemer van de magnetron, en ik voel me zo langzamerhand volkomen waardeloos, zo ontzettend Nemomamablief voor de duizendste keer.

Nauwelijks een uur later bevinden Thom en ik ons in een bed-impasse. Ik heb het laken om me heen getrokken om mogelijk contact te vermijden. Ik ben nog steeds des duivels, en hij pareert met zwijgen, een slungelig bruin been ostentatief over de dekens geslagen. We 'lezen' allebei – ik hoofdstuk twee van mijn romannetje, en hij *Maxim*. Dit is duidelijk een gewoonte die hij elders heeft opgepikt, want het is de eerste keer dat dit tijdschrift ons nachtkastje siert.

'Lieverd, mag ik je iets vragen,' zegt hij uit het niets. Ik probeer de toon van zijn stem in te schatten, wat dan ook, maar ik beluister niets. Zou het kunnen dat ik in mijn eentje in deze impasse zit?

'Umm, ja?' Ik leg het boek dat ik wel nooit zal uitlezen op mijn borst.

'Ik lees hier net dat artikel, nou ja, ingezonden stuk, niet echt een artikel, over hoe die vent met drie vrouwen tegelijk gaat en met alle drie seks heeft op verschillende tijden van de dag – nou ja, ontbijt, lunch, diner en zo.' Hij schraapt zijn keel, laat zijn stem tot fluistertoon zakken. 'Hij zegt dat ze het allemaal lekker vinden, nou ja, umm, via de je-weet-wel.'

'De je-weet-wel?' Dit is absoluut niet het gesprek dat ik verwachtte na de scène die ik eerder die avond heb getrapt. Ik probeer te bedenken wat zijn vraag zou kunnen betekenen, maar ik heb geen idee, behalve misschien een verzoek om iets te doen wat ik in geen honderd jaar zal doen. 'Wat wilde je vragen?'

'Denk je dat we oud worden?' Hij legt het tijdschrift neer, rolt op zijn zij en steunt zijn hoofd in zijn hand. Ik neem mijn echtgenoot op met heldere blik, kijk of zijn neus soms is gegroeid, tel de haren die uit zijn oren steken, zoek naar zijn niet-bestaande liefdesschakelaar. Ik bloos bij de gedachte dat we voor het eerst sinds hij weer thuis is seks zullen hebben, dat we misschien inderdaad klaar zijn om zand over januari te gooien.

'Waarom vraag je dat?'

'Ik wist niet dat vrouwen zo open waren over, nou ja, daarover. Dat is alles. Net of er een heel nieuwe generatie bestaat met een heel nieuwe set normen. Ben ik dan zo preuts?'

Ik draai me naar hem om, raak zijn wang aan.

'Ze experimenteren gewoon, schat, net als wij toen we jong waren. Heb jij nooit iets gedaan wat belachelijk leek, seksueel gezien?'

'Nee, niet echt, tenzij gepijpt worden door een hoer meetelt.' Bij die bekentenis ga ik met een schok rechtop zitten, het boek valt op de grond.

'Je hebt wat? Wanneer?'

'Mijn god, Jen, niet recentelijk. Sorry, sorry, het is jaren geleden, kort voordat ik jou ontmoette in Caïro, toen met Bjorn.' Bij die naam kijkt hij me schaapachtig aan en trekt me weer neer op het bed. 'Sinds ik jou heb, heb ik nooit behoefte gehad aan zoiets – jij bent veel beter dan een pijpbeurt van een goedkope hoer.' Zo, waar heb ik dat eerder gehoord? Hmm. Ik moet wel goed zijn, echt goed.

'Uit wat ik begrijp, doen alle jonge meiden het tegenwoordig,' zeg ik tegen hem, mijn expertise op dit gebied ondersteund door zijn compliment. 'Het schijnt dat het taboeaspect hen aanspreekt, hoewel ik het volkomen antifeministisch vind. Juist wanneer je denkt dat we zijn gestopt met mannen alles geven wat ze maar willen, zeggen we met hangende pootjes: hier, ga je gang. Het ondersteunt ook mijn theorie dat heteromannen altijd uit zijn op een gay-ervaring zonder de grens te hoeven overschrijden.'

'O, kom op. Wie is hier preuts?' plaagt hij. 'Ik bedoel, Bjorn doet het al heel lang, hij vertelt altijd hoe opwindend het is om het met een nieuwe vrouw eerst op die manier te doen.'

'Zoals ik al zei. Gay.' Tot mijn verbazing lacht Thom hierom. Ik neem zijn toon over, samenzwerend tegen zijn afgedankte vriend.

'Bjorn is wel de minst gaye man die ik ken,' zegt hij spottend. Ik weet niet hoe we hier zijn aanbeland, maar we staan weer aan dezelfde kant.

'Gay, gay, gay.' Ik hengel mijn boek op van de grond en doe alsof ik lees.

'Luister, zelfs jij zult moeten toegeven dat hij van vrouwen houdt, geen greintje gay in zijn lijf.'

'Behalve één, kennelijk.' Ik sla een bladzijde om. 'Ik geloof dat ik een leesbril nodig heb, zou dat kunnen?'

'Het is niet gay om seks te hebben met een vrouw via de je-weet-wel,' zegt hij, een beetje defensief. 'Gay is seks hebben met een man.'

'Je meent het? Dus als ik het met jou via de je-weet-wel deed, was jij dus gay?' Hij blaast al zijn adem uit en laat zich op zijn rug vallen.

'Doe niet zo flauw,' zegt hij, met een gekwetste blik. 'Het is allemaal genot, Jen, waarom moet jij er zo nodig "hetero"- en "gay"-labels aanhangen? Kan het niet gewoon heerlijk en eerlijk genot zijn tussen twee gelijkgestemde volwassen mensen?'

'Thomas.' Ik draai me om, strijk over zijn borst en trek het laken tussen ons uit. 'Als ik "gay" zeg, bedoel ik dat niet negatief. Absoluut niet. Ik bedoel alleen "niet-hetero". Heus, ik weet echt niet waar het probleem ligt. Alle mannen zouden er wel iets in gestopt willen krijgen – het is een genotsprincipe, dat klopt – niets zo heerlijk als wanneer je prostaat regelrecht gekieteld wordt, zeggen ze. Maar vrouwen hebben geen prostaat, dus is er voor een vrouw niet bepaald een reden om met dat deel van haar anatomie te laten spelen – tenzij ze van taboes houdt, wat weer een heel ander onderwerp is. Ik kan niet anders denken dan dat het voor de man, als hij de vrouw neemt via de je-weet-wel, zoals jij het zo lief noemt, gaat om een machtsfantasie en de opwinding van wel reet maar geen kerel, en ergo, het handhaven van een belachelijk vernislaagje heteroseksualiteit. Ik heb gezegd.' Hij begrijpt dat hij dit onderwerp maar beter kan laten rusten als hij niet het risico wil lopen dat ik mijn interesse verlies. Ik schakel over op ons eigen filmtaaltje. 'Auda komt niet naar Aquaba. Niet voor geld...'

'Nee.' Hij kreunt wanneer mijn hand onder de lakens schuift.

'... voor Feisal...'

'Nee!' Hij doet het licht uit.

'... en ook niet om de Turken te verjagen. Hij komt... omdat het hem behaagt.'

'Uw moeder heeft met een schorpioen geslapen.' Hij rolt me op mijn rug en giechelend beginnen we aan ons voorspel.

'Zeg, Thom, ik moet je iets zeggen.' Ik ben ineens heel serieus.

'Wat dan?' mompelt hij in mijn haar.

'Sorry voor daarstraks. Ik had niet moeten schreeuwen.' Een traan rolt langs mijn slaap. 'Je bent een fantastische vader. Ik ben gewoon jaloers, denk ik.' Hij kijkt me aan. 'En het spijt me van Bjorn...' Hij legt zijn hand op mijn mond.

'Het was voor ons allebei een moeilijke tijd. Hij heeft ons tegen elkaar uitgespeeld en we hebben door hem alle twee fouten gemaakt. En verder, zand erover, oké?'

Ik knik even, terwijl hij zich weer over mij heen laat zakken en me meevoert in een kus die me alles doet vergeten – Bjorn, de baan, de kinderen, die misselijkheid – ik schud alles van me af en vertrouw weer op het enige wat ik zeker weet: ik houd van deze man.

Hoofdstuk Veertig

Kostwinner.

Mijn nieuwe lievelingswoord. Zonder Bloomington Bradley zouden we echt in de problemen zitten. Ik neem alle financiën door en ondanks mijn bonus zullen we om de eindjes aan elkaar te knopen totdat Christy en ik een paar deals hebben gesloten, moeten lenen met Thoms pensioen als onderpand. Ik had er geen idee van hoe hoog ons uitgavenpatroon lag. Ik liet altijd alles over aan Thom, stortte mijn salaris op de gemeenschappelijke rekening en liet hem de rekeningen betalen en onze schulden regelen. Nadat ik mijn baan had opgezegd, kreeg ik huishoudgeld. Ik heb zelfs nooit geweten hoeveel hij inbracht.

Nu rust de verantwoordelijkheid om te zorgen dat we met ons budget rondkomen bij mij. Het idee dat we bijna Vera en Skip om financiële steun hadden moeten vragen! Reken maar dat ik een andere oplossing zou hebben gevonden. Ik zou boos zijn op Thom, dat wel, maar hij deed zijn best, en hij heeft tenminste verstandig belegd en een lijfrente afgesloten en studiebeurzen voor de kinderen en zeker gesteld dat zijn levensverzekering de hypotheek dekt mocht er iets met hem gebeuren – stel bijvoorbeeld dat hij me dwingt om zijn moeder om steun te vragen. In plaats daarvan kan ik hem het hoekje om helpen en ons vrijkopen, misschien zelfs een nieuwe identiteit aannemen, zodat ik haar nooit meer zou hoeven te zien. Thom heeft me gesmeekt om niet zo hard tegen Vera te zijn, maar sinds die roomsoesaffaire heb ik een paar duidelijke regels gesteld. Ze mag haar kleinkinderen alleen zien als een van ons beiden erbij is, en ze mag ongenood geen voet bij ons over de drempel zetten. Ik weet dat het hard klinkt, maar ze heeft me van meet af aan gekoeioneerd, en soms moet je gewoon voor jezelf opkomen.

De moeder van mijn vader was een loeder. Ze heeft Cheryl eindeloos getreiterd toen wij klein waren. Ze woonde een paar straten van het woonwagenkamp vandaan, in haar eentje in een groot huis met vier slaapkamers. Ik herinner me nog hoe ze naar onze stacaravan kwam als Cheryl had schoongemaakt en dan vileine opmerkingen maakte over wat een waardeloze huisvrouw haar schoondochter was, wat een herrieschoppers haar stiefkleinkinderen waren, en dat hun vader *homo* was. Oftewel, wat kon je van hen nu verwachten? Ondertussen bedolf ze Andy en mij onder de nieuwe kleren, speelgoed, zakgeld. We speelden bij haar thuis terwijl Cheryl uit werken was en dan stuurde zij ons met koekjes in onze handen naar huis voor het eten. En wanneer pa thuiskwam van een trip, maakte hij het nog erger door eerst bij haar langs te gaan voor een bordvol gebraden kip en aardappelpuree.

Als ik nog leef wanneer Max trouwt, zal ik de perfecte schoonmoeder zijn. Ik zal me niet met zijn keuzes bemoeien en haar nooit aanleiding geven om zichzelf af te meten aan mijn zoons liefde voor mij, en ik zal voor haar kinderen zorgen als ze dat wil, zodat ze kan ervaren hoe het voelt om de kost te verdienen.

Het beste nieuws is dat Thom en ik weer discussiëren, op die speelse, spitsvondige manier waar ik zo van houd. Ik begin mezelf eindelijk te zien door zijn ogen, te geloven dat hij gelijk heeft dat ik gelijkwaardig ben in onze relatie. Ik begin ook zijn kant van de zaak te zien, hoe zwaar de druk om de schoorsteen rokend te houden kan zijn, hoe hij helemaal gek moet zijn geworden van het verbergen van die last, zodat ik me op de kinderen kon concentreren. Ze zeggen altijd dat het gras elders groener is, en ik denk dat het wel klopt. Thom heeft zich met zoveel vreugde op thuisblijven gestort dat ik me afvraag of ik er zelf ooit zo van heb genoten. Misschien had ik dit perspectief nodig om weer van het ouderschap te kunnen genieten en er weer een zinvolle invulling aan te geven, ook al moet ik meer doen in minder tijd.

Hoofdstuk Eenenveertig

Dit is wel het laatste waar ik zin in heb op mijn vrije dag: naar een verjaarspartijtje gaan voor een kind van zes dat doorgaat voor vijf, in een poppenzaak, samen met allemaal kleine kinderen en hun mama's. Wanneer we door de draaideur gaan, merk ik dat Georgia hier ook niet echt zin in heeft. Ze heeft haar rechterhand om mijn pols geklemd, haar linkerhand om Amanda, klaar om terug te keren naar het moederschip. Ze hebben dezelfde roze jurk aan, een nep bontjasje en rode wanten. Het is Valentijnsdag, en de winkel is ook in rood, wit en roze opgetuigd. Ik ook trouwens. Het leek Georgia leuk als we alle drie dezelfde kleuren aanhadden – Hillary Jacobs had het in haar uitnodiging vrijwel verplicht gesteld. Georgia heeft gelijk, het is leuk. De dag zal gauw genoeg komen dat ze niet meer in dezelfde staat van Amerika wil worden gezien als ik, laat staan in dezelfde jurk, en daarom heb ik aangetrokken wat zij uitkoos. Ik heb een beetje kramp in mijn buik, dus heb ik voor de veiligheid een tampon in mijn tas gedaan en wat Excedrin ingenomen. Word je onregelmatig ongesteld wanneer je tegen de menopauze aan zit?

In de taxi hierheen vroeg Georgia weer wanneer we haar verjaarspartijtje gingen vieren. Ik probeerde uit te leggen dat ik het nogal druk had de laatste tijd en dat we even moeten wachten tot de lente.

Ik zie alles driedubbel, drie generaties vrouwen, meisjes en poppen die allemaal identiek gekleed om ons heen zwermen. Wanneer we onze jassen hebben opgehangen, zie ik Angie en Ella staan voor een vitrine met zo'n twintig poppen die als een koor zijn opgesteld.

'Mama, Ella's vriendin heet Cathy,' zegt Georgia, terwijl ze me naar beneden trekt om in mijn oor te fluisteren.

'Haar pop?' fluister ik terug.

'Nee, haar vriendin. Het zijn geen poppen, het zijn *vriendinnen*.'

Ligt het aan mij of is het hier eng? Ik was ertegen dat Georgia zo'n Stepford-pop kreeg, maar Vera zag kans er een het huis in te smokkelen toen ik uitgeteld in bed lag, als een soort zoenoffer. Ze wilde het goedmaken, op haar manier, dus ik liet het gebeuren, maar sindsdien wordt er elke week een identieke set kleren bezorgd voor Georgia en voor de pop. Ze heeft vast aandelen in die zaak. Dit is voor mij de eerste keer in deze winkel, en ik probeer mijn vooroordelen in te slikken.

'Hallo Ella, en jij bent vast Cathy,' zeg ik tegen Ella en haar pop – vriendin.

'Hallo mevrouw Bradley. Ze zegt niet zoveel,' zegt Ella tegen mij. 'Ze komt uit een ander land. Haar moeder heeft haar uit China geadopteerd. Ze heette Chin-Yee, maar dat is moeilijk uit te spreken, dus hebben ze het veramerikaanst.'

'Echt waar?' Ik kijk naar Angie, die haar schouders ophaalt en met haar ogen rolt.

'Dit is Amanda.' Georgia laat haar pop aan Angie zien.

'Hallo Amanda,' zegt Angie, de hand van de pop pakkend. 'Leuk je te ontmoeten. Enig wat je met je haar hebt gedaan. Ella, waarom gaan jij en Georgia niet even rondkijken?' De meisjes rennen naar de boekenuitstalling en bestuderen de titels. Het is een hele opluchting om te zien dat Georgia tegenwoordig met andere kinderen optrekt zonder eerst mijn toestemming te vragen. Ze is echt uit haar schulp gekropen.

'Maak me af,' zegt Angie. 'Maak me af, nu. Nee, beter nog, laten we op zoek gaan naar Hillary – "moet dat ook versnipperd" – Jacobs en haar afmaken.'

'Kom op, zo erg is het hier niet. Het is gezond, middenklasse-Amerikaans.'

'Ik zal je eens wat laten zien.' Ze pakt drie als speelkaarten ogende stukjes papier van de tafel en waaiert ze voor me uit. 'Dit zijn de keuzes van de zwarte meisjes – Oprah, Whoopi of Witney. Geen Halle of Iman of Beyonce te bekennen. Kijk, hier op deze kaart staat "zwart kroeshaar". Bij geen van de blanke poppen zie je "joods kroeshaar" of "Ierse pijpenkrullen". Chin Yee was mijn idee. Ik heb al moeite genoeg om Ella's haar uit de klit te krijgen, laat staan nog zo'n kroeskop in huis.' Angie draait een van haar rastavlechtjes om haar vinger. 'Moet je die zijden lokken van die pop eens kijken. Als die poppenkapsalon werkelijk echt wil zijn, moeten ze beslist ook een paar pruiken en vlechten aan de collectie toevoegen.'

Ik draai me om naar de vitrine met poppen en zie dat ze vrijwel allemaal hetzelfde snoetje hebben, een lief glimlachje met ontblote boventandjes. Alleen de zwarte poppen hebben grotere neuzen en vollere lippen. En de Aziatische hebben iets scheefstaande ogen. Verder verschillen alleen de kleuren van ogen, haar en huid. Allemaal met hetzelfde sop overgoten. Ik vind de vorm van hun kleinemeisjeslijven leuk, en ook dat ze allemaal dezelfde begin-outfit aanhebben. En hoe meer ik naar ze kijk hoe leuker ik ze vind, ik zou bijna aan Georgia vragen of Amanda misschien een eigen vriendinnetje mee naar huis wil nemen.

'Jen, ben je daar nog?' Angie knipt met haar vingers voor mijn gezicht, wat niet zomaar gaat als je ziet dat de afdruk van mijn neus op het glas zit. Ik veeg hem af met mijn mouw.

'Ja, alleen een beetje gebiologeerd door wat ik zie.' Wanneer ik weer afstem op de wereld om me heen, vang ik nog net mijn dochters stem op aan de andere kant van de vitrine.

'Als ik groot ben, weet je wat ik dan wil worden?' vraagt ze. Ik zie haar weerspiegeld in een spiegel aan de muur, ze staat te praten met Ella en Emma Jones, een meisje met wit haar en een opalen huid.

'Ik wil dierenarts worden en met honden werken, net als mijn moeder,' zegt Emma.

'Ik word dokter,' zegt Ella. 'En Cathy mag bij mij in het ziekenhuis wonen.'

'Ik wil een mama zijn en een heleboel kinderen hebben en ik blijf bij ze thuis tot ze allemaal groot zijn.' Georgia kijkt me aan via de spiegel. Oké, misschien kon ze toch maar beter verlegen en in zichzelf gekeerd zijn. Is het niet genoeg dat ik vandaag roze aanheb? 'Ik zou nooit gaan werken wanneer ze me het meesteste nodig hebben.'

'Jennifer! Angela! Wat leuk dat jullie konden komen! En hier is onze jarige!' Hillary Jacobs heeft vast een gehoorapparaat nodig, ze schreeuwt altijd. Chloë heeft een rode, met kraaltjes bestikte charlestonjurk aan, een veren bandje in haar piekharen gespeld. Ze mag dan zes zijn en voor vijf doorgaan, maar vandaag ziet ze eruit als een vrouw van vijftig met anorexia, uitgemergeld om in die vormeloze jurk te passen, nog net voordat ze verder van de bedeling moeten leven omdat haar vader zich in de nesten heeft gewerkt. Haar pop is zo'n originele American Girl – Kit, zo'n pittige pop van voor de grote Depressie, met kort opgeknipt haar en vol levenslust. Van alle trio's in de winkel is de gelijkenis tussen dit drietal het meest beangstigend. Ella, Emma en Georgia scharrelen rond, houden 'jour', en bezorgen hun poppen een minderwaardigheidscomplex met de met lovertjes bezaaide rode jurk van pop Kit.

'Jennifer, heb je even?' Hillary neemt me bij de arm en voert me mee naar het raam. 'Heel veel dank voor je discretie inzake onze schilderijen. Ik wil gewoon dat ze een fijn thuis hebben, en dat ze allemaal bij elkaar kunnen blijven. Grappig, ik had gedacht dat we in deze zaak met Thom zouden werken. Maar ja, zo is het leven soms nu eenmaal.'

'Je hoeft je nergens zorgen over te maken, Hill – mag ik je Hill noemen?' Ik zie dat Angie, als Hillary even knikt, doet alsof ze een map voor de versnipperaar in haar tas stopt. 'Christy en ik zijn de discretie in persoon,' zeg ik, me ostentatief naar haar toebuigend. 'We hebben een lijst van verzamelaars opgesteld, die jou en jullie kunst *heel* blij zal maken.' En daar sta ik dan, zaken bespreken op een kinderpartijtje. Georgia heeft gelijk, ik moest me schamen.

'Geweldig. We moeten echt een keer samen eten, oké? Nu ga ik naar mijn andere gasten, amuseer je! Kom, Chloë.' Ze klapt twee keer in haar handen en het kleine rode schoothondje rent achter haar aan terwijl we allemaal naar boven worden gedirigeerd voor de thee.

Er is geen tafelschikking gemaakt, dus Angie en ik pakken gauw het tafeltje vlak bij de deur, in de hoop dat niemand bij ons komt zitten, en dat we snel weg kunnen glippen als het nodig is. Georgia lijkt opgelucht over onze keuze, hoe verder weg van het bruisende centrum van activiteiten, hoe gelukkiger ze is. De tafels zijn versierd in 'roaring twenties'-stijl – voor iedereen zijn er nepparelkettingen om om te hangen, ook voor de poppen, en charlestonachtige veren tiara's. Angie helpt Ella om het elastiek over haar dikke warrige vlechtjes te peuteren, en Georgia en ik zetten de poppen neer in kleine stoeltjes die kunstig aan de tafel zijn vastgemaakt naast de stoelen van de meisjes. De poppen hebben zelfs hun eigen servies, met kleine theekopjes en bordjes. Georgia geeft Amanda haar servet.

Juist wanneer we allemaal zitten, komt er een stel vrouwen met hun dochters en poppen naar onze tafel.

'Hallo, ik ben Bunny, en dit is mijn dochter Evangeline, en mijn kleindochters Tatiana en Ariel – en hun vriendinnen Tammy en Wanda.' Bunny is een statige vrouw van in de zestig, met een licht perzikkleurig pagekapsel en een slappe handdruk. We stellen ons aan elkaar voor en zij gaan zitten. 'Leuk om jullie allemaal te ontmoeten,' gaat Bunny verder. Ze heeft een uitgesproken zuidelijk accent. 'En waarvan kennen jullie Chloë?'

'Onze dochters zaten bij haar op school, in Park Street,' antwoord ik voor ons beiden. Angies stekels gingen al meteen overeind staan toen dit viertal op onze tafel afkwam, haar armen kruisten zich als vanzelf voor haar borst. Het is duidelijk dat T en A geen eeneiige tweeling zijn, want Tatiana is mager, lang en sproetig, Ariel klein en gezet, en donker van complexie. 'En jullie?'

'We wonen naast hen in de Hamptons,' zegt Evangeline tussen haar tanden door, haar mond een en al ijzerdraad. 'Sorry, maar ik heb onlangs mijn kaken op elkaar laten naaien, praten is een beetje lastig.'

'Ach nee. Wat is er gebeurd?' vraag ik.

'Niets,' antwoordt Bunny voor haar, terwijl ze haar hand even op de arm van haar dochter legt om aan te geven dat zij de leiding neemt. 'Ze heeft eindeloos haar best gedaan om haar vetrolletjes van de tweeling kwijt te raken en niets hielp. Het was dit of een maagbypass.' Terwijl zij uitlegt, haalt Bunny een dieet-shake en een rietje uit haar tas. 'Kind, zeg maar wanneer je aan eten toe bent, oké?'

Ik voel een felle trap onder de tafel, maar ik weet wel beter dan naar Angie te kijken. Ik kijk even zijdelings naar Georgia en Ella, maar hun ontgaat het leukste deel van het gesprek. Maar beter ook, ik weet niet hoe ik dit zou moeten uitleggen.

Obers in rokkostuum en serveersters met clochehoedjes en bestikte jurken en andere jarentwintigtooi zwermen door de ruimte met dienbladen met drie lagen en zetten die met uiterste precisie voor de gasten neer. Bunny onderschept met een driftig schudden van haar hoofd het blad dat voor Evangeline is bestemd. Die vrouw zou zelfs een lawine nog kunnen tegenhouden.

'Mama, kijk eens wat mooi,' zegt Georgia, wanneer haar blad wordt neergezet. 'Wat zal ik het eerst opeten?'

'Ik denk dat we onderaan beginnen en zo verder naar boven, schatje...' Ik wijs naar de kleine korstloze sandwiches op de onderste laag. 'Kijk maar, eerst de sandwiches, dan de cakejes, dan het toetje.' Haar ogen volgen mijn vinger en worden steeds groter totdat ze alles tegelijk in zich kan opnemen.

'Die bewaar ik voor het allerlaatst!' Ze strijkt heel licht over een petitfour in de vorm van een klein roze pakje met een genopte strik.

'Lijkt me een goed plan.'

'Moet je dit zien, je reinste genadeslag,' zegt Bunny van haar kant van de tafel. 'Ober, ober. Komt u even.' Twee Gatsby's passeren en negeren haar. 'Wat walgelijk barbaars. Dit kan ik echt niet eten.' Ze wendt zich tot Angie. 'Ach, zou jij zo lief willen zijn om een ober voor me te halen?'

'Natuurlijk.' Angie schuift haar stoel achteruit en loopt de hele zaal door op zoek naar een ober. Ik blijf zitten in het vacuüm dat zij achterlaat. Ella en Georgia kletsen over hun nieuwe school, voeren hun poppen, bengelen met hun benen.

'En Bunny, kom jij ook uit deze contreien?' Wat zou ik graag achter Angie aan gaan om even niet aan deze tafel te hoeven zitten.

'Hemeltje, nee. Ik kom uit Savannah. Ik ben alleen over om Evangeline te helpen met haar dieet. En Ariel ook.' Dan zie ik dat Bunny de sandwiches van Ariel heeft opengeklapt en alleen het beleg heeft laten liggen – het witbrood heeft ze op haar eigen bord gelegd. Ariel zit in zalm en komkommer, en een paar plakjes ham en kaas te prikken. Ze is echt niet molliger dan haar pop Tammy, maar zonder de bevroren glimlach van de pop ziet ze eruit alsof ze haar laatste oortje heeft versnoept. 'Tatiana, wil je iets voor oma doen en

Ariels cakeje opeten, jij kunt wel wat extra's gebruiken.'

'Mama,' zegt Georgia, aan mijn mouw trekkend, 'gaan we na de lunch weg? Ik vind het hier niet leuk.' Geweldig, nu heeft Bunnicula ook het plezier van mijn dochter vergald. Net wanneer ik over het weer wil beginnen, verschijnt Angie met een ober.

'Ach, dankjewel. Neemt u me niet kwalijk, ober, maar mijn kleindochter mag deze zoete dingen niet hebben, kunt u misschien wat fruit brengen? En mijn bord kunt u ook meenemen, ik blijf liever in leven.' Ze wendt zich tot onze dochters en glimlacht. 'Is het niet, Ella?'

'Ja, mevrouw,' zegt Ella met een kort knikje.

'En Georgia, dat is nog eens een illustere naam.' G kijkt naar haar bord, niet overtuigd dat illuster iets goeds betekent.

'Ella, vraag maar aan je moeder of je deze zomer een paar weken mag komen logeren. De meisjes zouden het enig vinden om een speelmakkertje te hebben, is het niet, meisjes?'

'Ja mevrouw,' antwoorden ze in koor.

'We hebben een zwembad, en echte airconditioning...'

'Moeder.' Evangeline probeert haar te onderbreken, werpt Angie een verontschuldigende blik toe.

'En we kunnen barbecuen, met kip en koteletjes...'

'Mόéder,' probeert ze opnieuw, terwijl ze haar hand om Bunny's arm klemt.

'En watermeloen als je wilt, dat vind je vast lekker. Je mag ook je vriendinnetje Georgia uitnodigen, als je wilt. Zeg alsjeblieft dat ze mag komen logeren, even weg uit de stad. Een kind moet in de zomer lekker naar buiten.' Bunny vouwt haar servet op en legt het naast haar onaangeroerde bord. Ik zak een beetje onderuit op mijn stoel, ben benieuwd uit welke hoek Angies wind gaat waaien.

'Ach, wat een allervriendelijkst aanbod, ik weet wel zeker dat Ella het leuk zou vinden om te komen logeren.' Niet de windkracht die ik had verwacht, maar misschien is dit een eerste vlaagje. 'En misschien mogen Tatiana en Ariel dan bij ons komen logeren in ons huis in Sagaponack. We zitten direct aan het strand, en we hebben een paar pony's waarop ze zouden kunnen rijden. En we zouden gegrilde zalm voor ze kunnen maken op een bedje van groen. Zouden jullie dat leuk vinden, meisjes?'

'Ja MEVROUW,' schreeuwen ze. Bunny verbleekt lichtelijk.

'O, nou ja, umm, dat is echt heel aardig van je, echt,' stamelt ze. 'Laten we elkaars nummer even noteren voordat je weggaat. Willen jullie me even excuseren?' Ze schuift haar stoel weg van de tafel, achter haar rug beginnen de meisjes te giechelen, en Evangeline proest het uit, stikt bijna in haar vloeibare lunch.

'Jou,' ze wijst naar Angie, 'jou mag ik. Zodra zij weer naar het zuiden is vertrokken, nodig ik je uit. Sorry voor dat Frisse-Lucht-Fondsgedoe, ze is niet te stuiten wanneer ze daarmee begint. En ik heb het opgegeven.'

'Geen punt,' zegt Angie, 'het is niet mijn eerste kennismaking met het Oude Zuiden.'

'Mijne ook niet, helaas. Daarom ben ik er weggegaan. Hier schatje, neem een hapje van mama's cake.' Ze schuift stiekem een stukje cake met jam en room naar Ariel toe. Tatiana werpt haar een vernietigende blik toe. Die kinderen zijn best lief, maar verder te zeer beschadigd om ooit nog terug te willen zien. Een golf van uitputting overspoelt me en ik buig me naar Georgia.

'Wil je nog steeds weg?' fluister ik in haar oor. 'We kunnen de cakejes meenemen.'

'Ja!' schreeuwt ze fluisterend terug.

'Sorry, Angie, we moeten weg, Thom heeft vanmiddag een basketbalwedstrijd, en ik heb hem beloofd dat hij kon gaan.' Ze knijpt even in mijn hand als dank.

'Ik denk dat wij ook gaan, wat dacht je, Ella, Cathy? Het was leuk jullie te ontmoeten, doe de groeten aan je moeder,' zegt ze tegen Evangeline, terwijl ze haar stoel van tafel schuift.

'Ik weet niet of ik zo onderkoeld had kunnen reageren,' zeg ik tegen Angie terwijl we op onze jassen wachten. De meisjes graaien in hun zakje met cadeautjes. 'Wat een serpent.'

'Kijk, mama! Een mini-iPod! Roze!!!' Georgia maakt een sprongetje, haar ogen schitteren. 'Wat voor kleur heb jij, Ella?'

‘Ze weet niet beter, zo is ze nu eenmaal grootgebracht,’ zegt Angie. ‘En bovendien, voor haar gevoel deed ze iets aardigs vanwege alle rottigheid die haar mensen ons door de jaren heen hebben aangedaan.’

‘Die van mij is paars, mijn lievelingskleur,’ zegt Ella, en ze laat hem aan Angie zien.

‘Wauw, kindje, dat is een heel groot cadeau. We zullen straks thuis een heel mooie bedankkaart maken, oké?’ Ze helpt Ella in haar jas en draait zich weer om naar mij. ‘Welbeschouwd is het voor haar eigenlijk moeilijker dan voor mij. Ik ben niet grootgebracht met haat jegens blanken, maar zij wel met angst voor ons. En dan ontmoet ze aardige “zwarte mensen” en weet ze niet meer wat ze moet denken. Het beste is altijd om met gelijke munt terug te betalen – zolang jij weet wie je bent, kunnen ze je niet raken.’

‘Dat moet ik onthouden.’ Als ik Georgia in haar witte donzige jas help, realiseer ik me ineens dat ik me de hele dag niet misselijk heb gevoeld, en misschien zelfs een beetje meer kramp voel.

‘En kijk, mama! Coconut!!! Eindelijk mijn eigen hondje!’ Georgia zakt ineen op de grond met een met suikergoed gevulde terriër tegen zich aan geklemd, helemaal verliefd. Niet dat ze ooit zo’n hondengek is geweest, maar als er nu in die behoefte is voorzien door een hondje dat niet aan mijn schoenen knauwt en niet op het kleed poept, dan is dat mooi meegenomen.

‘IK OOK!’ roept Ella terwijl ze zich naast Georgia op de grond laat zakken. ‘Schattig hè? Kijk, Cathy, we hebben een puppy!’ Angie en ik kijken elkaar aan.

‘Weet je,’ zeg ik tegen haar, terwijl we kijken hoe onze kinderen verrukt door het boekje bladeren dat bij Coconut hoort, ‘als een winkel ze zo blij kan maken, kan het toch niet allemaal zo heel erg slecht zijn?’

‘Eens,’ zegt ze, en ze slaat een arm om me heen. ‘Ik moet bekennen dat ik mijn oog heb laten vallen op die historische Addie-pop. Eerst vond ik hem eng, maar het verhaal erbij is wel zinnig en het zou goed zijn voor Ella om iets te weten over vrijgemaakte slaven, en hoe hard de vrouwen van onze familie hebben gewerkt om te zorgen dat zij een pony aan het strand kon hebben.’

‘Zeg, waarom heb je mij nooit uitgenodigd in dat mooie huis van je in Sagaponack?’ vraag ik, terwijl we de meisjes in de richting van de deur duwen.

‘Waarom denk je dat ik dat ook echt heb?’ Ze kijkt me aan op haar jullie-geloven-maar-wat-je-wilt-manier en geeft me dan een liefdevol tikje op mijn achterhoofd.

Hoofdstuk Tweeënveertig

Mijn nek wordt oud. De lijntjes in mijn gezicht, de rondingen van mijn dijen of zelfs mijn lichte, familiaire onderkin, daar zat ik niet mee. Maar mijn nek? Ik deed pas in de auto lipstick op en zag toen voor het eerst hoe de huid vlak boven mijn adamsappel samentrekt. Ik wilde het aan Thom vertellen, maar bedacht me. Waarom de aandacht vestigen op zoiets lelijks? Ik moet gewoon nog een paar coltruien kopen en antirimpelcrème. Ik voel de huid trekken. Ik heb de laatste vijf jaar met mijn kin in de lucht gelopen om die nekplooi aan te spannen, en daarmee heb ik die tere huid daar geen goed gedaan. Dus geen kin meer hoog in de lucht. Want met elke keer wordt mijn nek evenredig zoveel ouder.

Wanneer Max afstudeert ben ik zestig. Misschien had ik dat moeten bedenken voordat ik aan de pil ging toen ik in de twintig was. Ik merk dat ik de laatste tijd steeds meer naar ze zit te kijken. Of dat nu is omdat ik ze minder zie, of dat ik een soort Cheryl aan het worden ben, weet ik niet. Wanneer wij bij elkaar zijn, doet ze niets anders dan naar mij kijken. Wanneer we naar een toneelstuk of een film kijken, houdt ze me voortdurend in de gaten om mijn reactie af te zetten tegen die van haar. Dan zie ik haar in mijn perifere gezichtsveld, maar ik kijk nooit terug. Nu begin ik dat te begrijpen. Ik zou mijn eigen kinderen indrinken met mijn ogen als ik kon. Ze zeggen altijd 'het gaat zo snel', en 'ze zijn maar zo kort klein', en ik weet dat ik dat niet kan navoelen op het punt waar ik nu ben, maar nog even en ze zullen groter zijn dan ik, de deur uitgaan, alleen nog in de vakanties thuiskomen, en na een poosje ook dat niet meer van harte, en zo zullen ze gaandeweg steeds minder tijd met mij doorbrengen, terwijl ik hen meer en meer nodig zal hebben.

Gisteren ben ik naar St. Patrick's Cathedral gegaan en heb een kruisje gekocht met een Jezusbeeldje erop – en daarna heb ik ergens een eenvoudige davidster voor Georgia gevonden. Niet omdat ik gelovig ben, maar omdat ik – na dat gedoe met mijn hals – begin te begrijpen hoe zwaar het is om zonder klagen een kruis te dragen, en ik houd van de symboliek van zulke amuletjes. En wanneer ik weer eens in de verleiding ben om te zeuren over werk of kinderen of Thom, tik ik door mijn kleren heen even op dat amuletje en put troost uit die kleine last. Ik weet niet waar ik terechtkom wanneer ik doodga, maar ik hoop dat het ergens is vanwaar ik goed zicht heb op Georgia en Max. En elke avond wanneer ik in slaap val, houd ik mijn adem even in en bid voor weer een goede dag met deze kleine wezens.

Hoofdstuk Drieënveertig

Eindelijk ben ik naar mijn gynaecologe gegaan. Toen ik binnenkwam, vroeg dokter Sarah mij hoe ik me voelde en waarom ik kwam, omdat ik pas zes maanden geleden voor een uitstrijkje was geweest. Ik vertelde haar over de onregelmatige bloedingen, de misselijkheid, de krampen. En dat ik een zwangerschapstest had gedaan en dat die negatief was. Dat ik bang was dat er weer een fibroom groeide, omdat mijn buik wat opgezet was, ook al was ik de laatste maand bijna vijf kilo afgevallen.

'Goed,' zei ze, 'we zullen eens even kijken.'

Terwijl ik daar op mijn rug lig te wachten totdat haar assistente het echoapparaat heeft aangezet, begin ik te panieken omdat ik mezelf niet langer voor de gek wil houden. Stel dat het kanker is? De moeder van Cheryl en Nancy is overleden aan een lymfkliergezwel toen ik nog een kind was. Ze had een paar prachtige pruiken en blies altijd de rook uit aan de zijkant van haar mond. Verder kan ik me niets van haar herinneren. Misschien was het dat ook niet, was het een ander soort tumor. Het klamme zweet breekt me uit, maar dan komt Sarah binnen, in een witte jas met Chanel-knopen erop.

'Zullen we dan maar?' Ze smeert mijn buik in met die kleverige smurrie en draait het scherm van me weg. Zie je wel, ze weet iets. Ze wil niet dat ik hysterisch word wanneer ik de tumor zie die me mijn nieuwe leven zal ontnemen. Ik wist wel dat dat hele gebeuren met die baan te mooi was om waar te zijn. Ik tik op mijn amulet en bid dat Max zich nog iets meer van mij zal herinneren dan alleen wat de foto's en de video's hem over enige jaren zullen vertellen. Sarah speurt mijn buik af, zachtjes neuriënd. Haar ogen worden iets wijder, ze corrigeert zichzelf, onderdrukt de emotie die ineens op haar gezicht verscheen. Ze beweegt het instrument wat sneller, begint te klikken met de muis in haar linkerhand. Thom moet beslist hertrouwen. Met een leuk iemand, jonger dan ik. Die hem nog meer kinderen kan schenken. Het was niet eerlijk van mij om hem te vragen met een ouder iemand te trouwen. Hij heeft zoveel levenslust in zich. Sarah laat een 'um-hm' horen en ik houd het niet langer.

'Wat is het. Zeg het, ik kan het aan.' Een traan rolt over mijn gezicht. 'Is het hier zo warm, of ligt het aan mij?'

'Nog heel even, stil blijven liggen.' Ze tikt nog wat, drukt op mijn buik.

'Nee, heus, ik denk dat ik van mijn stokje ga.' Een golf van duizeligheid overspoelt me.

'Kom, ga op je rechterzij liggen, dat helpt. Ik zal je laten zien wat er daarbinnen aan de hand is.' Een glimlachje breekt door op haar lippen. Ik rol op mijn zij terwijl zij de monitor naar mij toedraait.

'Wel verdomme!' schreeuw ik wanneer ik op het scherm het laatste zie wat ik had verwacht – niet zomaar een foetus, maar een met armpjes en beentjes en ja, een penis. 'Hoe is dat in 's hemelsnaam gebeurd?' Ik val bijna van de onderzoektafel.

'Rustig, moedertje,' zegt Sarah, en ze geeft me een glas water. 'Neem een slokje, bedaar. Zo te zien heb je inderdaad een fibroom – een heel kleintje – maar doordat het zo dicht bij de baarmoederhals zit, veroorzaakte dat die onregelmatige bloedingen, waardoor jij dacht dat je ongesteld was. Als ik even reken, ben je zo'n veertien weken zwanger.'

'Veertien *wat*?'

'Weken. Drieënhalve maand. Gelukgewenst, je bent zonder problemen door de eerste drie maanden heen gekomen.'

'Tenzij je zwanger-zijn als een probleem ziet.' Ik ga echt van mijn stokje. Snel maak ik de balans op van mijn avondje uit met Heath en het mogelijke hersensletsel dat ik dit kind al heb bezorgd. Om maar niet te spreken van de twee flessen champagne in november. O ja. Dat is waar ook. November.

'Oké, Jen, ik schrijf een recept uit voor wat vitaminepillen, twee per dag voor de komende twee weken, dat moet helpen tegen die vermoeidheid. Verder ben je zo te zien kerngezond en een mooi eind onderweg. Wil je weten wat het wordt?'

'Als dat geen penis is, ben ik een boon.' Shit, shit, shit, het waren niet die verdomde soezen, het was die verdomde baby. Georgia deed gewoon wat alle kinderen doen, ziek thuiskomen en je onderkotsen. 'En wanneer gaat dit feest plaatsvinden?'

'Volgens mijn berekening op 23 augustus.'

'O, nee, dat kan niet. Ik moet in september de nieuwe firma lanceren.'

'Luister, dit wordt weer een keizersnede, dus we moeten je hoe dan ook wat eerder opnemen. Dan heb je ruim de tijd om te herstellen en die lancering te doen.' Dit uit de mond van een vrouw die Georgia heeft gehaald een week nadat ze zelf een tweeling op de wereld had gezet. Dus als zij het zegt, zal het wel zo zijn. En bovendien, waarom zou Thom niet eens een keer de klos zijn en in die eerste oersaaie levensmaanden voor de baby zorgen?

'Mooi, klinkt geweldig. Kan ik me nu aankleden?' De muren van die steriele ruimte beginnen me te benauwen, ik moet hier weg. Het is dus geen kanker. Dan maar beter de zonzijde zien.

'Ja, maar maak nog wel even een afspraak met Carley voor een volledige echo in het ziekenhuis volgende week, oké? We moeten het hartje van dat kleine mannetje bekijken. En jouw vruchtvlies.' Ze veegt de gel van mijn buik en geeft me een klopje. 'Het gaat heus goed, dat voel ik gewoon, en dan zie ik je over drie weken terug. Dit is voorbij voor je het weet.'

Wanneer ik eenmaal de kamer uit ben, raak ik in een soort verdoofde toestand. Ik kleed me aan, maak de afspraak, roep een taxi om me naar de parkeergarage te brengen, bel Penny, zeg dat ik me niet goed voel en haal mijn auto op. Nog voor ik erover heb nagedacht, zit ik al op de snelweg naar het noorden. Op weg naar mijn ouderlijk huis.

Twee uur later draai ik het terrein op, er staat een vreemde auto geparkeerd. Het was niet eens bij me opgekomen om eerst te bellen, te bedenken dat Cheryl misschien een sessie met een cliënt zou hebben. Of misschien wel de hele dag afspraken had. Ik kijk naar de garage en zie een licht branden in de keuken van mijn vader. Ik klop op de deur.

'Pa? Ik ben het, Jenny.' Ik duw de deur open. 'Pa, ben je daar?'

'Hé meisje, bijna gelukgewenst met je verjaardag! En wat voert jou hierheen?' Hij heeft zoals gewoonlijk een van zijn blauwe denim shirts aan en wanneer hij me onstuimig omhelst, barst ik in tranen uit tegen de zachte verwassen stof. 'Kom, kom.' Hij streelt me over mijn haren. 'Wat heeft dit allemaal te betekenen?' Hij duwt me even een eindje van zich af, ik laat met een snik los, en hij trekt me weer naar zich toe. 'Toch niet zo'n gelukkige verjaardag? Kom, dan gaan we in de keuken zitten, wil je koffie?' Ik snik nog een keertje en knik. Terwijl ik mijn tranen droog met mijn mouw, zet hij een kop koude koffie in de magnetron. Dat heeft hij altijd zo gedaan, 's morgens een volle pot zetten en de rest van de dag telkens een kopje opwarmen. Ik hoor CNN aanstaan in de kamer, iets over de strijd tegen terrorisme, iets over de president die per vliegtuig ergens heen gaat. Wanneer de koffie warm is, roert pa er een flinke lading koffieroom en suiker door, precies zoals ik het lekker vind, maar nooit drink.

'En nu,' zegt hij, terwijl hij een stoel bijtrekt aan de andere kant van de tafel. 'Wil je het mij vertellen? Of wil je wachten tot je moeder komt?'

'Ik ben zwanger.' Dat is alles wat ik zeg. Wat ik kan zeggen. Ik begin weer te huilen.

'En ben je daar dan niet blij om?' Ik zie dat hij zijn eigen vreugde over het nieuws probeert in te tomen. Iedereen dacht dat we uitgejongd waren.

'Ik moet een nieuwe firma runnen, en Thom kan tot god mag weten wanneer niet werken, en we zitten echt krap, en ik ben net weer een beetje in vorm na Max, en o, ik kan toch niet zomaar zwanger zijn. Het komt me gewoon nu niet uit.' Ik kijk op en zie dat hij glimlacht.

'Als je het mij vraagt, komt het nooit uit.' Daar zegt hij wat. 'Dat maakt het juist zo mysterieus.'

'Maar over twee dagen word ik veertig. Ik heb niet eens de tijd gekregen om daaraan te wennen. Ik wilde het er juist een poosje van nemen, en nu krijg ik daar de kans niet voor.' Daarover klagen is wel een beetje vergezocht. Zoveel vrouwen van over de veertig krijgen kinderen. Zelfs daarin ben ik niet speciaal.

'Nu we het er zo over hebben, wil ik je een verhaaltje vertellen. Ik was van plan te wachten tot zondag, maar dit is ook een goed moment.' Ik leun over de tafel, verberg mijn snelgroeiende buik. Hij kijkt naar me, kijkt weg. 'Lang geleden werden een jongen en een meisje verliefd op elkaar. Hij was een goede voetballer, zij was cheerleader. Het was in de jaren vijftig, zo ging dat toen. Ze trouwden meteen na de middelbare school, verhuisden naar een andere provincie en hij begon verzekeringen te verkopen en installeerde haar in een gezellige kleine stacaravan.' Mijn buik zit in de knel, dus ik ga op mijn gemak met mijn rug tegen de leuning zitten. 'Dat meisje was een groot probleem – dronk te veel, rookte als een schoorsteen, vloekte als een ketter, flirtte met getrouwde kerels, reed te hard, klaagde over elk wissewasje – maar hij hield van haar op zijn manier, op de enige manier die hij kon. Maar het was niet genoeg, en op een dag stapte ze in de auto en reed zichzelf te jong het graf in.'

'Ik moet plassen.' Ik spring op van de tafel en loop in een waas naar de badkamer. Ik dacht steeds dat deze dag beter zou worden, maar hij blijkt erger te zijn dan ik ooit had kunnen voorzien. Wanneer ik ga zitten om te plassen, komen er maar een paar druppels. Ik ga staan en moet meteen weer plassen. Beter even blijven zitten. Ik weet niet zeker of ik de kant die het verhaal opgaat wel zo leuk vind, ik heb dit deel eerder gehoord, maar meestal komt er een baby in voor – ik – en wordt er heel wat minder op los geleefd. De tv wordt uitgezet. Pa zet nooit een van zijn drie televisies uit. Ten langen leste kom ik de badkamer uit, hoop dat ik een eind aan deze scène kan maken. Geen kans, ik bevind me nog steeds boven de garage. Pa is naar zijn aftandse luie stoel verkast – de belangrijkste reden waarom hij hierheen is verbannen, als je het mij vraagt – dus ik ga op het puntje van de bank zitten, stoot daarbij mijn knie tegen de salontafel. Leuk, nu ben ik veertien weken zwanger en ook nog kreupel.

'Waar was ik gebleven?' Hij maakt een flesje bier open. Mijn onaangeroerde kop koffie is verplaatst naar een tafeltje naast de bank.

'Hmm, graf, te jong?'

'O ja. Dank je.' Hij steekt een sigaret op, inhaleert diep, realiseert zich dan dat hij de rook niet in mijn richting mag uitblazen, en hoest en proest uiteindelijk de rook in de richting van het raam, terwijl hij ondertussen de sigaret uitmaakt. 'Sorry, meisje, ik dacht even niet na. Goed, rond diezelfde tijd staat de oudere zuster van zijn overleden vrouw bij hem op de stoep, twee kinderen aan de hand en een derde onder het hart. Hij biedt haar de logeerkamer aan, die ze deelt met haar kinderen. Wanneer de baby is geboren, besluiten ze te trouwen en verhuizen ze naar hun geboortestad. Ze vertellen de mensen dat de moeder van de baby is omgekomen bij een auto-ongeluk, dat de ex-echtgenoot van de nieuwe vrouw ervandoor is gegaan, en wat een geluk het is dat ze elkaar hebben gevonden.'

'Mag ik je iets vragen?'

'Wat je maar wilt.'

'Waarom wilde de nieuwe vrouw niet dat de mensen wisten dat de baby van haar was?' Ik kan niet anders dan in zijn woorden spreken, hij heeft tranen in zijn ogen en een witte lijn waar zijn bovenlip zou moeten zijn.

'Ik ben blij dat je dat vraagt. Nou ja, omdat de vader een nietsnut was, en zij wilde niet dat haar dochter opgroeide met de gedachte dat hij was weggegaan vanwege haar. Zij dacht dat het voor de baby beter was om te denken dat liefde alles overwint. Ik denk dat het gewoon niet uitkwam.' Hij kijkt me aan en pakt nog een sigaret, rolt hem tussen zijn vingers heen en weer.

'Oké. Nog een vraag. Waarom heeft de voetballer gewacht tot de baby veertig was met haar de waarheid te vertellen?' Ik word nu een beetje boos. Ik ben hier niet gekomen voor allerlei nieuwe informatie, maar juist om stoom af te blazen. Ik ben het zat om van mensen dingen te horen die ik liever niet wil weten. Ze hebben al die jaren met succes tegen me gelogen, waarom dan nu ophouden?

'Hij had het haar moeder beloofd.' Hij tuurt in zijn bierflesje. 'En omdat hij haar echte vader is, voorzover het hem betreft. Zij was het mooiste geschenk dat iemand hem ooit had kunnen geven.' Daar heeft hij me, ook al is dit enigszins een schok, het verandert niets aan wat ik voor hen voel.

'En waar is die "nieuwe vrouw" nu? Weet zij dat jij me dit verhaal vandaag ging vertellen?'

'Nee, dat weet ze niet. Zij dacht dat het zondag zou zijn. En wees niet boos op haar, wil je?'

Ik zit in de bruinrode wachtkamer, luister naar de gedempte geluiden vanachter de deur. Een vrouw snikt en haar partner mompelt 'kom, kom'. Cheryl zou echt een lawaaimachine moeten hebben. Eindelijk hoor ik de buitendeur opengaan, dan dichtvallen. Ik zou hier zo kunnen gaan liggen en nog eens veertig jaar slapen, als ik de kans kreeg. Maar iets zegt me dat deze dag nog lang niet voorbij is, en slapen moet dus wachten. Ik geef pa de tijd om Cheryl te bellen en haar erop voor te bereiden dat ik hier zit. Wanneer de deur opengaat, glinsteren haar ogen. Ze strekt haar armen naar me uit en ik verberg me erin.

'Gefeliciteerd met je verjaardag, schat,' zegt ze in mijn oor. 'Het is goed om je terug te hebben. Kom mee naar binnen, ga liggen.' Ze voert me bij mijn schouders mee naar de bank, pakt mijn hand en streelt me over mijn voorhoofd. 'Het zal wel een hele schok voor je zijn, is het niet?'

'Op zijn minst gezegd.' Ik ga niet huilen. Ik ga niet huilen. Ik ga niet...

'Ik wilde jou laten weghalen, weet je.' Dat zet de sluizen van mijn tranen pas goed open. Daar had je het dan, de emotionele hereniging met mijn verloren gewaande echte moeder.

'Maar ik dacht dat je vóór het leven was.'

'Was ik en ben ik, maar dat betekent niet dat ik niet de keuze wil hebben. Ik wist van het bestaan van drie artsen die het illegaal konden doen, maar ik had geen geld. Charlie had de bankrekening leeggehaald voordat hij vertrok. Nam alles mee wat van enige waarde was. Liet alleen een klein briefje achter.' O god, natuurlijk, ik heb ook een echte vader. En voorzover ik me herinner is hij gay. Alle puzzelstukjes vallen op een zotte manier op hun plek. 'Ik werkte als serveerster en alle fooien bij elkaar waren nog niet eens genoeg om melk voor mijn andere kinderen te kopen. Hoe moest dat met nog een baby? Will heeft me in huis genomen, heeft nooit vragen gesteld, deed wat ik vroeg. Hij wilde je zo graag als zijn eigen kind zien, wilde zo graag dat je echt van hem was. Het was een onhandig verhaal dat we verzonnen, maar in kleine stadjes geloven ze alles als het maar een lekkere roddel oplevert. Toen kregen we Andy en waren we een echt gezin. Geboortebeperking heeft bij mij nooit gewerkt, wist je dat?'

'Hallo boom, ik ben appel.' Een hysterische lach bubbelt op van diep in mijn binnenste, het wordt me een beetje zwart voor ogen omdat ik niet tegelijk kan lachen en ademen. Wanneer ik eindelijk een woord kan uitbrengen, hik ik 'ik ben zwanger, Cheryl... of moet ik je mam noemen?'

'Laten we de dingen niet overhaasten, vind je niet?' Ze helpt me rechtop te gaan zitten om mijn hyperventilatie onder controle te krijgen. 'Met Judy had ik een dochter, met jou heb ik altijd een hartsvriendin gehad.' Ik wacht of mijn kwartje valt. 'Je bent wat? Hoe is dat gekomen?'

'O, ik denk dat jij beter dan wie ook weet hoe zoiets gebeurt.' We giechelen als een stel vriendinnen, en ik realiseer me dat zij gelijk heeft, ik heb geen moeder, ik heb een hartsvriendin.

'Houd op. Natuurlijk weet ik dat. En ik denk dat het er ook niet toe doet. Nog een kleinkind, wat geweldig!' Of nog een beste vriend, hangt ervan af hoe je het bekijkt – ze is ook nooit een echte grootmoeder geweest.

'Ja, echt helemaal te gek,' zeg ik, zwartgallig. 'Hoera. Voor de derde keer een puinhoop van mijn leven maken.'

'Waarom een puinhoop? Je hebt fantastische kinderen. Als je inzit over je baan, niet doen. Houd op met leven in je hoofd en stap in je prachtige, verrassende leven, Jennifer. Als je een beetje meer vertrouwen had en wat minder angstig was, zou je zien hoe rijk je leven werkelijk is.' De dimensie van deze uitspraak zet mijn neerwaartse spiraal stop. Ze ziet mijn verwarring. 'Jij bent voorbestemd om het allemaal te hebben, dat weet je toch? Dat was je altijd al. Jij bent de helderste ster aan mijn firmament en als je dat ooit aan je broers of zuster vertelt, vermoord ik je.'

'Ik ben dan misschien voorbestemd om het merendeel ervan te krijgen. Als ik nu maar wist wat ik met een beetje daarvan moest doen. Het onmogelijke doen wordt na een poosje een beetje afgezaagd.' Ze zei dat ik de helderste was, dat alleen al weegt op tegen veertig jaar liegen.

'Maar wat kun je verder doen? Het mogelijke doen wordt heel wat gauwer afgezaagd. Als ik alles moest overdoen, zou ik het weer net zo doen. Zonder de diepste dalen zou ik niet weten hoe hoog de hoogste toppen kunnen zijn. Vooruit, kom van die bank af en stort je erin. Er is een verschil tussen een fantastisch leven hebben en een fantastisch leven creëren. Weinig mensen krijgen de gelegenheid om het laatste te doen. Verdoe je leven niet aan misplaatst zelfmedelijden.' Ik ga staan, al was het maar om die stroom van clichés te stoppen. Ze is een lieve hartsvriendin, maar ook een irritante.

'Oké, oké. Ga je met me mee terug? Ik ben te moe om zelf te rijden en ik heb nog heel veel aan je te vragen. En ook aan pa.'

'Natuurlijk, en dan passen wij op de kinderen en kunnen Thom en jij een avondje uit om al jullie geluk te vieren. We waren toch al van plan om te komen, als verrassing, alleen even mijn tas pakken. O, en er komt nog iemand van Service Master om in de garage de olie op te ruimen die je vader vorige week heeft gemorst, help me eraan denken dat ik een briefje klaarleg.'

'Sorry, wie zei je dat er kwam?' Soms verbaast ze me. Je zou bijna zeggen dat ze me voor de gek hield.

'Service Master.' Ze wuift me aan de kant en loopt de kamer uit.

'Zeg, je zei toch dat je nooit van die lui had gehoord...' roep ik haar na.

Terwijl zij boven is, bekijk ik de foto's op haar bureau en probeer het mysterie van mijn jeugd te doorgronden. Cheryl en Nancy leken helemaal niet op elkaar en ik lijk precies op Cheryl, vooral in de manier waarop een glimlach aan een kant van mijn mond begint en zich dan verbreedt. Zoals Cheryl graag zegt: als het een slang was geweest, had hij me gebeten.

Tegen de tijd dat we terug zijn in de stad, ligt er een dun laagje sneeuw op de straat en is het bijna zeven uur. Ik ben helemaal leeg, maar wel uitgerust door twee uur slapen in de auto. En de vragen die ik nog had? Het heeft al zo lang geduurd voordat ik hoorde over mijn parellelle leven, dat ik nog wel een poosje langer kan wachten. Zwijgend staan we in de lift, maar ik merk wel op dat pa een zondags overhemd aanheeft. Ik heb Thom gebeld, dan kunnen we meteen weg, nadat ik me heb verkleed en misschien even gedoucht. Mijn buik plakt nog van de gel. Langs mijn buikwand voel ik de zachte bewegingkjes van de foetus die daar rondspartelt, en ik begin het al een beetje leuk te vinden. Ik doe de voordeur open en we gaan naar binnen. Het appartement is volledig in duisternis gehuld.

'Verdomme, wat is dit nou weer?' In paniek tast ik naar de lichtknop. Wie van de kinderen ligt er in het ziekenhuis en waarom?

'VERRASSING!!!' Alle lichten floepen aan en ik word tegen de muur gedrukt. Het hele appartement is afgeladen met mensen uit alle delen van mijn leven – Portia, Sven, Christy, Penny, Tricia, Kate, Georgia, Max, Lily, Vera, Skip, Francesca, noem maar op. Te midden van hen allen staat Thom, stralend, zijn armen naar mij uitgestrekt, en hij zegt nog eens 'Verrassing,' alsof ik dat de eerste keer niet al duidelijk genoeg had gehoord. Er hangt een spandoek door de kamer met 'GEFELICITEERD MET JE TIENDE VERJAARDAG, JENNIFER!!!' Reuze grappig. Ik draai me op mijn hakken om, loop de deur uit en trek hem achter me dicht. Dit is niet grappig. Dit is helemaal niet grappig. Zelfs als ik een clownspak aanhad, zou dit niet grappig zijn. Ik hoor de deur achter me opengaan terwijl ik een paar keer op de liftknop druk en kijk hoe het lampje oplicht van 1, naar 2...

'Jen, wacht...' Het is Thom. Die vuile verrader.

'3, 4, bingo. Ik stap in de lift en druk zo hard als ik kan op de knop 'deur sluiten'. Hij pakt de deur nog net op tijd.

'Hoe durf je!!!' schreeuw ik. 'Je kent de afspraak. HET IS NOOIT MIJN VERJAARDAG.'

'Maar, Jen, luister nou even.'

'Houd je kop. Jij moet luisteren. HET IS NOOIT MIJN KLOTE VERJAARDAG.' De lift stopt op twee. De Mercers stappen in met hun akelige zoontje en hun Duitse herder. 'Sorry, dat ik vloekte waar de hond bij is.' Ze begroeten ons met een ijzige stilte. Thom legt zijn hand op mijn schouder. Ik schud hem af. Hij komt een stap dichterbij, ik doe een stap achteruit. We kijken allemaal naar de lampjes die van verdieping naar verdieping springen.

We komen beneden in de hal, ik loop door. Het sneeuwt hard en ik word verblind door de wind die ijsvlokken in mijn ogen blaast. Thom pakt me bij mijn elleboog wanneer ik de straat over ren.

'Kom alsjeblieft mee naar boven. Het zijn alleen maar mensen die van je houden, Georgia en ik zijn dagen bezig geweest met organiseren. Als je nu eens voor één keer vergat dat je niet van verrassingen houdt? Voor mij?'

'En wat dacht je van deze verrassing, Thom?' Ik sta stil en tol tegen hem aan, mijn vuisten tegen zijn borst. 'Dat ik sinds vanmorgen weet dat ik een vrijwel voldragen baby draag, dat me vanmiddag is verteld dat mijn moeder niet mijn moeder is, mijn hartsvriendin is, en ten slotte, dat die klootzak van een vader van mijn geboren en ongeboren kinderen me overrompelt met een verjaarspartij, en dan ook nog eens een volle twee dagen voordat ik klote veertig word op klote schrikkeldag – een dag die vijfenzeventig procent van de tijd niet bestaat. IK HOUD NIET VAN VERRASSINGEN, GESNAPT?'

'We zijn zwanger?' Hij doet een stap achteruit.

'Schijnt van wel.'

'Hoe?'

'Geen klote condooms... om te... klinkt dat bekend?' Ik maak een cirkel van duim en wijsvinger, en ga er met de wijsvinger van de andere hand een paar keer in op en neer. Hij grijpt mijn handen, pint ze vast langs mijn lichaam, en komt met zijn gezicht zo dicht als hij kan bij het mijne zonder me ook echt te kussen.

'Lawrence, ik kan maar niet uitmaken of je volslagen gestoord bent of alleen maar onnozel.'

'Ik zit met hetzelfde probleem, sir.' Ik val tegen hem aan, en nu ik mijn woede heb gespuid vertraagt mijn geest tot een slakkengangetje. Cheryl heeft echt gelijk, ik heb een rijk leven, en als ik niet zo bang was om er ook maar iets van te verliezen, zou ik meer tijd hebben om ervan te genieten.

'Wat is het?'

'Een jongen.'

'Zullen we deze Lawrence noemen?'

'We hebben de vorige Lawrence genoemd.'

'Waarom noem je hem dan Max?'

'Weet ik niet, past gewoon bij hem.' We leunen samen tegen een geparkeerde auto. Kijken naar boven naar ons appartement en zien al mijn vrienden naar beneden kijken hoe wij daar staan, met de sneeuw die onze gelaatstrekken doet vervagen, maar niet de warme gloed van de kamer daarboven.

'Jen, je weet dat je er niet helemaal alleen voor staat. Ik ben er om te helpen. Zeg me wat ik moet doen, en ik doe het.' Ik ril bij de gedachte, hij trekt me dichter tegen zich aan.

'En jij zeker Larry voeden tot je tepels helemaal gebarsten zijn?'

'Alles, alleen dat niet.'

'En dat noem je liefde?'

'Luister, we hoeven niet terug naar boven, we kunnen doen waar jij zin in hebt.' Hij schuift zijn hand onder mijn jas en legt hem op mijn buik. 'Of we sturen ze allemaal weg en kruipen lekker in bed en dan vertel jij me over al die andere dingen waarover je het net had.'

'Ik denk dat ik net zo lief naar boven ga en me nog een paar keer verrassing laat toeroepen. Je weet hoe leuk ik dat vind.' Er komt een taxi voorbij die onze schoenen onderspat met sneeuwderrie, en dan steken we de straat over. Onder de luifel bij de ingang staat Thom stil en overhandigt me een plat in een krant gewikkeld pakje.

'Wat is dit?'

'Maak maar open.'

Met mijn verkleumde vingers scheur ik het papier eraf en ik zie een ingelijste foto. Het is de foto van ons bij het River Café, zonder de pruik van Photoshop.

'O, en ik heb nog een nieuwtje voor je. Bjorn is aangeklaagd. Ik ben uit de problemen.'

Ik barst in tranen uit terwijl hij een kaars te voorschijn tovert, voor mijn neus houdt en aansteekt.

'Nu moet je een wens doen.'

Ik sluit mijn ogen en probeer een wens te bedenken, maar na een snelle inventarisatie realiseer ik me dat ik, op mijn manier, echt alles heb.

Epiloog

'We moeten andere shirts hebben. Roze en paars is te januari-achtig,'

'Maar ze zijn nooit gedragen, lieverd, en we zijn een beetje krap bij kas.'

'Mama, alsjeblieft?'

'Wat voor kleuren?'

'Oranje en rood. Dat zijn nu mijn lievelingskleuren.'

'Oranje en rood, staat genoteerd.'

'En meneer Gregory en juffrouw Daily moeten ook komen.'

'Je onderwijzers?'

'Mijn *wegwijzers.*'

'Oké, dat klinkt leuk.'

'Mama?'

'Ja, Geege?'

'Waar komen baby's vandaan?'

'Grappig dat je dat vraagt.'

'Waarom grappig?'

'Nou, omdat ik je iets moet vertellen.'

Ogen worden tot spleetjes geknepen.

'Mama en papa houden heel veel van elkaar, en daarom hebben we jou gekregen, en toen Max.'

Ogen gaan wijdopen.

'En nu, omdat we zoveel van jullie houden, krijgen we nog een baby.'

Ogen worden dichtgeknepen.

'Geege?'

'Nee. Niets. Nee.'

'Umm, ja, wel.'

'Nee. Je hebt het *beloofd.* Geen *baby's* meer.'

‘Ik kan me niet herinneren dat ik dat heb beloofd.’

‘Toen je met Max thuiskwam zei je nooit meer baby’s.’

‘Oké, kan zijn. Maar we zijn denk ik, allemaal een beetje verrast.’

‘Als hij maar geen penis heeft.’

‘Zou kunnen van wel.’

‘Kan het dit keer niet een meisjesbaby zijn?’

‘We kunnen altijd nog naar de winkel gaan en een meisjesbaby voor je kopen. Wat dacht je daarvan?’

‘Je mag een baby hebben, op één voorwaarde.’

‘Oké, welke?’

‘Dat ik niet met de baby of met Max in bad hoef. Ik ben bijna *zes*.’

‘Afgesproken.’

Ogen rollen, een knuffel.